Lara Huber

—

Der Philosoph und der Künstler

Orbis Phaenomenologicus

Herausgegeben von
Kah Kyung Cho (Buffalo), Yoshihiro Nitta (Tokyo) und Hans Rainer Sepp (Prag)

Studien 28

Lara Huber

Der Philosoph und der Künstler

Maurice Merleau-Ponty als Denker der *réflexion*

Königshausen & Neumann

Bibliografische Information der Deutschen Nationalbibliothek

Die Deutsche Nationalbibliothek verzeichnet diese Publikation in der Deutschen
Nationalbibliografie; detaillierte bibliografische Daten sind im Internet
über http://dnb.d-nb.de abrufbar.

D 84

Der Philosoph ist im Ganzen betrachtet eine Art Spezialist des Universellen; jenes ist von widersprüchlicher Natur. Mehr noch, das Universelle zeigt sich allein über seine sprachliche Gestalt.

Diese beiden Betrachtungen verleiten leicht dazu den Philosophen zu den Künstlern zu zählen; aber dieser Künstler kann nicht mit dem Sein übereinkommen, und hier beginnt das Drama, oder die Komödie, der Philosophie.

Paul Valéry, Léonard et les philosophes (1929)

Während wir meinten, dass jene mechanische Tätigkeit des Bildens von einem geistigen Prozess des Vorstellens abhängig sei, begreifen wir nun, dass jede Möglichkeit des Fortschritts in der Entwicklung der Vorstellungen abhängig ist von jener mechanischen Tätigkeit.

Konrad Fiedler, Der Ursprung der künstlerischen Tätigkeit (1887)

Vorwort

Das Erscheinen dieses Buches, die überarbeitete Fassung meiner Dissertationsschrift aus dem Jahr 2004, verdankt sich mehreren glücklichen Umständen. Der wichtigste sei gleich genannt: Das Werk Maurice Merleau-Pontys hat in den vergangenen Jahren einen nochmaligen Zuwachs an Aufmerksamkeit gewonnen – nicht zuletzt befördert durch den 100. Geburtstag im Jahr 2008 und den 50. Todestag im Jahr 2011. Hervorzuheben ist in diesem Zusammenhang die große Präsenz seiner Schriften in der französischen, italienischen, spanischen und deutschen Philosophie als auch in der außereuropäischen Akademia, die vor allem im asiatischen Raum eine eigene Rezeption seines Denkens angestoßen haben. Auch die angelsächsische Tradition der Philosophy of Mind hat in den vergangenen Jahren frühe wie späte Schriften Merleau-Pontys für Fragen des „Embodiment" im Besonderen in den Blick genommen und Grundfragen der husserlschen Phänomenologie bis in die Kognitionswissenschaften bzw. die evolutionäre Robotik hineingetragen.

Vieles wäre vor diesem Hintergrund zu sagen über die Motive und Besonderheiten, die die Rezeption der Schriften Merleau-Pontys in den verschiedenen Denktraditionen der neueren Philosophie, der Kognitionwissenschaften, aber auch der Kunst- und Kulturwissenschaften angeleitet haben, vieles darüber, welche Verkürzungen und Überhöhungen seines Denkens diese auch gezeigt haben. Insbesondere der Umstand, dass die nachgelassenen Schriften und Notizen (*Le visible et l'invisible*, *Notes de cours*, *La nature*) die Ambiguität seines Denkens in den Vordergrund gestellt haben – auch das vorliegende Buch setzt sich in gewisser Hinsicht diesem Vorwurf aus – machen es bis heute schwer, Merleau-Pontys philosophisches Werk in einer Gesamtschau angemessen zu würdigen. Einige dieser Impulse, vor allem diejenigen die die aktuellen Diskurse über sein Denken im Hinblick auf das Verhältnis von Philosophie und Kunst anleiten, haben mich gleichwohl dazu veranlasst, das bereits Niedergeschriebene noch einmal kritisch in den Blick zu nehmen und in der nun vorliegenden Fassung *Der Philosoph und der Künstler: Maurice Merleau-Ponty als Denker der réflexion* neu zur Publikation zu bringen.

Ein zweiter, sehr glücklicher Umstand, der für das Erscheinen des Buches in vorliegender Gestalt maßgeblich ist, liegt in der freundlichen Aufnahme in der Reihe *Orbis Phaenomenologicus* durch die Herausgeber Prof. Hans-Rainer Sepp, Prof. Kah Kyung Cho und Prof. Yoshihiro Nitta begründet, denen ich hiermit herzlich danken möchte. Ein ebensolches Dankeschön gilt dem Verlagshaus *Königshausen & Neumann*, namentlich Herrn Prof. Johannes Königshausen für die Unterstützung in allen Belangen.

Nicht zu vergessen ist ein dritter glücklicher Umstand, der mir Zeit und intellektuelle Muße für die Überarbeitung meiner Dissertationsschrift gegeben hat: Danken möchte ich Frau Professorin Nicole Karafyllis und Herrn Prof. Claus-Artur Scheier vom Seminar für Philosophie der Technischen Universität Braunschweig für die tatkräftige Unterstützung, inhaltliche wie formale Anregungen und insbesondere für das Wohlwollen, das mir vom gesamten Team der Mitarbeiterinnen und Mitarbeitern auch jenseits der Bearbeitungszeit entgegengebracht wurde.

Schließlich gilt mein Dank dem Betreuer meiner Dissertation, Herrn Prof. Günter Figal, der früh mein Interesse an der französischen Philosophie gefördert hat, sowie dem Zweitgutachter Herrn Prof. Anton-Friedrich Koch. Bedanken möchte ich mich ferner beim Seminar für Philosophie der Universität Tübingen, namentlich bei Herrn Dr. Dietmar Koch für die Unterstützung in administrativen Belangen und beim Land Baden-Württemberg für die großzügige Bewilligung eines dreijährigen Doktorandenstipendiums im Rahmen des Landesgraduiertenförderungsgesetzes.

Ein besonderer Dank gilt meiner Familie, den Angeheirateten wie den Unangeheirateten, den Freunden und Kollegen, die im Hintergrund, aber alle auf ihre Weise zum Gelingen der Promotion sowie zur Realisierung des vorliegenden Buches beigetragen haben.

Inhaltsverzeichnis

Vorwort 7

I. Einleitung 11
1. Das Sehen und das Sichtbarmachen 24
1.1. Im *Frühwerk* 25
1.2. Im *Werk des Übergangs* 27
1.3. Im *Spätwerk* 30
2. Der Begriff der *réflexion* 32

II. Hintergründe: Leib, Sprache, Ausdruck 38
1. Die ‚Leibphilosophie' Merleau-Pontys 38
1.1. ‚Eigenleib' und ‚Zur-Welt-Sein' 39
1.2. In der ‚Lebenswelt' 47
2. Analysen zur Sprache und Kommunikation 50
2.1. Husserls eidetisches Sprachmodell 51
2.2. Das Zeichenmodell Ferdinand de Saussures 54
3. Die Theorie des Ausdrucks 62
3.1. Ausdrucksdenken im frühen 20. Jahrhundert 63
3.2. Der *Ausdruck* oder:
das ‚offen-unbestimmte Vermögen des Bedeutens' 65

III. Das ästhetische Fundament
der ontologischen Neuorientierung 70
1. Die Neuordnung der Welt 70
1.1. Phänomenologische Reduktion und ‚vorgängiges Sein' 77
1.1.1. Husserls phänomenologisches Reduktionsmodell
in der Rezeption Merleau-Pontys 78
1.1.1.1. ‚Zu den Sachen selbst' 83
1.1.1.2. ‚Ich bin' bzw. ‚Die Welt ist' 85
1.2. Cézannes Gegenstand 88
1.2.1. Modellcharakter der Kunst 93
1.2.1.1. Neubeginn in der Malerei 93
1.2.1.2. Neubeginn in der Sprache 99
1.3. Von der Neuordnung der Welt
zum Handlungsraum des Künstlers 106
2. Der Philosoph und der Künstler 109

2.1. Das Konzept einer ‚neuen' Philosophie
im Spätwerk Merleau-Pontys...110
2.1.1. Über das ‚Sein'..112
2.1.2. Husserl und Heidegger...123
2.1.3. Phänomenologie oder Ontologie? 126
2.2. Die Verbundenheit von Philosophie und Kunst............................129
2.2.1. Die Kunst als *Vorbild* der Philosophie 131
2. 2. 2. Merleau-Ponty und die *Figur des Künstlers* 134
2. 2. 2. 1. Marcel Proust und die Literatur 135
2. 2. 2. 2. Paul Cézanne und die Malerei 137
2.2.3. Die Beschaffenheit des Künstlerkörpers...................................138
2.3. Die philosophische Operation
der ‚Überreflexion' (surréflexion)..141
2.3.1. Das *Denken* des Künstlers
zu dem des Philosophen machen...144
2.3.2. Das *Sehen* des Künstlers zu dem des Philosophen machen 151

IV. Fazit und Ausblick..154

V. Literaturverzeichnis 163
1. Primärliteratur: Schriften Merleau-Pontys 163
A. Publikationen zu Lebzeiten 163
B. Aus dem Nachlass..164
C. Deutschsprachige Sammelbände 165
2. Sekundärliteratur...165
A. Monographien, Sammelbände und Dissertationen 165
B. Zeitschriftenartikel 177

VI. Anhang 180
Personen- und Stichwortregister...180

I. Einleitung

Der spezifische *Prozess des Herstellens*, nicht die *Materialität*, die mit dem künstlerischen Arbeiten einhergeht, ist der eigentliche Ausgangspunkt, den Maurice Merleau-Ponty für seine Analysen des künstlerischen Denkens nimmt – zumindest wenn man seinen Schilderungen im Spätwerk – namentlich *L'œil et l'esprit* (1961) Glauben schenkt. Es geht ihm – hier ließe sich auf Konrad Fiedlers *Ursprung der künstlerischen Tätigkeit* (1887) verweisen – also um die „Tätigkeit des Bildens" und deren Voraussetzungen für „jede Möglichkeit des Fortschritts in der Entwicklung der Vorstellungen"[1]. Merleau-Pontys Exploration des ästhetischen Erfahrens und Handelns, des Daseins des Künstlers in der Welt gründete – das ist vor dem Hintergrund des Gesagten kaum erstaunlich – auf einem *unvermittelten* und somit, dem Anspruch nach, *unverfälschten* Zugang zum „Produkt" des Künstlers bzw. zur Genese des Kunstwerkes. Nicht den Weg der philosophischen Theorie, d.h. der systematischen Schau und Erkundung des Ästhetischen, entlang den Qualitäten des Schönen, des Harmonischen, der Stimmigkeit oder gar des Erhabenen an und für sich zu gehen, sondern dem Spektrum künstlerischer Tätigkeit zu folgen, wurde maßgeblich durch folgende Erkenntnisse angeleitet: Zu nennen wäre etwa die Tatsache, dass sowohl die Motive für künstlerisches Arbeiten als auch damit verbundene Prozesse das eigene philosophische Fragen in besonderer Gestalt attraktiv machten. Und zwar vorrangig, weil beides, die Motivation wie auch die Realisierung im künstlerischen Akt Anlass zu einer erneuten Betrachtung phänomenologischer Grundeinstellung gaben: Wie die Schilderungen der Künstler, die Merleau-Ponty für seine Analysen zu Rate zog, zeigen, erschöpft sich die leibliche Erfahrung nämlich weder im (künstlerischen) Produkt, dem Kunstwerk[2], noch in der theoretischen Be-

---

[1] Vgl. Konrad Fiedler, Schriften zur Kunst, 2 Bde., München ²1991; hier: I, 167f. Eine Nähe zwischen dem Denken Fiedlers und dem Merleau-Pontys ist vor allem im Hinblick auf das spezifische Weltverhältnis des Künstlers, das sich im genuinen Schaffensprozess, der künstlerischen Tätigkeit zeigt, unverkennbar. Freilich findet sich in den Schriften Merleau-Pontys keine Referenz, die nachweisen würde, dass er mit den Schriften Fiedlers vertraut gewesen wäre.

[2] Inwiefern Künstlerinnen und Künstler notwendigerweise *Produkte* schaffen ist angesichts des breiten Spektrums künstlerischer Tätigkeiten gerade auch im Nachgang zu den Spielarten der konzeptuellen Kunst fraglich. Dies kann hier im Einzelnen leider nicht ausgeführt werden: Die folgenden Analysen orientieren sich in erster Linie an den Beispielen aus der bildenen Kunst (v.a. der Malerei), die Merleau-Ponty selbst benennt. Die Frage, inwiefern das Weltverhältnis des Künstlers, das Merleau-Ponty dort entwirft, nicht grundsätzlich Gültigkeit besitzt, d.h. gerade auch künstlerisches Arbeiten jenseits traditioneller Kunstformen und vor allem jenseits der engeren Trias von Natur, Künstler und Kunstwerk beschreibt, hätte ei-

schreibung des kreativen Akts, d.h. dem eigentlichen Herstellungs- bzw. Realisierungsprozess. Hervorzuheben gilt es, dass sich Merleau-Ponty bevorzugt auf Berichte über das künstlerische Arbeiten Paul Cézannes und dessen Selbstanalysen des kreativen Daseins stützte. Freilich, und dies ist darum zugleich bedenkenswert, rekurrierte Merleau-Ponty hierbei ausnahmslos auf Schilderungen aus zweiter Hand, namentlich auf die romantisch verklärten Berichte, die Joachim Gasquet bzw. Emile Bernard auf Basis ihrer Begegnungen und Gespräche mit Cézanne verfasst hatten[3]. Neben den Arbeitsberichten Cézannes konsultierte Merleau-Ponty aber auch Tage- bzw. Arbeitsbücher bildender Künstler wie Paul Klee, Robert Delaunay oder Auguste Rodin[4]; ferner finden sich in seinem Werk unter anderem Verweise auf das künstlerische Wirken und die Werke von Leonardo da Vinci, Théodore Géricault, Eugène Delacroix, Vincent van Gogh, Henri Matisse, Marcel Duchamp, Henri Moore, Alberto Giacometti, Jean Dubuffet, Nicolas de Staël und Étienne-Jules Marey. Neben die bildende Kunst und die Fotografie tritt zudem die klassische französische Literatur: Konstante Referenzpunkte in den Schriften Merleau-Pontys sind allen voran Marcel Proust und Stendhal sowie Paul Valéry und Paul Claudel.

Gleichfalls lässt sich weder im Bezug auf die Quantität noch auf die Qualität eine besondere Gewichtung ästhetischer Fragen im Werk Merleau-Pontys ausmachen. Auch verteilen sich die Verweise relativ gleichmäßig auf die zu Lebzeiten Merlau-Pontys bzw. aus dem Nachlass erschienen Schriften. Insgesamt bestärkt dies den Eindruck, dass Merleau-

---

ne eigene Auseinandersetzung verdient. Insbesondere die späten Schriften Merleau-Pontys bieten hierzu hinreichend Anlass, auch wenn, wie die vorliegende Analyse zeigt, er sich bis zuletzt bevorzugt mit den gestalterischen Prinzipien traditioneller Tafelbilder auseinandergesetzt hat (vgl. u.a. OE; 77-87).

[3] Die Erinnerungen Gasquets sind, vor allem im Hinblick auf den Grad an Authentizität, der sich ihnen zusprechen lässt, in der Forschung sehr umstritten. So schreibt der Herausgeber des Sammelbandes *Gespräche mit Cézanne*, Michael Doran (1982/franz. Original: 1978), dass „diese fingierten Dialoge mehr wegen ihrer Atmosphäre als wegen der gelieferten Informationen von Wert" (1982; 134) seien, weil sie „Authentisches und Spekulatives" (133) kombinierten. Da Merleau-Ponty (noch in *L'œil et l'esprit*!) auf Gasquets Entwurf des Künstlers mehrfach Bezug nimmt – ohne die fragliche Qualität dieser Überlieferung freilich einzuräumen oder zu kritisieren (worauf er etwa im Gegensatz dazu hinsichtlich der Berichte Emile Bernards nicht verzichtet), ist anzunehmen, dass ihm gerade die atmosphärische Dichte und die Plastizität der vorliegenden Schilderungen zum Urteil verlockten, ein vermeintlich authentisches Zeugnis des Künstlers vor sich zu haben.

[4] Merleau-Ponty übernimmt, wie insbesondere *L'œil et l'esprit* zeigt, zahlreiche Aussagen von Künstlern (u.a. Giacometti) aus den Radiointerviews, die Georges Charbonnier in den 1950er Jahren mit Vertretern der modernen Kunst geführt hat, darunter Vertreter des Kubismus (Braque), des Surrealismus (Ernst, Dali, Miró, Picabia u.a.), sowie der jungen französischen Kunstszene dieser Zeit (hier: Le monologue du peintre, Paris 1959).

Ponty weder vom Projekt einer systematischen Beschäftigung mit dem Ziel, eine eigene Ästhetik bzw. Kunstphilosophie zu entwerfen, angetrieben war, noch, wie dies namentlich die Schriften Walter Benjamins und Theodor W. Adornos zeigen, von der systematischen Analyse des Objekt- bzw. Werkcharakters der Kunst in der Moderne. Als Veranschaulichung, als phänomenologisch-ästhetische Kontextualisierung, tragen die kunstphilosophischen Auseinandersetzungen, wie hier exemplarisch gezeigt wird, insgesamt dazu bei, philosophische Frage- und Problemstellungen auf besondere Weise in den Blick zu nehmen[5]. Indiz hierfür ist nicht zuletzt, dass Merleau-Pontys Auseinandersetzung mit dem künstlerischen Schaffensprozess weniger konkreter Anlass – im Sinne einer systematischen Schau – als vielmehr stets begleitendes Element seiner Philosophie war. Es kann folglich davon ausgegangen werden, dass sich der Einfluss der Kunstphilosophie vor allem indirekt äußert, d.h. aus dem Hintergrund des Gesamtwerks hervorscheint bzw. sich als Fragmentarisches konstituiert. Auch deshalb lässt sich Merleau-Pontys Auseinandersetzung mit den Ausdrucks- und Erfahrungswelten von Künstlern – vor allem aufgrund seines eher intuitiven Umgangs damit – als (ästhetische) Basis des eigenen Philosophierens ausmachen. Dabei bildet sie jenes Fundament, von dem aus es Merleau-Ponty immer wieder gelingt, philosophische Probleme aufzugreifen und in ihrer komplexen Form anzuzeigen, indem er sie zuvor sich selbst im wahrsten Sinne *anschaulich* gemacht hat.

Schilderungen des künstlerischen Schaffens stehen, wie die Forschungsliteratur gezeigt hat (z.B. Bonan 1997; Carbone 2001), ebenbürtig neben kunsttheoretischen und philosophischen Erörterungen und besitzen auch deshalb einen hohen Stellenwert für die Phänomenologie des Frühwerks bzw., wie ich in der vorliegenden Arbeit zeigen möchte, für die Hinwendung zur Ontologie bzw. ontologischen *Neuorientierung*, die sich in den späten, nachgelassenen Schriften Merleau-Pontys herauskristallisiert. Tatsächlich wertet Merleau-Ponty die künstlerischen Schaffensprozesse bzw. die literarischen Schilderungen nicht, das heißt, er verunglimpft sie nicht als *Welt bloßen Scheins* oder der willfährigen *Illusion*, die von der *wahren* Welt des Seins getrennt existiere; im Gegenteil, verortet er doch die sich durch künstlerisches Arbeiten offenbarende Welt nirgendwo anders als *in* der Welt des Seins selbst: Insofern will Merleau-Ponty sie auch als einzigartige ‚Ausdruckswelt'[6] verstanden wissen, in der sich das Sein als solches artikuliert; und insofern betrachtet er auch den Künstler als Zeugen und Einheit eines inspirativ-expirativen Weltverhältnisses (III. 2.2.).

---

[5] Als Beispiel sei vorab auf deutliche Parallelen zwischen Cézannes Farbtheorie der *Modulation* und Merleau-Pontys Phänomenologie der *Sichtbarkeit* (Vis; 174) verwiesen.

[6] Vgl. hierzu insbes. unten *II. 3. Theorie des Ausdrucks*.

Das besondere Augenmerk der vorliegenden Arbeit gilt vor diesem Hintergrund der systematischen Schau und kritischen Reflexion der möglichen Verwandtschaft von *künstlerischem Sehen* und *philosophischem Denken*, und somit den Weltverhältnissen des Künstlers bzw. des Philosophen. Mit dieser Problemstellung verbindet sich freilich nicht das (zusätzliche) Projekt einer wie auch immer gearteten Rekonstruktion der ‚ungeschriebenen' Kunstphilosophie Merleau-Pontys, und zwar aus zwei Gründen: Einerseits hat die Forschungsliteratur mittlerweile Schriften, darunter auch thematische Sammelbände zur Ästhetik Merleau-Pontys vorgelegt, die diesem Desiderat weitgehend entsprechen[7]. Andererseits, und dies gilt es grundsätzlich zu bedenken, steht die Frage im Raum, inwiefern Merleau-Ponty, was nicht zuletzt die bereits vorliegenden Rekonstruktionsversuche seiner Kunstphilosophie zum Teil gerade auch belegen, überhaupt ein systematischer Denker zu nennen ist[8]. Im Bezug auf die ‚ungeschriebene' Kunstphilosophie lässt sich auf jeden Fall konstatieren, dass er weder in den frühen noch in den späten Schriften das Projekt verfolgt hatte, eine Ästhetik im Sinne eines für sich stehenden, systematischen Werkes zu verfassen – etwa nach dem Vorbild des deutschen Idealismus[9]. Die ‚Kunstphilosophie' Merleau-Pontys konstituiert sich, wenn überhaupt, vorrangig durch zahllose explizite bzw. implizte Verweise, die sich über das Gesamtwerk verteilen: Hierzu zählen ausgewählte Beschreibungen aus Künstlerhand und kunsttheoretische Notizen unterschiedlicher Provenienz, deren Bezüge zueinander in der Regel weder offen gelegt werden noch eine systematische Einbettung erfahren. Dazu passt das offensichtliche Desinteresse Merleau-Pontys an jeglicher systematischer Schau von Kunst*formen* (Malerei, Poesie, darstellende Künste, Musik) oder künstlerischer *Epochen*, was sich etwa an seiner Bewertung der Moderne und der ihr zugeordneten Kunstformen im Vergleich zu vorangegangenen künstlerischen Epochen ablesen lässt[10].

---

[7] Sekundärliteratur vgl. unten *Fußnote Nr. 26.*

[8] Diese Frage könnte etwa von einer kurzen Notiz Ronald Bonans ihren Ausgang nehmen, der im Rahmen seiner jüngst erschienenen Einführung zu Merleau-Ponty diesen als „anti-systematischen Philosophen" bezeichnet hat (Bonan, 2011; 19). Diese Feststellung verdient für sich genommen freilich eine wesentlich umfangreichere Betrachtung, als dies im Rahmen der hier vorliegenden Analyse möglich wäre.

[9] Ästhetik wird in der Tradition des deutschen Idealismus gewöhnlich als Reflexion über Kunst verstanden: vgl. u.a. Karlheinz Brack in: Ästhetische Grundbegriffe [*ÄGB*]. Historisches Wörterbuch in sieben Bänden, (hrsg. v. K. Brack) Stuttgart/ Weimar 2000, Bd. 1 (Absenz - Darstellung); 383.

[10] So dürfe der Hiatus zwischen Klassik und Moderne, auf den die modernen Ausdrucksformen durch ihr Erscheinen verweisen, nach Merleau-Ponty nicht als Anzeige „überholter Kunstformen" gelesen werden – vgl. PM (204): « Notre temps a privilégié toutes les formes d'expression élusives et allusives, donc tout d'abord l'expression picturale, et en elle l'art des « primitifs », le dessin de l'enfants et des

Seine philosophischen Fragen an das künstlerische Schaffen bzw. die phänomenale Erfahrungswelt des bildenden oder schreibenden Künstlers sind somit weniger, wenn überhaupt, durch die Auseinandersetzung mit philosophisch-systematischen, kunsttheoretischen oder ästhetischen Schriften angeleitet[11]. Insgesamt fällt auf, dass gerade auch die Behandlung philosophischer Schriften zur Ästhetik, namentlich Schlüsselbegriffe seiner eigenen Epoche, wie etwa des *Imaginären* (Jean-Paul Sartre) bzw. der *symbolischen Formen* (Ernst Cassirer) im Wesentlichen rudimentär bleiben[12]. Hierzu passt, dass Merleau-Ponty schon früh mit seiner metaphern-

---

fous. Puis tous les genres de poésie involontaire, le « témoignage », ou la langue parlée. Mais, sauf chez ceux de nos contemporains dont la névrose fait tout le talent, le recours à l'expression brute ne se fait pas contre l'art des musées ou contre la littérature classique. Il est au contraire de nature à nous les rendre vivants en nous rappelant le pouvoir créateur de l'expression qui porte aussi bien que les autres l'art et la littérature « objectifs », mais que nous avons cessé de sentir en eux précisément parce que nous sommes installés, comme sur un sol naturel, sur les acquisitions qu'ils nous ont laissés. »

[11] Das heißt freilich nicht, dass er mit diesen nicht vertraut gewesen wäre: Während seiner Gastprofessur in Lyon Ende der 40er Jahre setzte sich Merleau-Ponty insbesondere mit der Ästhetik Georg Wilhelm Friedrich Hegels auseinander (vgl. Theodore F. Geraets, Vers une nouvelle philosophie transcendantale. La genèse de la philosophie de Maurice Merleau-Ponty jusqu'à la Phénoménologie de la perception, Den Haag 1971; 28/Fußnote 126). Leider ist keines der Originalmanuskripte Merleau-Pontys aus der Lyoner Zeit erhalten geblieben, wie mir Suzanne Merleau-Ponty mitteilte – und konnte folglich auch nicht für die Ausarbeitung der Fragestellung konsultiert werden. In einem Brief vom 20. August 2001 (in meinem Besitz) schreibt sie über ihren Mann: « D'ailleurs il ne gardait [...] systématiquement les manuscrits de[..] ses livres, ni les notes de ses cours ou conférences. »

[12] Zur Cassirer-Rezeption Merleau-Pontys vgl. v.a. *Phénoménologie de la Perception* (1945) – hier greift Merleau-Ponty bevorzugt auf Textstellen zurück, wo sich Cassirer mit den Erkenntnissen der Gestaltpsychologen Wolfgang Köhler und Adhémar Gelb bzw. des Mediziners Kurt Goldstein auseinandersetzt (vgl. *Philosophie der symbolischen Formen*, Bd. III., 2. Teil, Kap. VI. Zur Pathologie des Symbolbewußtseins). Eine gesonderte Frage ist sicherlich jene nach dem Einfluss der Symboltheorie Cassirers auf das Denken und insbesondere auf die Sprache Merleau-Pontys, erinnert sei etwa an den Leib, „der seine eigenen Teile als allgemeine Symbolik der Welt nutzt" (PP; 274). Im Spätwerk spricht Merleau-Ponty von „symbolischen Formen, die Öffnung auf das sein sind" (Vis; 227). Auch Christian Bermes (Maurice Merleau-Ponty zur Einführung, Hamburg 1998; 61) hat darauf hingewiesen, dass die *symbolische Prägnanz* der *Philosophie der symbolischen Formen* das Interesse Merleau-Pontys geweckt hätten: Merleau-Pontys „immer wiederkehrende Rede von der >Inkarnation< [...] kann gleichsam als Universalisierung der cassirerschen >symbolischen Prägnanz< begriffen werden" (ebd.). Nicht unerwähnt sei an dieser Stelle, dass Merleau-Ponty den kunstwissenschaftlichen Aufsatz Erwin Panofskys „Die Perspektive als symbolische Form", der die *symbolische Form* Cassirers nicht nur im Titel trägt, ebenfalls gekannt hat (vgl. OE; 49).

reichen und bildhaften Sprache eine eigene Sprachsymbolik[13] ausbildet, die im Wesentlichen allenfalls durch ihre strukturellen Voraussetzungen an die Symboltheorie Cassirers erinnert und das *Paradigma des Leibes* in ein *Paradigma der Symbolik* verwandelt: „Jeder vorübergleitende Schatten, jedes Ächzen eines Baumes hat einen Sinn", zitiert Merleau-Ponty Cassirer sinngemäß, „alles ist voll von Vorzeichen, ohne jemanden, von dem sie gegeben wären" (PP; 336).

Wesentlicher, wenn nicht wichtigster Orientierungspunkt für die Kunstphilosophie Merleau-Pontys stellt das tief in der französischen Tradition verankerte Denken Paul Valérys dar. Dies ist insofern beachtenswert, als Valéry die Position der klassischen philosophischen Ästhetik als *kunstfremd* bzw. sogar als *kunstfeindlich* beschrieben hat[14]. Valéry versteht unter „esthétique" (Ästhetik) keine Wissenschaft, sondern, im Anschluss an den aristotelischen Wortsinn von *aisthesis*[15] ein *Studium der Empfindung* (étude de la sensation). Dieses Verständnis ist offensichtlich unvereinbar mit jeder Ästhetik, die sich vorrangig als Wissenschaft des Schönen definiert und damit zugleich konzeptionell einengt[16]. In *Léonard et les*

---

[13] Vgl. Petra Herkert, Das Chiasma. Zur Problematik von Sprache, Bewusstsein und Unbewusstem bei Maurice Merleau-Ponty, Würzburg 1987; 114: „An die Stelle abgezirkelter Begriffsbedeutungen setzt er zunehmend sprachliche Bilder, Symbole, die nicht eine Bedeutung haben, sondern >Büschel von Bedeutungen, ein Dickicht von direkten und übertragenen Sinnbezügen<." Herkert zitiert hier Merleau-Ponty (Vis; 172).

[14] Vgl. Brack, 2000; 392. Nicht unerwähnt sei an dieser Stelle, dass Theodor W. Adorno in seinen *Noten zur Literatur* (1958) deutliche Worte über die klassische Ästhetik im Allgemeinen und die kunsttheoretischen Schriften Paul Valérys im Besonderen verloren hat (1958; 177f.): „Große Einsichten in die Kunst geraten überhaupt entweder in absoluter Distanz, aus der Konsequenz des Begriffs, ungestört vom so genannten Kunstverständnis, wie bei Kant oder auch Hegel, oder in solcher absoluten Nähe, der Haltung dessen, der hinter den Kulissen steht, der nicht Publikum ist, sondern das Kunstwerk mitvollzieht unter dem Aspekt des Machens, der Technik. [...] Valéry bietet den fast einzigartigen Fall des zweiten Typus, dessen, der vom Kunstwerk durchs métier, den präzisen Arbeitsprozeß weiß, in dem aber dieser Prozeß zugleich so glücklich sich reflektiert, daß er in die theoretische Einsicht umschlägt, in jene gute Allgemeinheit, die nicht das Besondere fortläßt, sondern es in sich bewahrt und es aus der Kraft der eigenen Bewegung ins Verbindliche treibt. Er philosophiert nicht über Kunst, sondern durchbricht, im gleichsam fensterlosen Vollzug des Gestaltens selber, die Blindheit des Artefakts."

[15] *Zu aisthesis* im Sinne von Wahrnehmung bzw. sinnlicher Empfindung vgl. Aristoteles (De Anima, 413b2ff): „das Lebewesen [...] ist durch die Sinneswahrnehmung <bestimmt>; [...] von der Wahrnehmung [...] kommt zuerst allen Lebewesen der Tastsinn zu." Sowie ferner (DA, 416b49ff.): „Die Wahrnehmung erfolgt im Bewegtwerden und Erleiden, wie gesagt; denn sie scheint eine (qualitative) Veränderung zu sein."

[16] Dies kehren auch die Herausgeber des *Handbook of Phenomenological Aesthetics*, Hans Rainer Sepp und Lester Embree, hervor, indem sie über das Ästhetikverständnis der Phänomenologie schreiben (2010; xv-xvi): „Aesthetics has not only

philosophes (1929) kritisiert Valéry vor allem die Entfernung philosophischer Kunstbetrachtung vom künstlerischen Schaffensprozess[17]: „Was die ästhetische Philosophie am deutlichsten von den Überlegungen des Künstlers trennt, ist die Tatsache, dass sie von einem Denken herrührt, das sich den Künsten nicht zugehörig und sich dem Wesen nach vom Denken des Dichters oder Musikers zu unterscheiden glaubt."

Merleau-Ponty folgt Valérys Verständnis auch deshalb, weil er durch Cézanne zu wissen meint, dass es den Künstlern eben gerade nicht um die Darstellung des *Schönen* im Sinne eines – kunsttheoretischen Ideals –, sondern um die des *Seins* und damit des *Wahren* gegangen sei (III. 1.2.). Er rückt folglich die künstlerische und philosophische Tätigkeit eng zusammen: Cézanne, und zwar in der Figur eines idealisierten Künstlertypus, wie Merleau-Ponty sich ihn über die Schilderungen Gasquets erschließt, bahnte für diese – durchaus systematisch zu nennende – Annäherung den Weg (III. 2.3.)[18].

Das Verhältnis von *Philosophie* und *Kunst*[19], die kunsttheoretische Durchdringung künstlerischen Erfahrens und Handelns, sowie umgekehrt die Übertragung philosophischer Fragen in die Kunst hinein und deren Beantwortung mit künstlerischen Mitteln, muss immer wieder neu zum Thema der Philosophie gemacht werden – wie dies nicht zuletzt die Auseinandersetzung mit der modernen und vor allem abstrakten Kunst gezeigt hat (z.B. Barthes 1983; Kapust & Waldenfels 2010). Hinzu kommt, dass hieran längst nicht nur Philosophen oder Künstler beteiligt sind: Il-

---

aquired esteem within phenomenological research, but evinced a certain philosophical explosiveness. [...] it means an opening in which the field of the sensuous, the sphere of *aisthesis* has been integrated into the problematics of phenomenology. *Aisthesis* marks the realm in which aesthetics as a traditional discipline meets phenomenology–a meeting in which aesthetics has changed and phenomenology has expanded its framework." Vgl. ferner den Handbucheintrag *Aisthesis* von Jagna Brudzinska In: Ebd., Dordrecht u.a. 2010; 9-15.

[17] Paul Valéry, Léonard et les philosophes, in: ders., Introduction à la méthode de Léonard de Vinci, Paris 1957; 131. Die Übertragungen aus dem Französischen ins Deutsche sind, wenn nicht anderweitig gekennzeichnet, von mir.

[18] Hieraus erklärt sich zu gewissem Grad auch, warum die (ungeschriebene) Kunstphilosophie Merleau-Pontys am ehesten im Sinne einer *Ästhetik der Sichtbarkeit bzw. des Sichtbarmachens* bezeichnet werden kann. Schon die frühen phänomenologischen Studien (SC, PP) räumen dem *Sehen* bzw. dem *Gesichts*sinn Priorität vor allen anderen menschlichen Sinnen ein. Im Spätwerk (Vis) exemplifiziert sich das chiastische Wechselspiel von Sichtbarem und Unsichtbarem an der Verflechtung von aktivem Sehen des *Leib*-Subjekts und passivem Gesehenwerden des *Körper*-Objekts. Alphonse de Waelhens hat Merleau-Ponty auch als *Philosophen der Malerei* bezeichnet (vgl. de Waelhens, 1993).

[19] Vgl. die entsprechende Debatte *Philosophie & Art: la fin de l'esthétique*, in: magazine littéraire, n°414, novembre 2002; 17-54.

lustriert wird dies zum Beispiel an der Bedeutung transdisziplinärer Forschungsbereiche wie der so genannten Bildwissenschaften[20] sowie an Debatten, die sich an der Nutzbarmachung wissenschaftlicher bzw. technischer Neuerungen durch Kunst und Künstler entzünden[21].

Insgesamt zeigt sich an diesen Diskursen ein Bedarf an der Genese und Reifung spezifischer Formen der theoretischen Aneignung praktisch-lebensweltlicher Interaktionen von Akteur und Artefakt, Geistigem und Stofflichem, was am philosophischen Werk Merleau-Pontys und insbesondere am späten Essay *L'œil et l'esprit* (1961) deutlich wird: Danach ist das kreative Arbeiten des Künstlers Ausdruck eines spezifischen Weltverhältnisses und die Person des Künstlers unvergleichlicher Akteur eines Realisierungs- bzw. Übertragungsprozesses des *sichtbar-unsichtbaren Seins* in „die eigene Wirklichkeit des Bildes"[22]. Merleau-Pontys Analysen orientieren sich im Besonderen an Edmund Husserls Bestreben, „die reine und sozusagen noch stumme Erfahrung [...] zur reinen Aussprache ihres eigenen Sinnes zu bringen" (Hua I; 77). Die *Rehabilitierung des Sinnlichen*, die insbesondere im Spätwerk Philosophie und Kunst auf spezifische Weise zueinander in Beziehung setzt bzw. die Kunst zumindest ansatzweise als *Vorbild* einer noch zu definierenden *neuen* Philosophie bestimmt[23], geht

---

[20] Angleitet ist das Forschungsfeld von der Sichtung und Verhandlung von Bildpraktiken als kultur-historische Praktiken und deren Abgrenzung bzw. Einflussnahme auf akademische Bilddisziplinen, sowie im Anschluss daran von der Auseinandersetzung mit dem Bildhaften, dem Visuellen im Gegensatz zum bloß Sichtbaren. Siehe z.B. Hans Belting, *Die Herausforderung der Bilder. Ein Plädoyer und eine Einführung, in: Bilderfragen. Die Bildwissenschaften im Aufbruch*, hrsg. v. Hans Belting, München 2007: S. 11-23.

[21] Vgl. etwa die Debatte um den Beitrag an der Normalisierung wissenschaftlicher Techniken durch die vorherrschend naiven Rekurse von Künstlern der „Bioart-Szene" auf medizintechnisches Wissen und in diesem Zuge bereitwilligen und weitgehend unkritischen Pakt mit der pharmazeutischen Industrie. Zur Einführung in Prinzipien und Praktiken transgener Kunst siehe Ingeborg Reichle, Kunst aus dem Labor, *Zum Verhältnis von Kunst und Wissenschaft im Zeitalter der Technoscience*, Wien/New York 2005.

[22] Gottfried Boehm, Paul Cézanne, Montagne Sainte-Victoire, Eine Kunst-Monographie, Frankfurt /M. 1988; 57. In diesem Zusammenhang scheint es mir – auch vor dem Hintergrund der aktuellen Präsenz bildwissenschaftlicher Exegese – notwendig zu sein, zu betonen, dass Merleau-Pontys bevorzugte Auseinandersetzung mit der Malerei bzw. Zeichenkunst nicht im eigentlichen Sinne als konkretes Projekt einer Theorie des Bildes zu lesen ist, sondern sich der Exploration der künstlerischen „Tätigkeit des Bildens" (s.a. Fiedler ²1991) unterordnen lässt. Zur „Bildtheorie" Merleau-Pontys vgl. Stephan Günzel, Maurice Merleau-Ponty, In: Bildtheorien aus Frankreich. Ein Handbuch, hrsg. v. Kathrin Busch und Iris Därmann (eikones, hrsg. v. Nationalen Forschungsschwerpunkt Bildkritik an der Universität Basel), München 2011 (S. 299-311).

[23] Ansätze dazu gibt es bereits im Frühwerk (SNS) – gerade im Hinblick darauf, was das gemeinsame Bestreben von *Philosoph* und *Künstler* angeht, „nicht nur einen

damit einher. Entsprechend offensichtlich ist es, dass sich das Gesamtwerk Merleau-Pontys nicht in einer intensiven Auseinandersetzung mit Husserls Phänomenologie der Lebenswelt[24] bzw. der Fundamentalontologie Martin Heideggers erschöpft, sondern dass die sich in den späten Schriften abzeichnende *ontologische Neuorientierung* auf der Basis einer bereits im Frühwerk Merleau-Pontys angelegten spezifischen Auseinandersetzung mit künstlerischen Ausdrucks- und Erfahrungswelten gelesen werden muss; was in der Folge heißt, das ästhetische Fundament nicht allein für sich genommen zu betrachten, sondern es in den Kontext des philosophischen Gesamtwerks[25] zu stellen. Um darzulegen, wie sehr die

Gedanken zu fassen und auszudrücken", sondern „die Erfahrungen wachzurufen", die den Gedanken „in anderen Bewusstseinen auf fruchtbaren Boden fallen lässt" (zitiert nach Clemens Pornschlegel, in: Süddeutsche Zeitung, 27./28. Mai 2000, Das Chaos und die List. In "Sinn und Nicht-Sinn" schildert Maurice Merleau-Ponty Kunst und Gegenwart als Abenteuer). Dass Merleau-Ponty hier – insbesondere was die Rezeption Cézannes betrifft – weiter geht als etwa Jean-François Lyotard, habe ich bereits in einem früheren Aufsatz gezeigt (Huber 2009). Lyotards Deutungen Cézannes haben zudem vor allem ihren Ort in dessen Auseinandersetzung mit den Schriften Merleau-Pontys und geschehen, wie ich vermutet habe, vielleicht auch deshalb vorrangig in Gestalt einer kritischen Distanzierung zur Cézanne-Rezeption des Zeitgenossen (ebd.).

24 Vgl. Edmund Husserl, Hua, Bd. VI: *Die Krisis der europäischen Wissenschaften und die Transzendentale Phänomenologie.* Eine Einleitung in die phänomenologische Philosophie [*Krisis*], (hrsg. v. Walter Biemel) Den Haag 1954. Sowie ferner Ders., Hua Bd. XXXIX: *Die Lebenswelt: Auslegung der vorgebenen Welt und ihrer Konstitution.* Texte aus dem Nachlass (1916-1937), (hrsg. v. Rochus Sowa) Dordrecht 2008.

25 Das Gesamtwerk Merleau-Pontys gliedert sich in *frühe Schriften* (SC, PP), *Schriften des Übergangs* (Li, RC1, PM) bzw. *späte Schriften* (RC2, Vis, OE, NC [Abkürzungen siehe Literaturverzeichnis]). Die *Schriften des Übergangs* bezeichnen im Wesentlichen die in der Auseinandersetzung mit der strukturalistischen Linguistik Ferdinand de Saussures entstandenen Schriften (ab ca. 1945 bis 1952; vgl. James M. Edie, Speaking and Meaning. The phenomenology of language, Bloomington/London 1976; 90f.). Das *Früh-* (vor und einschließlich 1945) bzw. das *Spät*werk (ab 1952) umfasst, kurz gesagt, jene Schriften, die Merleau-Ponty *vor* bzw. *nach* dem strukturalistischen Wandel verfasst hat. Zur Einteilung des Gesamtwerkes siehe auch Bernhard Waldenfels (1983; 147f.). Die vorliegende Untersuchung wurde durch die verbesserte Literaturlage (Primärtexte) überhaupt erst möglich. Das gilt vor allem für die Ende der 1990er Jahre publizierten Sammelbände (*Le primat de la perception et les conséquences philosophiques 1933/34,* o. O. 1996; *Parcours, 1935-1951,* Lonrai 1997; *Parcours deux, 1951-1961;* Lonrai 2001) und Textfragmente aus dem Nachlass (*Notes de Cours au Collège de France: 1958-1961,* Paris 1996) resp. Nachschriften von späten Vorlesungen (*La nature. Notes. Cours du Collège de France;* Paris 1996). Zusammen mit den frühen Publikationen (insbesondere der Vorlesungsbände *Merleau-Ponty à la Sorbonne, résumé de cours 1949-1952,* Dijon-Quetigny 1988; *Résumés de cours: Collège de France 1952-1960,* Paris 1968) ist damit nun eine ausgewogene und für das Schaffen Merleau-Pontys repräsentative Quellenlage entstanden. Freilich fehlen gerade um die Bedeutung der

Kunstphilosophie Merleau-Pontys Anteil an stringent philosophischen Fragen hat[26], gliedert sich das einführende Kapitel *Hintergründe: Leib, Sprache, Ausdruck* in drei thematische Analyseschritte:

Wie die *Leibphilosophie* Merleau-Pontys (II. 1.) zeigt, beschränkt sich der Einfluss des von Husserl entliehenen Begriffs des *Leibes* (corps, corps propre) keineswegs auf eine differenzierte Ausarbeitung einer gleichnamigen Phänomenologie, sondern ist, im Sinne eines Leib-Paradigmas, als eine den veröffentlichten wie unveröffentlichten Schriften, den Vorlesungen sowie späten Fragmenten Merleau-Pontys zugrundeliegende *Verständnisstruktur* zu verstehen. Insbesondere das Spätwerk kann – durch den ontologischen Terminus des *Fleisches* (chair)[27] – als Residuum leibphilosophischer Prägung gelten.

Kunstphilosophie im Frühwerk bzw. im Werk des Übergangs wirklich beurteilen zu können, die Manuskripte und Notizen Merleau-Pontys zu den Vorlesungen im Rahmen seiner Gastprofessur an der *Université de Lyon* (1947/48).

[26] Die systematische Frage nach der konzeptionellen und womöglich auch methodologischen Nähe von Philosophie und Kunst und insbesondere die Frage nach dem Stellenwert der ästhetischen Schriften für das Gesamtwerk Merleau-Pontys wurde in der Forschung lange Zeit weitgehend ausgeklammert. Erste Würdigung erfährt diese Frage in thematisch eng gefassten Aufsätzen in Fachzeitschriften, die seit den 1960er und 1970er Jahren vorliegen. Erste Monographien, die die ästhetischen Schriften Merleau-Pontys dezidiert in den Blick nehmen, sind u.a. Dominique Rey, *La perception du peintre et le problème de l'être, Essai sur l'esthétique et l'ontologie de Maurice Merleau-Ponty*, Fribourg 1978; Thomas Winkler, *Die Phänomenologie Maurice Merleau-Pontys als ungeschriebene Kunstphilosophie*, Hamburg 1994; sowie Ronald Bonan, *Premières leçons sur l'Esthétique de Merleau-Ponty*, Paris 1997. Von besonderer Bedeutung für den internationalen Forschungsdiskurs war die kommentierte Herausgabe und Übertragung ästhetischer Schriften Merleau-Pontys ins Englische: Galen A. Johnson (Hrsg.), *The Merleau-Ponty Aesthetics Reader. Philosophy and Painting*, Evanston, Illinois 1994. Jüngere Schriften, die sich vornehmlich den kunstphilosophischen Schriften Merleau-Pontys widmen, sind u.a.: Mauro Carbone, *La visiblité de l'invisible. Merleau-Ponty entre Cézanne et Proust*, Hildesheim u.a. 2001; Serge Vadinoci, *Merleau-Ponty dans l'Invisible, L'Œil et L'Esprit au miroir du Visible et l'invisible*, Paris 2003; Stéphane Ménasé, *Passivité et Création, Merleau-Ponty et l'art moderne*, Paris 2003; Jean-Yves Mercury, La Chair du Visible, *Paul Cézanne et Maurice Merleau-Ponty*, Paris 2005 sowie der Sammelband *Kunst.Bild.Wahrnehmung.Blick. Merleau-Ponty zum Hundersten*, hrsg. von Antje Kapust und Bernhard Waldenfels, München 2010. Eine Übersicht über die Rezeption der Kunstphilosophie Merleau-Pontys in der französischen Philosophie gibt der Handbucheintrag *Maurice Merleau-Ponty (1908-1961)* von Galen A. Johnson In: Handbook of Phenomenological Aesthetics, hrsg. v. Sepp & Embree, Dordrecht 2010; 207-210.

[27] Mit *chair* bezeichnet Merleau-Ponty das *gemeinsames Gewebe* (tissu commun) der Welt, aus dem *Sein* und *Seiendes* gewissermaßen ‚gemacht' sind bzw. „worin sie aufgehen" (Vis; 257). *Chair* bietet durch seine spezifische Beschaffenheit einen möglichen Lösungsansatz für ein zentrales Thema im Werk Merleau-Pontys, die Beziehung zwischen Subjektivem und Objektivem. Vgl. auch unten III. 2.1. sowie den Eintrag „chair" in: Dupond 2008 (S. 17-20).

Auch wenn die *Sprache* insbesondere in den Schriften der Über-gangszeit als autonomer Untersuchungsgegenstand erscheint, ordnet Merleau-Ponty die Auslotung des Phänomenbereichs des Sprachlichen – seinen *Analysen zur Sprache und Kommunikation* (II. 2.) zufolge – der Leibphilosophie zu. Sprache bzw. Sprachliches wird danach überhaupt erst im Lichte des Leiblichen bzw. Leib-Seins verständlich: Aus der wiederholt sehr kritischen Auseinandersetzung mit dem *eidetischen* Sprachmodell Husserls, dem *diakritischen* Zeichenmodell Ferdinand de Saussures und anderen linguistischen Sprachkonzepten entwickelt Merleau-Ponty ein spezifisches Sprachverständnis: Im Namen der *lebendigen Rede* (parole) soll das der begrifflichen Artikulation vorausgehende bzw. begleitende ‚Schweigen' als eigene (primordiale) Sprachform rehabilitiert werden. Dieses darf nicht als der Sprache *vorausgehendes Denken* verstanden wer-den, sondern als *sprechendes* oder besser *ausdrucksvolles Schweigen* (silence parlante), mit dem die „stumme Welt" korreliert, „deren Struktur Mög-lichkeiten der Sprache schon bereit hält" (Vis; 203).

Schließlich zeigt die Einführung in das Ausdrucksdenken Merleau-Pontys (II. 3), inwiefern mit der Rehabilitierung der „stummen Welt" die Rehabilitierung der „stummen Künste", das sind vornehmlich die Malerei und die Zeichenkunst, einhergeht. Expressive, d.h. ausdruckserzeugende und -aufnehmende Raumfiguren – wie etwa der Leib des Künstlers – set-zen Sprach- und Leibphilosophie Merleau-Pontys in Beziehung: Die *künstlerische* und in diesem Sinne zugleich auch *künstliche* Welt kann folg-lich nicht bloß als Teil des Seins verstanden werden, sondern ist einzigar-tige *Ausdrucks*welt, in der sich das *Sein* als solches artikuliert.

Ausgehend davon, dass die *ontologische Neuorientierung* den Endpunkt der Philosophie Merleau-Pontys markiert, zeigt der *Hauptteil* vorliegen-der Arbeit – am Theorem der *Neu*ordnung – den Einfluss primär ästheti-scher und kunsttheoretischer Überlegungen auf die Entwicklung einer neuen philosophischen Methode auf, die in den späten Schriften an das Bestreben des Frühwerks anknüpft. Das Theorem der *Neuordnung der Welt* (III. 1.) verweist im Sinne einer *Um*ordnung bzw. *Re*organisation künstlerischer wie alltäglicher Ausdruckswelten, zum Beispiel des Spre-chens, auf eine in *Philosophie* und *Kunst* gleichermaßen angelegte Struk-tur, die auf der Ebene des individuellen Interpretierens, Gestaltens oder Infragestellens als solche erscheint. Gleichzeitig stellt es Philosophie wie Kunst schlechthin unter das Diktum des steten *Neu*beginns:

Fundament des Unternehmens der *Neuordnung der Welt* bildet Husserls phänomenologische Methode der *Epoché* (III. 1.1.). Nachhalti-gen Einfluss auf dieses Unternehmen hatten zudem Cézannes *modulie-rende Farbformen* (III. 1.2.). Die Neuordnung prägt im Frühwerk bzw. in den Schriften des Übergangs vor allem die Kunst- bzw. Sprachphilosophie

Merleau-Pontys, deren Analysen vielfach Parallelen zwischen *Malerei* (Kunst) auf der einen Seite (III. 1.2.1.1.) und *Sprache* auf der anderen Seite (III. 1.2.1.2.) offenbaren. Als Strukturformel ist die Neuordnung unter dem Modus der *Lebendigkeit* zu begreifen und gehört in das Feld der *lebendigen Geschichtlichkeit* (historicité vivante: Signes; 78f.): Der „lebendige Gebrauch der Sprache", der gemäß Husserls „lebendiger Gegenwart" gelesen werden kann, die wiederum Vergangenheit, Gegenwart und Zukunft miteinander *lebendig* in Beziehung setzt, eröffnet nach Merleau-Ponty eine „Diskussion, die nicht mit ihr endet" (ebd.). Das heißt, dass dieses aufs *Neue, Zukünftige* hin geöffnete Erfahrungs- und Lebensfeld *sinn*stiftend bzw. *bedeutungs*entfaltend ist, wobei jener „neue Sinn" stets „ein Sinn im Entstehen" bleibt (ebd.; 87), immer im Entwerfen begriffen, ohne jemals abgeschlossen zu sein.

Das zweite Kapitel des Hauptteils, der *Philosoph und der Künstler* (III. 2.), schließt an die vorangegangenen Analysen sowie an das Theorem der Neuordnung an. Wie das *Sein* selbst methodisch erfahrbar gemacht werden kann, kann als Leitfrage der späten Schriften Merleau-Pontys verstanden werden sowie als Impetus einer in Abkehr zur deskriptiven Methode husserlscher Phänomenologie entworfenen Methode der *philosophischen Befragung* (interrogation philosophique), die Merleau-Ponty – in Abgrenzung zur klassischen Ontologie bzw. Metaphysik – als „Intra-Ontologie (Vis; 280) bzw. als „Innen-Ontologie" (ontologie du dedans; 290) bezeichnet: Das *chiastische* Modell von Sichtbarem und Unsichtbarem ist Muster bzw. Prototyp des *Seins*; die „fleischlich-leibliche Textur der Welt" (chair du monde) bringt als Sichtbar- oder Sinnlichkeit *Seinsidee* bzw. *Sein* zum Vorschein (III. 2.1.1.1) und ähnelt darin den Tönen in der Musik, bzw. deren Beziehung zur jeweiligen „musikalische[n] Idee" (Vis; 196).

Trotz der Hinwendung zur Fundamentalontologie Heideggers steht auch noch die späte Philosophie Merleau-Pontys in der Tradition Husserls, wobei sie – Heidegger wie Husserl hinter sich lassend – einen eigenen ‚dritten' Weg beschreitet (III. 2.1.2.). So stellt die *neue* Ontologie nicht zuletzt den Versuch dar, das *Sein*, dem „als Sache"[28] nachgespürt wird, in die phänomenologischen Studien des Frühwerks zu integrieren.

Wie die synthetischen Analysen des Hauptteils zeigen (III. 2.2.), ist die Kunst im Werk Merleau-Pontys in vielerlei Hinsicht *Vorbild* der Philosophie[29]. Spätestens Ende der 1950er Jahre entwirft er den Künstler

---

[28] Vgl. das phänomenologische Diktum, „zu den Sachen selbst zu gehen" (Hua III, 1; 42). Vgl. a. u. III. 1.2.

[29] Merleau-Ponty betrachte, wie etwa Bernard Sichère schreibt (Merleau-Ponty ou le corps de la philosophie, Paris 1982; 184), die ästhetische Erfahrung als „privilegierte Erfahrung", hinsichtlich deren „sich die Philosophie in einer rätselhaften Nähe"

(Cézannescher Prägung) – im Sinne eines ‚Gleichen-Ungleichen' – als Konterpart des Philosophen (III. 2.2.2.): „in der Bestimmung der Beziehung zwischen Sichtbarem und Unsichtbarem, in der Beschreibung einer Idee, die nicht das Gegenteil des Sinnlichen ist, sondern deren Futter oder Tiefe" (Vis; 195), sei demnach niemand weiter gekommen als Marcel Proust. Die spezifische Beschaffenheit des Künstler*körpers* (III. 2.2.3.), die den Künstler – im Sinne des chiastischen Grundmodells – als *zweiblättriges Wesen* beschreibt, kennzeichnet ihn zudem als Prototyp der „Metamorphose des Sehenden und Sichtbaren" (OE; 34). Der Maler, der „in den Dingen geboren wird, wie durch Konzentration und einem Zusich-Kommen des Sichtbaren" (69), ist Vorbild des *neuen* Philosophen und Orientierungspunkt seiner Auseinandersetzung mit dem Verhältnis von *Sehen* einerseits und *Denken* andererseits – Merleau-Ponty wird folglich als vermittelnder Denker der „réflexion" vorgestellt. Er geht, wie das Spätwerk zeigt, letztlich so weit, das kritische Denken des Philosophen, die „réflexion", als neues Denken, kurz als „surréflexion" zu entwerfen: Die „Überreflexion" (surréflexion), die *über* oder *jenseits* jeder Reflexion und damit jeglicher theoretisierender Durchdringung lebensweltlicher Leiblichkeit steht, begreift Merleau-Ponty als Abkehr von der gängigen Methode der Wissenschaften (einschließlich der Philosophie). Das als „Denken im Überflug" (pensée du survol) verunglimpfte Theoretisieren, das sich in Entfernung zu den Dingen und der Wahrnehmungswelt befindet, soll ‚auf den Boden' gebracht werden, um die Dinge, mit denen wissenschaftlich umgegangen wird, wirklich ‚zu berühren' (III. 2.3.). Das *neue* Denken Merleau-Pontys ist zwischen zwei philosophischen Extremen angesiedelt: zwischen dem reflexionsphilosophischen Glauben kartesischer Prägung, sich hinter einem „unangreifbaren Cogito" (PP; 75) verschanzen zu können, und der Immanenz Henri Bergsons – folglich dort, wo *Reflexion* und *Intuition* „noch nicht getrennt" sind (Vis; 172). Im Namen der *Über*reflexion, die die Welt „sagen macht, [...] was *diese* in ihrer Verschwiegenheit *sagen will*" (61), bedient sich das neue Denken der strukurellen Eigenart des künstlerischen ‚Denkmodells' bzw. Schaffensprozesses, das im Gegensatz zur philosophischen Reflexion kein *begriffliches* Denken meint, sondern stattdessen einen *un*bewussten Wahrnehmungsbereich mobilisiert[30] (III. 2.3.1.).

---

befinde: Er *denke* gewissermaßen „mit der Literatur bzw. mit der Malerei" und *hoffe* „über die Erfahrung des Künstlers das Rätsel der Philosophie zu ergründen".

30 Was heißt, dass die menschliche Wahrnehmung – insbesondere in der Gestalt *leib*hafter, ge*lebter* Wahrnehmung – als „vorbewusste Erfahrung" bereits *welt*strukturierend auf die „Produktion vernünftigen Sinns", auf die *Reflexion*, prägend einwirkt (vgl. Thomas Winkler, Die Phänomenologie von Maurice Merleau-Ponty als ungeschriebene Kunstphilosophie, Hamburg 1994; 3 bzw. 117): „Zusammenfassend läßt sich sagen, daß Leib und Sinne bereits ein erworbenes Wissen von der

Mit der *Überreflexion* setzt Merleau-Ponty im Spätwerk das Bestreben, die *stumme Welt* (monde muet) zur Erscheinung bzw. zum Ausdruck zu bringen, auf der Ebene des Sehens fort (III. 2.3.2.): Als Analogon des künstlerischen *Sichtbarmachens des Unsichtbaren* kann die *Über*reflexion auch als „visuelle Reflexionsform" bzw. als „Reflexionsform des transzendentalen Sehens"[31] betrachtet werden. Und kehrt man das phänomenologische Gebot einer *vorurteilsfreien Lehre* hervor, lässt sich das neue Denken Merleau-Pontys in der Folge, wenn auch unter anderen Vorzeichen, als Wiederaufnahme bzw. als Weiterführung der Phänomenologie Husserls verstehen.

1. Das Sehen und das Sichtbarmachen

Es ist kein Zufall, dass die eigentliche ästhetische Schrift *L'œil et l'esprit* (dt.: Das Auge und der Geist), die 1961 erscheint, das Auge, und damit das *Sehen* im Titel trägt. In Merleau-Pontys Philosophie der Wahrnehmung hat das Sehen[32] seit jeher Priorität vor jeder anderen Weise des Zugangs zur Welt und zum Sein. Bereits in der *Phénoménologie* hat er das *Sehen* und das *Geist-Sein* als Synonym betrachtet (PP; 166). Sein Bestreben, die primordiale Welt zur Erfahrung zu bringen, beruht nicht zuletzt darauf, dass in der primordialen Wahrnehmung Unterschiede zwischen Berührung und Sehen, zwischen Tast- und Gesichtssinn (DC; 26) unbekannt sind. Im Spätwerk geht es Merleau-Ponty nicht nur um das aktive Sehen des *Leib*-Subjekts, sondern gleichwertig um das passive Gesehenwerden des *Körper*-Objekts: zwei Seiten ein und desselben Leibes, sehend und zugleich sichtbar (für sich selbst und andere) zu sein.

In vielerlei Gestalt thematisiert Merleau-Ponty das Sehen bzw. das Gesehenwerden. Kein Aspekt illustriert die Ästhetik sowie das philosophische Unternehmen des Spätwerks gleichermaßen wie das künstlerische Diktum des Sichtbarmachens, das Merleau-Ponty von Paul Klee übernimmt (OE; 74): Weil die Kunst nicht das Sichtbare einfach wiedergibt, sondern selbst sichtbar macht, ist sie weniger Nachahmung als „aktive Welterschließung" und damit auch „Weltveränderung"[33]: In diesem Sinne

---

Welt haben, sie enthalten Ablagerungen einer Wahrnehmungstradition [...]. Diese ist jedoch noch weit von einer Durchsichtigkeit des Denkens entfernt."

[31] Vgl. Heinz Paetzold, Ästhetik der neueren Moderne, Sinnlichkeit und Reflexion in der konzeptionellen Kunst der Gegenwart, Stuttgart 1990; 65.

[32] Über die Bedeutung des Sehens für das Gesamtwerk vgl. Claude Lefort, Qu'est-ce que voir? (in: ders., Sur une colonne absente, Paris 1978; 140-176). Eugene F. Kaelin (1962; 306) spricht davon, dass sich Merleau-Pontys Theorie der Wahrnehmung am Besten an den Gemälden Cézannes illustriere.

[33] Wolfgang Ullrich, in: ÄGB, 2001, Bd. 3 (Harmonie - Material); 608. In einem analogen Sinne gilt dies auch für die Ebene der philosophischen Methode, wie Merleau-Ponty in *La structure du comportement* am Beispiel des Wahrnehmungs-

praktizieren die Künstler in ihrem kreativen Tun eine „magische Theorie des Sehens" (OE; 27f.).

Insbesondere die Malerei ist Sinnbild jener Bewegung des *Sichtbarmachens*[34], d.h. etwas in ausgewiesener Weise anschaulich zu machen. Entsprechend sind die Farben nicht Eigenschaft der Dinge (quale), sondern unmittelbares Signum des Sichtbaren, Strahlungsherde, die an einer allgemeinen „Ausstrahlung des Sichtbaren" (71) teilhaben[35]. Klees Grabspruch „Diesseitig bin ich gar nicht faßbar", den Merleau-Ponty als ontologische Formel der Malerei identifiziert (87), führt direkt hinein in jenes chiastische Wechselspiel zwischen Sichtbarem und Unsichtbarem, das die späten Schriften bestimmt.

Wesentlich beeinflusst wurde Merleau-Pontys Philosophie des Sehens darüber hinaus von René Descartes' *Dioptrique* (vgl. unten 1.1.3.), mit der er sich seit Ende der 50er Jahre intensiv auseinandersetzt, wie Notizen aus dem Nachlass zeigen (NC). Unübersehbar ist zudem der Einfluss der Phänomenologie Husserls, die die Phänomene, als das, was erscheint, überhaupt erst in das Blickfeld des Philosophen rückt.

1.1. Im *Frühwerk*

Erste Auseinandersetzungen mit ästhetischen Fragen finden sich bereits im Frühwerk Merleau-Pontys, wovon namentlich *Le doute de Cézanne* (DC) sowie ausgewählte Passagen der *Phénoménologie* (PP) zeugen. Während sich der Essay über den Zweifel Cézannes, der vermutlich bereits kurz nach dem Erscheinen von *La structure du comportement* (1942) als

---

Konzepts beschreibt (1942; p. 190): « la perception qui nous est apparue jusqu'ici comme l'insertion de la conscience dans un berceau d'institutions et dans le cercle étroit des < milieux > humains, peut devenir, en particulier par l'art, perception d'un < univers >. »

[34] Seit „Lascaux bis zum heutigen Tag", schreibt Merleau-Ponty über die Malerei (AG; 26), „zelebriert sie kein anderes Rätsel als das der Sichtbarkeit."

[35] Zur *Dimensionalität* der Farbe bzw. der Farbigkeit, vgl. auch Véronique M. Fóti (1993). Auf die Dimensionalität der Farbe(n) rekurrieren insbesondere Künstler, die bewusst auf Leuchtfarben verzichten, wie etwa die Vertreter der *arte povera* bzw. des *Postminimalismus*. Der spanische Künstler der *informellen Kunst*, Antoni Tàpies hat in einem Interview den eigenen Rekurs auf das Dimensionelle der Farbe, ihre Farbigkeit, folgendermaßen beschrieben: „Wo man auch hinsieht wird man heutzutage mit schrillen, grellen Farben bombadiert, in der Werbung, in der Presse. Aus diesem Grunde habe ich nach einer Farbskala gesucht mit gedämpfteren Farben, die mehr einer philosophischen, inneren Welt entsprechen." (Quelle: BBC 1991, 54 min.). Zu Tàpies Wahl künstlerischer Mittel insgesamt vgl. Antoni Tàpies, Erinnerungen, 2 Bde., St. Gallen 1988 sowie Ders., Die Praxis der Kunst, St. Gallen 1997.

Manuskript vorlag[36], intensiv mit Cézannes Kunsttheorie auseinander-setzt, lässt die Hauptschrift des Frühwerks (PP) einen anderen Zugang zur Kunst erkennen, der maßgeblich durch die Phänomenologie Husserls geprägt ist. Anders als in *Le doute de Cézanne* geht es Merleau-Ponty in der *Phénoménologie* um den Entwurf eines philosophischen Programms. Die ästhetischen Überlegungen stehen hierbei zwar nicht im Vorder-grund; dennoch macht Merleau-Ponty schon im frühen Hauptwerk (PP) auf eine erstaunliche Parallele zwischen *menschlichem Leib* und *Kunstwerk* aufmerksam, wodurch nicht nur der kreative Akt des Künstlers im Be-sonderen in den Blick gerät, sondern zudem die Kunst als Gesamtes für die Leibphilosophie nutzbar wird[37]. Die Bestimmung des menschlichen Körpers und des Kunstwerks als „Knotenpunkte lebendiger Bedeutun-gen" (PP; 177) fußt im Wesentlichen auf drei Aspekten, die vorrangig die *Kunst* per se (in der Gestalt des Kunstwerks) und weniger den menschli-chen Körper zu definieren scheinen: Demnach sind (1.) im Kunstwerk *Ausdruck* und *Ausgedrücktes* nicht voneinander unterscheidbar; zudem er-schließt sich (2.) der Sinn eines Werkes stets unmittelbar (PP; 448). Außerdem bleiben (3.) sowohl Kunstwerke selbst, als auch das, was sie bezeichnen, d.h. ihre Bedeutung, an den jeweiligen raum-zeitlichen Ort gebunden[38]. Wenn diese Merkmale auch für den menschlichen *Körper* Gültigkeit beanspruchen, dann deshalb, weil Merleau-Ponty mit diesem Vergleich das Phänomen des „körper-geistigen Komplexes" einführt: Der menschliche Körper muss in diesem Sinne als „Knotenpunkt lebendiger Bedeutungen" (PP; 176f.) gefasst werden, und nicht etwa als „das Gesetz einer bestimmten Anzahl untereinander variabler Koeffizienten [frz.: la loi d'un certain nombre de termes covariants]" (ebd.). Denn jene Vorform des chiastischen Leib-Modells, als die der „körper-geistige Komplex" gele-sen werden kann, ist nach Merleau-Ponty weder rein physischer Natur, noch lässt er sich naturwissenschaftlich (physikalistisch) begreifen.

Die Konnotation von Körper und Kunstwerk liegt im Frühwerk vor allem darin begründet, dass Merleau-Ponty den ambivalenten Charakter des Kunstwerks in der lebendigen Struktur des menschlichen Körpers wiederzuerkennen glaubt. Jeder Körper und jedes Kunstwerk sind dem-

---

[36] Aber erst 1945 veröffentlicht wurde - und zwar in der Zeitschrift *Fontaine* (4.Jg., Bd. VIII, Nr. 47, Dezember 1945). Später erschien DC im Sammelband *Sens et non-sens* (1948). Vgl. auch: Gottfried Boehm, Der stumme Logos, in: A. Métraux/B. Waldenfels, Leibhaftige Vernunft, Spuren von Merleau-Pontys Den-ken, München 1986; 304.

[37] Ein Aspekt, den insbesondere die späten Schriften Merleau-Pontys offenbaren (vgl. insbesondere unten III. 2.2.).

[38] Tanja Stähler betont mit Blick auf das „Kunstwerk als Analogon des Leibes" deren spezifische Situation im bzw. zum Raum (Der Raum des Kunstwerks bei Heideg-ger und Merleau-Ponty, in: Phänomenologische Forschungen, Heft 1-2, 2001; 130f.).

nach – von außen besehen – zwar „Gegenstände" unter anderen Gegenständen, gleichzeitig transzendieren beide je schon ihren Dingcharakter durch die ihnen innewohnende Ausdruckskraft.

Die Lebenswelt, Merleau-Pontys *erlebte Welt* (monde vécu[39]), ist, wie er in den späten Schriften herausarbeiten wird, ebenfalls Ausdruck dieser *körper-geistigen* Struktur; einer Struktur, die sich darüber hinaus im Kunstwerk durch die spezifisch künstlerische Auseinandersetzung sowie durch das Leibsein der Künstler selbst artikuliert: Die Ästhetik Merleau-Pontys kann in diesem Sinne als eine „allgemeine Theorie des Ausdrucks" (Kaelin, 1962; 251) verstanden werden (vgl. unten II. 3.).

1.2. Im *Werk des Übergangs*

Als 1948 Sartres *Qu'est-ce que la littérature?* erscheint, fühlt sich Merleau-Ponty angesprochen, selbst eine Theorie des künstlerischen Schaffens zu veröffentlichen:

> „Ich muss selbst eine Art *Qu'est-ce que la littérature?* schreiben; mit einem längeren Teil über das Zeichen und die Prosa, und weniger als eine Dialektik der Literatur fünf literarische Wahrnehmungen: Montaigne, Stendhal, Proust, Breton, Artaud."[40]

Weil diese undatierte Notiz bereits den Titel *Prose du Monde* trug, wird die später unter diesem Titel zusammengefasste, fragmentarisch gebliebene Schrift sowie jene überarbeiteten Teile, die Merleau-Ponty selbst 1951/52 noch als *Le langage indirect et les voix du silence* veröffentlicht hat, in der Forschungsliteratur als Äquivalent[41] bzw. als Gegenprogramm zu Sartres *Qu'est-ce que la littérature?* (Giuliani-Tagmann, 1983; 143) betrachtet. Dafür spricht nicht zuletzt, dass Merleau-Ponty den Aufsatz

---

[39] Zu überlegen wäre freilich *vécu* als Gelebtes zu übersetzen, um nicht den Eindruck des bloß passiv, schlechthin *Erlebten* zu erwecken, das einem mehr oder weniger unfreiwillig geschieht. Das *Gelebte* würde im Gegenteil den Akzent auf die Teilhabe, auf ein aktives, körperlich-geistiges *Weltverhältnis* legen. Vgl. hierzu auch die Übertragung der *PP* ins Deutsche durch Rudolf Boehm: „un ensemble de significations vécues qui va vers son équilibre" (PP; 179) übersetzt er folgendermaßen: „es ist ein sein Gleichgewicht suchendes Ganzes erlebt-gelebter Bedeutungen" (PhW; 184). Zum „*gelebten Raum*" vgl. ferner Elisabeth Ströker, die im Anschluss an K.v. Dürckheims „Untersuchungen zum gelebten Raum" (Neue Psychologische Studien 6,4 (1932): 387-473) über die Besonderheit des „gelebten Raumes" folgendes schreibt (1977; 18): „Er ist präreflexiv da im Vollzug aller leiblichen und geistigen Aktivitäten, ohne jedoch schon Bewußtseinsgegenstand zu sein."

[40] Zit. nach Lefort, PM; p. VII. Dies ist überhaupt Merleau-Pontys einzige Notiz, die den Entwurf einer ‚Kunstphilosophie' benennt.

[41] Vgl. Herbert Spiegelberg, The Phenomenological Movement, A Historical Introduction, Den Haag u.a. 1982; 574f.

Sartre widmet und ihn zudem als letzte eigene Schrift in der gemeinsamen Zeitschrift *Les Temps Modernes* veröffentlicht[42].

Hält man Sartres und Merleau-Pontys Entwürfe nebeneinander, wird ferner offensichtlich, dass *Le langage indirect et les voix du silence* eine offene Replik auf Sartres Schrift ist, auch wenn Merleau-Ponty ihn an keiner Stelle direkt angreift. Sartre widmet sich in *Qu'est-ce que la littérature* (Situations II) ausführlich der Frage, was engagierte Prosa sei und was einen engagierten Schriftsteller ausmache: Während der engagierte Schriftsteller spreche, so Sartre, um etwas zu sagen, seien Poeten Menschen, die sich weigerten, die Sprache zu benutzen (Situations II; 63). Poeten behandelten Worte wie Dinge und nicht wie Zeichen (64). Dementsprechend ist die Poesie nach Sartre künstlerischer Ausdruck eines diffusen Weltverhältnisses und bleibt, ebenso wie die Musik oder Malerei *stumm* (u.a. 62f.). Sartre erklärt sich diese Situation, indem er annimmt, dass der Schriftsteller die Worte domestiziere, während sie der Poet dagegen im wilden Zustand belasse (64). Das habe zur Folge, dass die Sprache für den Poeten, im Gegensatz zum Schriftsteller, eine Struktur der externen Welt sei (65).

Liest man Sartres Schlussfolgerung vor den Hintergrund der frühen Schriften Merleau-Pontys (der Mensch wird hier über den *Eigenleib* (corps propre) in der Welt verankert; vgl. v.a. PP), wird deutlich, wie provokant die schemenhafte Überzeichnung des engagierten Schriftstellers ihm erschienen sein muss: Die *Prosa der Welt* und insbesondere der noch zu Lebzeiten veröffentlichte Aufsatz *Le langage indirect et les voix du silence* kann als Versuch Merleau-Pontys gelesen werden, die *stumme Welt* in der philosophischen Öffentlichkeit zu rehabilitieren – was sich bereits im Titel andeutet, der neben die *indirekte Rede* (langage indirect) die von André Malraux entlehnten „Stimmen des Schweigens" (les voix du silence)[43] stellt.

Tatsächlich liegt im Aufdecken einer untergründigen Sprachform bzw. in der „Sprache zweiter Potenz" vermutlich die eigentliche Pointe der Sartre-Kritik Merleau-Pontys (Signes; 56f.):

> „Wenn sich die Sprache [...] ebenso ausdrückt durch das, was zwischen den Worten ist, wie durch die Worte selbst? Durch das, was sie nicht sagt ebenso wie durch das, was sie sagt? Wenn es, verborgen in der empirischen Sprache, eine Sprache zweiter Potenz gäbe, wo die Zeichen weiter das verschwommene Leben der Farben füh-

---

[42] Bernard Pingaud, Merleau-Ponty, Sartre et la littérature, in: Arc, n° 46, 1971, Merleau-Ponty; 81.

[43] Malraux' ästhetische Hauptschrift *La Psychologie de l'art* gliedert sich in zwei Kapitel, darunter u.a. *Les voix du silence* (Paris 1951).

ren und sich die Bedeutungen nicht vollständig von den Beziehungen der Zeichen befreien?"

Mit diesem narrativen Gerüst treibt Merleau-Ponty die *Rehabilitierung der stummen Künste*, insbesondere und zuvorderst die der Malerei voran; wobei dieses Unternehmen, zumindest, was seine anfänglichen Impulse betrifft, grundsätzlich als Gegenentwurf zu Sartres Definition zu verstehen ist, was engagierte Kunst sei[44].

Ein wichtiger Ansatzpunkt der Kritik Merleau-Pontys an Sartres Literatur- bzw. Kunstverständnis liegt ferner in der kritischen Wiederaufnahme der Analysen Malraux' (Signes; 59) verborgen[45]. Merleau-Ponty wendet sich dabei vor allem gegen Malraux' Unterscheidung von klassischer, gegenständlicher und moderner, abstrakter Malerei (Madison, 1973; 100) sowie gegen dessen spezifische Definition der Moderne: Nach Merleau-Ponty ist die „Moderne" zumindest in einem Punkt keineswegs so revolutionär gewesen, wie ihr von Malraux nachgesagt wird. Malraux' Ansicht, dass die *objektive Malerei* der Klassiker durch den *subjektiven* Zugang der modernen Kunst widerlegt wurde, hält Merleau-Ponty entgegen, was die moderne Malerei tatsächlich von den Klassikern unterscheide, sei der Verzicht auf ein (etabliertes) Regelsystem (65). Darin, und nicht in der Erfindung des individuellen Stils, bestehe der wesentliche Fortschritt der Moderne: nämlich (a) sich bewusst auf ungesicherten Boden zu begeben und in dieser Situation herauszuarbeiten, „wie man ohne die Hilfe einer prästabilierten Natur kommunizieren kann", sowie (b) der menschlichen Verbindung mit dem ‚Universalen' (dem Sein, der Welt) nachzuspüren (ebd.)[46]. Dies sei, wie Merleau-Ponty betont, eine der philosophischen Betrachtungsweisen, zu denen man die Analysen Malraux' ausweiten könne.

---

[44] In OE (13f.) greift er diese Position wieder auf, indem er schreibt: « Or l'art et notamment la peinture puisent à cette nappe de sens brut dont l'activisme ne veut rien savoir. Ils sont même seuls à le faire en toute innocence. A l'écrivain, au philosophe, on demande conseil ou avis, on n'admet pas qu'ils tiennent le monde en suspens, on veut qu'ils prennent position, ils ne peuvent décliner les responsabilités de l'homme parlant. » (Vgl. auch III. 1.2.1.1.).

[45] Zur Malraux-Rezeption Merleau-Pontys vgl. insbes. Johnson (1993; 18ff.)

[46] Für Merleau-Ponty liegt der Grund in der Wahrnehmung selbst verborgen (Signes; 65): « Puisque la perception même n'est jamais finie, puisque nos perspectives nous donnent à exprimer et à penser un monde qui les englobe, les déborde, et s'annonce par des signes fulgurants comme une parole ou comme une arabesque, pourquoi l'expression du monde serait elle assujettie à la prose du sens ou du concept? Il faut qu'elle soit poésie, c'est-à-dire· qu'elle réveille et reconvoque en entier notre pur pouvoir d'exprimer, au-delà des choses déjà dites ou déjà vues. »

Ähnlich vehement setzt sich Merleau-Ponty in den späten Schriften (OE und NC) mit Descartes' *Lehre vom Sehen* auseinander, wie sie in der *Dioptrique* niedergelegt ist[47]. In *L'œil et l'esprit* verwirft er Descartes' kritische Schau sinnlicher Wahrnehmungsakte, indem er schreibt (36):

> „Wie viel einfacher wäre es doch in unserer Philosophie, wenn man jene Gespenster austreiben, sie zu Sinnestäuschungen oder gegenstandslosen Wahrnehmungen machen könnte – am Rand einer unzweideutigen Welt! Descartes' *Dioptrique* ist so ein Versuch. Ein Brevier eines Denkens, das sich nicht länger vom Sichtbaren quälen lassen will und beschlossen hat, es nach dem Modell, das es sich davon macht, zu rekonstruieren. Es lohnt sich, daran zu erinnern, worin dieser Versuch bestand und woran er scheiterte."

Entsprechend umfangreich fällt Merleau-Pontys Kritik an der *Dioptrique* aus[48], wobei ihm zwei Aspekte besonders wichtig sind: (1) Sein Einwand gegen Descartes' Definition des Raumes geht auf die spezifische Perspektive jedes Menschen[49] zurück, die aufgrund seiner Leiblichkeit keine äußere Perspektive sein könne, sondern sich in oder zwischen den Dingen selbst konstituiere[50]. Der Raum werde über den Leib erst erfahrbar; der Leib selbst sei somit „Nullpunkt der Räumlichkeit" (OE; 58f.): „Ich sehe ihn [den Raum; L.H.] nicht gemäß seiner äußeren Hülle, ich erlebe ihn

---

[47] Vgl. hierzu insbesondere das sechste Kapitel „De la Vision" (Über das Sehen) in dem der *Discours de la méthode* nachgestellten Essai über die Optik: René Descartes, La Dioptrique in: Œuvres complètes, III. Discours de la Méthode et Essais (hrsg. v. Jean-Marie Beyssade und Denis Kambouchner) Paris 2009, 182-195; bzw. Bd. VI der elfbändigen klassischen Gesamtausgabe der Werke Descartes: Œuvres de Descartes (hrsg. v. Charles Adams und Paul Tannery), Paris ³1996, (AT VI, 130-147).

[48] Dasselbe gilt in einer sehr grundsätzlichen Weise für Merleau-Pontys Kritik am kartesischen Rationalismus (vgl. insbes. III. 2.3.).

[49] Mit dieser Hervorhebung korrespondiert Merleau-Pontys Kritik an den ‚Errungenschaften' der Malerei, wozu namentlich die Zentralperspektive zählt (Signes; 60ff.). Als „Erfindung einer beherrschten Welt" enge sie den Blick des Malers ein. Will der Maler eine „authentische Kunst" betreiben, schließt Merleau-Ponty, darf er sich dem Diktat der Zentralperspektive nicht beugen, sondern muss, um Räumlichkeit darzustellen, andere, neue Wege finden (ebd.).

[50] Vgl. OE; 58: « Ici le corps n'est plus moyen de la vision et du toucher, mais leur dépositaire. Loin que nos organes soient des instruments au contraire qui sont des organes rapportés. L'espace n'est plus celui dont parle la *Dioptrique*, réseau de relations entre objets, tel que le verrait un tiers témoin de ma vision, ou un géomètre qui la reconstruit et la survole, c'est un espace compté à partir de moi comme point ou degré zéro de la spatialité. Je ne le vois pas selon son enveloppe extérieure, je le vis du dedans, j'y suis englobé. »

von innen, bin von ihm umgeben. Schließlich ist die Welt um mich herum und nicht vor mir."

Merleau-Pontys eigene Philosophie des (leibhaften) Sehens unterscheidet sich aus einem zweiten Grund elementar von der rationalistischen Theorie Descartes'[51]: Im Gegensatz zur intellektuellen Erkenntnis vermittelt nach Descartes die sinnliche Wahrnehmung (Sehen) dem Menschen nur subjektive und undeutliche Eindrücke von der Außenwelt[52] und ermöglicht ihm deshalb keinen authentischen Zugang zum Sein. Dem hält Merleau-Ponty entgegen, dass der Körper der ‚Geburtsraum' (espace natal) der Seele sei, kurz,

> „die Matrix für jeden anderen existenten Raum. Das Sehen verdoppelt sich also: da gibt es [zunächst] das Sehen, über das ich reflektiere, tatsächlich kann ich jenes gar nicht anders denken, allein als Denken, als Inspektion des Geistes, als Urteil, als Lesen von Zeichen. Und dann gibt es das Sehen, dass stattfindet, [...] von dem man allein dadurch weiß, dass man es ausübt" (OE; 54).

Vor diesem Hintergrund (2) erachtet Merleau-Ponty insofern die Malerei als „zentrale Tätigkeit", weil sie „dazu beiträgt, unseren Zugang zum Sein zu bestimmen" (OE; 42). Als Produkt des *Sehens* habe sie Anteil daran, die Welt, das *Sosein* der Dinge zu erkennen: „Sollte das Sein sich enthüllen, so vor einer Transzendenz und nicht vor einer Intentionalität; es ist dann das verschwundene rohe Sein, das zu sich selbst zurückkehrt, das Sinnliche, das sich selbst erforscht" (Vis; 263). Das Sehen steht bei Merleau-Ponty – symbolisiert durch das Sich-Öffnen des Auges – für die Öffnung des Menschen zur Welt. Descartes' *Dioptrique* hingegen bestreitet, dass das Sehen – wie es schließlich etwa in der Malerei zum Ausdruck kommt – zur Erkenntnis des Seins führe[53].

---

[51] Paezold, 1990; 53.

[52] Vgl. Descartes, Diotrique (VI; 190f.): « je vous veux faire encore ici considérer les raisons pourquoi il arrive quelquefois qu'elle [la vision = das Sehen, L.H.] nous trompe. Premièrement à cause que c'est l'âme qui voit, et non pas l'œil, et qu'elle ne voit immédiatement que par l'entremise du cerveau, de là vient que les frénétiques, et ceux qui dorment, voient souvent, ou pensent voir, divers objets qui ne sont point pour cela devant leurs yeux : à savoir, quand quelques vapeurs, remuant leur cerveau, disposent cells de ses parties qui ont coutume de servir à la vision, en même façon que feraient ces objets, s'ils étaient présents. Puis, à cause que les impressions, qui viennent de dehors, passent vers le sens commun par l'entremise des nerfs, si la situation de ces nerfs est contrainte par quelque cause extraordinaire, elle peut faire voir les objets en d'autres lieux qu'ils ne sont. »

[53] Merleau-Ponty räumt zwar ein, dass Descartes selbst in seiner Schrift über die Optik nur am Rande auf die Malerei bzw. Zeichenkunst eingehe, hält aber gleichzeitig fest, dass dies eben im Hinblick auf eine grundsätzliche Einschätzung der Reichweite Descartes' Denken gerade auch etwas Wichtiges zeige. Und hätte sich Des-

Die kritische Distanz zum Denken Decartes', die sich in den späten Schriften an der Dioptrique entzündet, ist zugleich aber auch Orientierungspunkt seines eigenen Denkens. So wundert es kaum, dass Merleau-Ponty im Bezug auf die kartesische Dichotomie von *Körper* und *Geist* vermutlich auch jenen späten Essay entwirft, der sich wiederholt mit Descartes' Vergleich von *Sehen* und *Denken* auseinandersetzt (vgl. III. 2.3.2.): Aus *La vision des yeux et la vision de l'esprit* (NC; 228) wird *L'œil et l'esprit*[54].

2. Der Begriff der *réflexion*

Dem philosophischen Denken ist die Fokussierung des Geistes auf sich selbst ideengeschichtlich zwar bereits eingeschrieben, aber erst die *Reflexion* [frz.: réflexion; engl. reflection] wird die dialektische Figur, die in der Widerspiegelung des eigenen Selbst durch geistige Akte verborgen liegt, auf den entsprechenden Begriff bringen[55].

---

cartes auf "jene andere und viel tiefere Öffnung auf die Dinge eingelassen, die uns die zweiten Qualitäten, vor allem die Farben, vermitteln", er wäre – so Merleau-Ponty – philosophisch zu einem ganz anderen Schluss gekommen – vgl. OE, 42f.: « la peinture n'est pas pour lui une opération centrale qui contribue à définir notre accès à l'être ; c'est un mode ou une variante de la pensée canoniquement définie par la possession intellectuelle et l'évidence. Dans le peu qu'il dit, c'est cette opinion qui s'exprime, et une étude plus attentive de la peinture dessinerait une autre philosophie. Il est significatif aussi qu'ayant à parler des « tableaux » il prenne pour typique le dessin. Nous verrons que la peinture entière est présente dans chacun de ses moyens d'expression : il y a un dessin, une ligne qui renferment toutes ses hardiesses. Mais ce qui plaît à Descartes dans les tailles-douces, c'est quelles gardent la forme des objets ou du moins nous en offrent des signes suffisants. Elles donnent une présentation de l'objet par son dehors ou son enveloppe. S'il avait examiné cette autre et plus profonde ouverture aux choses que nous donnent les qualités secondes, notamment la couleur, comme il n'y a pas de rapport réglé ou projectif entre elles et les propriétés vraies des choses, et comme poutant leur message est compris de nous, il se serait trouvé devant le problème d'une universalité et d'une ouverture aux choses sans concept, obligé de chercher comment le murmure indécis des couleurs peut nous présenter des choses, des forêts, des tempêtes, enfin le monde, et peut-être d'intégrer la perspective comme cas particulier à un pouvoir ontologique plus ample. » Vgl. auch: Remy C. Kwant, From Phenomenology to Metaphysics, An Inquiry into the last Period of Merleau-Ponty's Philosophical Life, Pittsburgh (Pa) 1966; 209.

[54] Auf die systematische Bezogenheit des Essays *L'œil et l'esprit* auf die Spätschrift *Le visible et l'invisible,* und damit die Bedeutung des künsterischen Handlungsraums für die Philosophie Merleau-Pontys hat u.a. Valdinoci aufmerksam gemacht (2003).

[55] Der Begriff der *Reflexion* entstammt der Optik und hat im 17. Jahrhundert Einzug in die Philosophie gehalten [Vgl. dazu Historisches Wörterbuch der Philosophie

Maßgeblichen Einfluss auf die philosophische Begriffssprache hatte im Anschluss an Descartes[56] vor allem John Locke, der mit seiner Unterscheidung von „sensation" einerseits und „reflection" andererseits auf die Äußerlichkeit bzw. Innerlichkeit von Wahrnehmungsakten aufmerksam gemacht hat (Locke [1690] 2008; II,1,§3f.):

> „This great source, of most of the *Ideas* we have, depending wholly upon our Senses, and derived by them to the Understanding, I call *SENSATION*. [...] Secondly, The other Fountain, from which Experience furnisheth the Understanding with *Ideas*, is the *Perceptions of the Operations of our own Minds* within us, as it is employ'd about the *Ideas* it has got; which Operations, when the Sould comes to reflect on, and consider, do furnish the Understanding with another set of *Ideas*, which could not be had from things without and such are, *Perceptions, Thinking, Doubting, Believing, Reasoning, Knowing, Willing,* and all the different actings of our own Minds; which we being conscious of, and observing in our selves, do from these receive into our Understandings, as distinct *Ideas*, as we do from Bodies affecting our Senses. This Source of *Ideas* every Man has wholly in himself: And though it be not Sense, as having nothing to do with external Objects; yet it is very like it, and might properly enough be call'd internal Sense. But as I call the other *Sensation*, so I call this *REFLECTION*, the *Ideas* it affords being such only, as the Mind gets by reflecting on its own Operations within it self."

Später haben vor allem Immanuel Kant und der Deutsche Idealismus, allen voran Johann Gottlieb Fichte, Friedrich Wilhelm Joseph von Schelling und Georg Wilhelm Friedrich Hegel zum besonderen Stellenwert des Begriffs in der Philosophie beigetragen. Kant kritisierte in der *Kritik der reinen Vernunft* [KrV] nicht nur den Sensualismus Lockes – und erteilte in-

---

[HWPh], Bd. 8: R-Sc, hrsg. v. J. Ritter und K. Gründer, Darmstadt 1992; Sp. 396f.].

[56] Decartes greift etwa auf den Begriff der „réflexion" zurück, wenn er in der *Dioptrique* den Prozess des Sehens (hier entfernter Objekte) schildert, was keinerlei reflexiven Akts bedürfe: « La vision de la distance ne dépend [...] d'aucunes images envoyées des objets, mais premièrement de la figure du corps de l'œil ; car, comme nous avons dit, cette figure soit être un peut autre, pour nous faire voir ce qui est proche de nos yeux, que pour nous faire voir ce qui en est plus éloigné. Et à mesure que nous la changeons pour la proportionner à la distance des objets, nour changeons aussi certaine partie de notre cerveau, d'une façon qui est instituée de la nature pour faire apercevoir à notre âme cette distance. Et ceci nous arrive ordinairement sans que nous y fassions de réflexion ». In den *Passions de l'âme* verwendet Descartes den Begriff der Reflexion im Sinne der Optik – vgl. etwa (I. Teil, Artikel 36 – Hamburg ²1996: I, 36; 60): « les esprits reflechis de l'image ainsi formée sur la glande ».

sbesondere der Idee eine Absage, man könne allgemeine Verstandesbegriffe aus (sinnlicher) Anschauung gewinnen. Auch stellte er sich gegen Gottfried Wilhelm Leibniz' „intellektuelles System der Welt"[57]. Dessen „logische Reflexion" (KrV; B 319), die „von allen Bedingungen der Anschauung" abstrahiere (KrV; B 341), büße folglich den Weltbezug ein. Allein die „transzendentale Reflexion" sei – im Hinblick auf die gebildeten Begriffe – die genuine

> „Handlung, dadurch ich die Vergleichung der Vorstellungen überhaupt mit der Erkenntniskraft zusammenhalte, darin sie angestellt wird, und wodurch ich unterscheide, ob sie als zum reinen Verstande oder zur sinnlichen Anschauung *gehörend* unter einander verglichen werden" (KrV; B 317).

In diesem „Zustand des Gemüts", wie Kant die *reflexio* benennt, machen wir überhaupt erst „die subjektiven Bedingungen ausfindig [...], unter denen wir zu Begriffen gelangen können" (KrV; B 316).

Kants Projekt der „transzendentalen Reflexion" sieht sich wiederum im deutschen Idealismus – etwa in der *Grundlage der gesamten Wissenschaftslehre* (1794) Fichtes – fundamentaler Kritik ausgesetzt. Fichte bestimmt die Reflexion als „willkürliche Handlung unseres Geistes" (II, §4). Diese erlaubt nach Fichte „entgegengesetzte Merkmale der aufgestellten Begriffe (hier des Ich und des Nicht-Ich, insofern diese als sich gegenseitig bestimmend gesetzt sind)" aufzusuchen:

> „[E]s wird demnach vorausgesetzt, daß sie schon vorhanden sind, und nicht etwa durch unsre Reflexion erst gemacht, und erkünstelt werden (welches überhaupt die Reflexion gar nicht vermag), d.h. es wird eine ursprünglich notwendige antithetische Handlung des Ich vorausgesetzt. Die Reflexion hat diese antithetische Handlung aufzustellen: und diese Reflexion ist insofern zuvörderst analytisch. Nämlich entgegengesetzte Merkmale, die in einem bestimmten Begriffe = A enthalten sind, *als* entgegengesetzt durch Reflexion zum

---

[57] Vgl. Immanuel Kant, Kritik der reinen Vernunft [1781/1787], in: Werkausgabe (Frankfurt a. M. 1974); B 326 bzw. B 327: „L e i b n i z   intellektuierte die Erscheinungen, so wie Locke die Verstandesbegriffe nach seinem System der Noogonie (wenn es mir erlaubt ist, mich dieser Ausdrücke zu bedienen) insgesamt s e n s i f i z i e r t e, d. i. für nichts, als empirische, oder abgesonderte Reflexionsbegriffe ausgegeben hatte. Anstatt im Verstande und der Sinnlichkeit zwei ganz verschiedene Quellen von Vorstellungen zu suchen, die aber nur in   V e r k n ü p f u n g objektivgülig von Dingen urteilen könnten, hielt sich ein jeder dieser großen Männer nur an eine von beiden, die sich ihrer Meinung nach unmittelbar auf Dinge an sich selbst bezöge, indessen daß die andere nichts tat, als die Vorstellungen der ersteren zu verwirren oder zu ordnen."

deutlichen Bewußtsein erheben, heißt den Begriff A zu analysieren." (ebd.)

Auf das aufspaltende Moment, den analytischen Prozess der Reflexion hat Fichte als ihr wesentliches Grundgesetz und zugleich als ihre Begrenzung nachdrücklich aufmerksam gemacht[58]. Schelling folgt dieser Lesart im *System des transcendentalen Idealismus* (1800) indem er schreibt:

> „Der Standpunkt der Reflexion ist [...] identisch mit dem Standpunkt der Analysis, es kann also auch von demselben aus keine Handlung im Ich gefunden werden, die nicht schon synthetisch in dasselbe gesetzt wäre. Wie aber das Ich selbst auf den Standpunkt der Reflexion gelange, dieß ist weder bis jetzt erklärt, noch kann es vielleicht überhaupt in der theoretischen Philosophie erklärt werden." (I/3, 505)

Im Nachgang zu seiner Naturphilosophie wird sich Schelling kurze Zeit später freilich gegen den Reflexionsbegriff Fichtes stellen, und zwar weil die Reflexion, wie sie Fichte entwerfe, „nie aus dem Kreis des Bewußtseins hinaus" komme[59].

Hegel wird Reflexion schließlich in der Vorrede zur *Phänomenologie des Geistes* „als positives Element des Absoluten"[60] verstehen. Die Reflexion mache, wie er später in der *Enzyklopädie* festhalten wird, „die eigenen Bestimmungen des Wesens" aus (1927 [1827], § 112). Die ‚Unmittelbarkeit' des Seins wird abgelöst durch die „Reflexion in sich", die die Identität des Wesens setze (ebd.). In der *Lehre vom Wesen* der *Wissenschaft der Logik* (1813) heißt es bereits:

---

[58] Vgl. Johann Gottlieb Fichte, Wissenschaftslehre, III, §5 (Hamburg [4]1997; 192): „Demnach sind zentripetale und zentrifugale Richtung der Tätigkeit beide auf die gleiche Art im Wesen des Ich gegründet; sie sind beide Eins und ebendasselbe, und sind bloß insofern unterschieden, inwiefern über sie, als unterschiedne, reflektiert wird. [...] Aber die Reflexion, wordurch beide Richtungen unterschieden werden könnten, ist nicht möglich, wenn nicht ein Drittes hinzukommt, worauf sie bezogen werden können, oder welches auf sie bezogen werden könne. [...], der Forderung, daß im Ich alle Realität sein solle, geschieht unter unsrer Voraussetzung Genüge; beide Richtungen der Tätigkeit des Ich, die zentripetale und die zentrifugale, fallen zusammen, und sind nur Eine und ebendieselbe Richtung."

[59] Vgl. Friedrich Wilhelm Joseph von Schelling, Über den wahren Begriff der Naturphilosophie (1801) in: Ausgewählte Schriften (Frankfurt a. M. [2]1995) Bd. 2; 719 – und ferner ebd.: „die durch das Bewußtsein gesetzte Gleichheit zwischen dem Objekt, über welches philosophirt wird [...] und dem Subjekt, welches philosophirt, und welches in demselben Akt das Reflektirende, Zuschauende ist, [werde; L.H.] niemals aufgehoben".

[60] Vgl. Georg Friedrich Wilhelm Hegel, Phänomenologie des Geistes [1807] in: Sämtliche Werke (Stuttgart 1927), Bd. 2; 19.

„Diese reine absolute Reflexion, welche die Bewegung von Nichts zu Nichts ist, bestimmt sich selbst weiter. Sie ist e r s t l i c h s e t z e n d e R e f l e x i o n; sie macht z w e i t e n s den Anfang von dem v o r a u s g e s e t z t e n U n m i t t e l b a r e n und ist so ä u ß e r - l i c h e Reflexion. D r i t t e n s aber hebt sie diese Voraussetzung auf, und indem sie dem Aufheben der Voraussetzung z u g l e i c h vor- aussetzend ist, ist sie b e s t i m m e n d e Reflexion."[61]

Setzend ist die Reflexion nach Hegel, weil sie als „Aufheben des Negativen Aufheben ihres Anderen, der Unmittelbarkeit" sei (1813; 251); als *äußere*, *äußerliche* oder *reale* Reflexion könne sie bezeichnet werden, weil sie ein Sein voraussetze, auf das sie unmittelbar bezogen sei (ebd.; 253): „Die Reflexion in ihrem Setzen hebt unmittelbar ihr Setzen auf, so hat sie eine u n m i t t e l b a r e V o r a u s s e t z u n g. Sie f i n d e t also dasselbe vor als ein solches, von dem sie anfängt und von dem aus sie erst das Zurückgehen in sich, das Negieren dieses ihres Negativen ist." Als *bestimmende* Reflexion begreift Hegel die „Einheit der s e t z e n d e n und der ä u ß e r e n Reflexi- on"[62].

Die Einsicht, dass „innere Wahrnehmung" (reflexives Bewusstsein) und „innere Beobachtung" (Reflexionsform höherer Stufe) nach Franz Bren- tano zwei voneinander zu unterscheidende mentale Akte sind[63], hat den

---

[61] Vgl. Hegel, Wissenschaft der Logik [1813] in: Sämtliche Werke (Stuttgart 1928), Bd. 4; 250.

[62] Zur Definition der *bestimmenden Reflexion* bzw. *Reflexionsbestimmung* vgl. Hegel, Wissenschaft der Logik, Erster Band, Die objektive Logik, Zweites Buch, Die Leh- re vom Wesen, 1928 [1813]; 255-290. Hegel entwirft die Reflexion nicht als Tätig- keit des Bewussteins oder des Verstandes, wie er in seiner kritischen Anmerkung zum Kantschen Begriff der Urteilskraft bekennt (ebd; 254): „Es ist aber hier nicht, weder von der Reflexion des Bewußtseins noch von der bestimmteren Reflexion des Verstandes, die das Besondere und Allgemeine zu ihren Bestimmungen hat, sondern von der Reflexion überhaupt die Rede. Jene Reflexion, die Kant das Auf- suchen des Allgemeinen zum gegebenen Besonderen zuschreibt, ist, wie erhellt, gleichfalls nur die ä u ß e r e Reflexion, die sich auf das Unmittelbare als auf ein Gegebenes bezieht."

[63] Brentano, Psychologie vom empirischen Standpunkt [1874]; I. Buch, II. Kapitel, §2. Die innere Wahrnehmung als Quelle psychologischer Erfahrung. Sie darf nicht mit innerer Beobachtung verwechselt werden (hier S. 42): „die innere Wahrneh- mung der eigenen psychischen Phänomene ist die erste Quelle der Erfahrungen, welche für die psychologischen Untersuchungen unentbehrlich sind. Und diese innere Wahrnehmung ist nicht mit einer inneren Beobachtung der in uns bestehenden Zustände zu verwechseln, da eine solche vielmehr unmöglich ist". Zum Begriff „innere Wahrnehmung" bei Brentano vgl. insbes. Gianfranco Soldati, Brentano über innere Wahrnehmung, intrinsische Wahrheit und Evidenz, In: Geert Keil und Udo Tietz (Hg.), Phänomenologie und Sprachanalyse, Paderborn 2005, 89-98.

Reflexionsbegriff der Phänomenologie maßgeblich geprägt. Husserl unterscheidet – im Sinne je eigenen Bewusstseinslebens – „natürliche und transzendentale Reflexion" (Hua I, 72f.)[64]: Die philosophisch-erfassende Reflexion (transzendentale Reflexion) richte sich auf die Akte des Wahrnehmens selbst. Das naive Erlebnis werde in der Reflexion verändert, nicht zerstört, d.h. überhaupt erst zum Gegenstand „objektivierender" Reflexion (Hua III/1, 68f.). Die transzendentale Reflexion ist somit Kernstück der phänomenologischen Methode, kurz, sie ist „Bewusstseinsmethode für die Erkenntnis von Bewußtsein überhaupt" (Hua III/1, 165f.).

Das Zusammengehen von Reflexion und „autonomer transzendentaler Subjektivität", die überall und nirgends verortet sei [située partout et nulle part: PP; 75], kritisiert Merleau-Ponty nachdrücklich an der Phänomenologie husserlscher Prägung: Es gelte eine Phänomenologie *der* Phänomenologie zu etablieren, die einen neuen Stil des Philosophierens begründe, der über die deskriptive Methode hinausgehe (PP; 419). Vor diesem Hintergrund stellt er fest, dass es nicht nur darum gehen könne zu philosophieren, sondern sich die *Verwandlungen* bewusst zu machen, die die Philosophie in der Welt und in unserer Existenz bewirke (PP; 75). Entsprechend heißt es über die philosophische Reflexion (76): „Die Reflexion ist nur dann wahrhafte Reflexion, wenn sie sich nicht über sich selbst erhebt, sich als Reflexion-auf-ein-Unreflektiertes versteht und folglich als Wandlung der Struktur unserer Existenz." Im Spätwerk wird Merleau-Ponty dann das klassische Konzept philosophischen Denkens mit dem Modell der „surréflexion" entgültig ad acta legen: Reflektieren[65] meint dann – und zwar in unübersehbarer Analogie zum Leitgedanken der späten Schriften, dem *Sichtbarmachen des Unsichtbaren* – etwas *Unreflektiertes bloßzulegen* (Signes, PO; 204[66]).

---

[64] Zur Idee der ‚leiblichen' Reflexion, genauer der Selbst-Bezogenheit des Leibes bei Husserl vgl. Waldenfels 2000 sowie ferner vorliegende Arbeit, Kap. II. 1.1.

[65] Im Übrigen durchaus mit dem Rekurs auf das physiologische Phänomen des „Reflexes" (reflet) und das optische Phänomen des „Reflektierten" (reflété) – vgl. (Vis; 325): « les reflets ressemblent aux reflétés = la vision commence dans les choses, certaines choses ou couples des choses appellent la vision – Montrer que toute notre expression et conceptualisation de l'esprit est empruntée à ces structures : p.ex. *réflexion*. »

[66] Vgl. III. 2.3.: Von besonderer Bedeutung ist hierbei – in kritischer Distanz zum Rationalismus Descartes' – die Engführung von (philosophischem) und (künstlerischem) Denken [frz.: penser; engl.: thinking], sowie die Frage danach, inwiefern Denken und Sprache notwendigerweise zusammengehen. Zum Begriff des *Denkens* in der philosophischen Tradition – vor allem in der Lesart von Begriffsbildung, Urteilen und Schließen nach Kant vgl. HWPh, Bd. 2: D-F, hrsg. v. J. Ritter, Darmstadt 1971; Sp. 60f.

II. Hintergründe: Leib, Sprache, Ausdruck

1. Die ‚Leibphilosophie' Merleau-Pontys

Es gibt kaum einen Begriff, der die Philosophie Merleau-Pontys so sehr geprägt und zugleich derart bekannt gemacht hat, wie den des *Leibes*[67]. Dabei war der Einfluss dieses Terminus technicus keineswegs auf die differenzierte Ausarbeitung einer gleichnamigen Phänomenologie beschränkt, sondern trug implizit zu einer veränderten Wahrnehmung des menschlichen Weltverhältnisses bei. Das Theorem des Leibes ist in den Schriften Merleau-Pontys freilich grundsätzlich eher zwischen den Zeilen und in der Struktur der Leitfragen bzw. im Blickwinkel, aus dem heraus sie gestellt werden, zu entdecken: Als Paradigma des Leibes liegt es den veröffentlichten wie unveröffentlichten Schriften, Vorlesungen sowie Fragmenten Merleau-Pontys im Sinne einer Verständnisstruktur zugrunde. Insbesondere das Spätwerk kann als Residuum leibphilosophischer Prägung gelten.

Der im Frühwerk als „Knotenpunkt lebendiger Bedeutungen" (PP; 177) konnotierte Leib bezeichnet im Spätwerk den Übergang zur chiastischen Bestimmung des menschlichen Weltverhältnisses. Das „fleischlich-leibliche Welt-Gewebe" (tissue charnel) gilt dabei stets als sinnstiftend: *Welt*erleben ist immer auch *Wahrheits*- bzw. *Evidenz*erleben, „Zur-Welt-Sein" (être-au-monde) ist „Zur-Wahrheit-Sein" (être-à-la-vérité)[68]. Und das spezifische Welterleben des Individuums heißt zugleich auch immer, dass die oder der Einzelne am Welterleben aller anderen Teil hat: „Unser Bezug zur Wahrheit geht über die anderen. Entweder gehen wir mit ihnen dem Wahren entgegen oder das, dem wir entgegengehen, ist nicht das Wahre" (EP; 34).

---

[67] Die Unterscheidung von *Körper* (im Sinne eines physischen Objekts) und *Leib* (im Sinne eines psychischen Subjekts) kann im Französischen nicht getroffen werden [Vgl. dazu Historisches Wörterbuch der Philosophie [*HWPh*], Bd. 5: L-Mn, hrsg. v. J. Ritter und K. Gründer, Darmstadt 1980; Sp. 173f.]. Merleau-Ponty greift deshalb grundsätzlich auf den Begriff „corps" zurück bzw. setzt ihm in Ausnahmefällen differenzierte Begrifflichkeiten wie „en chair" , „en os" oder „en personne" gegenüber – wenn es ihm etwa darum geht, den Aspekt des ‚Leibhaften' (in Anlehnung an Husserl) zu betonen. Zur Diskussion über die Bedeutung des späten Begriffs „chair" (Fleisch) als eventuelle Konnotation für den Begriff des Leibes, vgl. III. 2.1. (Fußnoten).

[68] Willi Maier, Das Problem der Leiblichkeit bei Jean-Paul Sartre und Maurice Merleau-Ponty, Tübingen (Diss.) o.J.; 99.

1.1. ‚Eigenleib' und ‚Zur-Welt-Sein'

Mit der Etablierung des psychophysischen *Eigenleibs* (corps propre)[69] verbindet Merleau-Ponty das Projekt, die klassische kartesische Dichotomie von Körper und Geist zu überwinden. Die Beziehung zwischen Geist und Körper erschöpfte sich in der an Descartes anschließenden Rezeptionsgeschichte – und Merleau-Ponty folgt dieser verkürzenden Lesart Descartes' weitgehend – in einem schlichten Entweder-Oder[70]: Aus der strikten Trennung von körperlicher und geistiger Substanz resultierten zwei voneinander unterschiedene Seinsweisen: als Ding, d.h. als reines Ansich-Sein, oder als Bewusstsein, d.h. als reines Fürsich-Sein[71].

Weil der Eigenleib nach Merleau-Ponty eine Welt bewohnt und dadurch Bedingung der Möglichkeit (1.) der menschlichen Wahrnehmung sowie (2.) der Kommunikation mit anderen ist, kann er weder als reines Ansich-, noch als reines Fürsich-Sein aufgefasst werden[72]. Zwar ist der Körper zunächst die Art und Weise des Subjekts, in der Welt zu sein (vgl. unten); die klassische Differenzierung zwischen Innerem (Seele) und Äußerem (Körper) findet hier aber keine Anwendung. Die Phänomenologie Merleau-Pontys bedarf keiner kartesischen *Animalgeister* (esprit animaux), die das wechselseitige Verhältnis von Körperlichem und Geistigem im Menschen erlauben[73]. Der Eigenleib ist immer zugleich beides: „inkarnierter Geist" und „subjektives Objekt" (Signes; 210/Ideen II; 119).

---

[69] Den Begriff des *corps propre* geht vermutlich auf Gabriel Marcel zurück, der seine Analyse von Sein und Haben am Leitfaden des „eigenen Leibes" entwickelt hat (vgl. HWPh, Bd. 9: Se-Sp, Darmstadt 1995; Sp. 226). Merleau-Ponty setzt sich mit Marcels gleichnamigem Werk (Être et avoir, 1935) in der *Phénoménologie* ausdrücklich auseinander: Dort versucht er das Sein (Seiendes) terminologisch im Sinne der *Vorhandenheit* von Dingen oder Prädikaten zu fassen (PP; 203/Fußnote). Vgl. auch Fußnote unten.

[70] Zur Rezeptionsgeschichte der „Dualismus-These" seit dem 17. Jahrhundert vgl. zur Einführung Dominik Perler, René Descartes, München 1998, v.a. Ss. 169-187.

[71] Vgl. u.a. PP; 231. Hier geht Merleau-Ponty im Übrigen direkt auf die Terminologie Sartres (*L'être et le néant*) zurück.

[72] Merleau-Ponty wendet sich mit dem *Eigenleib*-Modell sowohl gegen die Wahrnehmungstheorien des *Empirismus*, als auch gegen die „Zweiweltentheorie" des *Intellektualismus*. Teilt man nach Merleau-Ponty das Sein in *Ansich-Sein* (Sein der objektiven Welt) bzw. in *Fürsich-Sein* (Sein des reinen Subjekts) auf, zerfällt der Mensch notwendig in zwei Teile, deren Beziehung zueinander im Dunkeln bleibt. Weder *Empirismus* noch *Intellektualismus* könnten entsprechend Immanuel Kants Frage, was der Mensch sei, beantworten (vgl. Georg Pilz, Maurice Merleau-Ponty, Ontologie und Wissenschaftskritik, Bonn 1973; 44).

[73] Vgl. Descartes, Die Leidenschaften der Seele, v.a. Erster Teil, Artikel 10 (Hamburg ²1996: I, 10; 17-19): „Diese sehr subtilen Teile des Blutes [...] bilden die Lebensgeister [frz. esprits animaux]. Sie brauchen dazu keine andere Veränderung im Hirn zu erhalten, außer daß sie von den übrigen weniger feinen Teilen des Bluts getrennt werden. Denn was ich hier „Geister" nenne, sind nur Körper, und sie haben keine

Unverkennbar ist die Nähe dieser Vorstellungen zu Husserls Definition des *Leibes* und der Entdeckung des „psychophysischen Ichs"[74]. In dessen frühen phänomenologischen Analysen (Ideen I.) steht die Leib-Thematik zwar nicht im Vordergrund, doch bereits hier wird der realistische, nicht-idealistische Zug von Husserls Philosophie deutlich: Das Subjekt der Wahrnehmungserlebnisse kann nach dem Modell, nach dem er Wahrnehmungsakte analysiert, kein *reines* Bewusstsein sein, sondern eher so etwas wie ein *körperliches* Bewusstsein. In späteren Schriften (Ideen II/Krisis) stärkt Husserl zunehmend die Bedeutung des Leibes, indem er ihn als „Orientierungszentrum" oder als „Nullpunkt" definiert, von wo aus das Subjekt der Wahrnehmung die Welt konstituiert (vgl. II. 1.2.).

Für die Phänomenologie Merleau-Pontys gilt analog[75]: (a) Der „Eigenleib" ist der menschliche Zugang zur Welt(wahrnehmung). Er ist „Gesichtspunkt", „beständig gegebener Bezugspunkt" und „Erfahrungssystem"[76] innerhalb eines umfassenderen Erfahrungssystems, das Merleau-Ponty *Welt* nennt (PP; 347/345/350). Der Leib ist zudem weder Ding noch Idee, sondern „Maßstab aller Dinge" (Vis; 199).

Ein Leitbegriff im Gesamtwerk des Philosophen und prägend für dessen Leibphilosophie ist das *Sehen*: Das Auge ist schlechthin „Öffnung" (ouverture) des Körpers auf die Welt, der Blick „Einkörperung des Sehenden in das Sichtbare" (Vis; 173). In *L'œil et l'esprit* (1961) bestimmt Merleau-Ponty die Augen des Menschen als „Computer der Welt" (ebd; 25), die die Sinnesdaten aufnehmen und verarbeiten: „Durch das Sehen berühren wir die Sonne und die Sterne. Wir sind zur gleichen Zeit überall, genauso nah an entfernten wie an nahen Dingen" (ebd.; 83/vgl. II. 3.). Allein der Körper (im Sinne des „gelebten Körpers") ist für den Menschen Bedingung der Möglichkeit, Anteil an der Welt zu haben[77], also zunächst ebenso wie die Dinge bzw. Phänomene nur Teil der Welt zu sein. Darüber hinaus vermag er es aber auch, jene Dinge und Phänomene, mit denen er sich die Welt teilt, wahrzunehmen. Diese doppelte Gestalt, nämlich zu-

---

andere Eigentümlichkeit, als daß sie sehr kleine Körper sind, die sich sehr schnell bewegen, so wie die Teile der Flamme, die einer Fackel entsprühen."

[74] *Leib* und *Seele* (zusammen) stellen bei Husserl die zwei Schichten der animalischen Natur dar, die sich nicht dualistisch gegenüberstehen, sondern als „psychophysisches Ich" eine konkrete Sinneseinheit bilden (Hua IV, Ideen II; 120-161).

[75] Zur systematischen Analyse der spezifischen Leibphilosophie Merleau-Pontys habe ich in der Folge die Punkte (a) bis (f) unterschieden.

[76] Merleau-Ponty bezeichnet es auch als ein „System von Systemen zur Kenntnisnahme einer Welt" (OE; 83).

[77] Vgl. PP; 349: « je suis par ce corps en prise sur un monde. » Und: ders., Un inédit de Maurice Merleau-Ponty, in: RMM, Bd. 67, 1962; 403 [*Inédit*] - die Schrift für die Kandidatur am Collège de France (1951/52 entstanden), vgl. Métraux, Vorlesungen, 3-11.

gleich Teil eines Ganzen zu sein, als auch dieses Ganze in seinen Teilen wahrnehmen zu können, nennt Merleau-Ponty im Spätwerk (in Anlehnung an Paul Valéry) „Chiasma". Hier kreuzen sich *Sichtbares* und *Sehendens, Empfindung* und *Empfindendes* (III. 2.1.2.)[78].

Mit dem Entwurf einer *textuellen* Konzeption der Welt bereitet Merleau-Ponty dafür bereits im Frühwerk den Boden. Wenn uns, wie er in der *Phénoménologie* schreibt (369), in der Wahrnehmung *der Gegenstand selbst* (en personne, en chair et en os) gegeben ist, heißt das zunächst, dass er vom Wahrnehmenden nicht zu trennen ist (370): „Nie kann der Gegenstand ganz an sich sein, denn all seine Artikulationen sind eben die unserer eigenen Existenz"[79]. Die *Paarung unseres Leibes mit den Dingen* (accouplement) beschreibt das menschliche Weltverhältnis. Mit dem Prinzip der Inkarniertheit entwirft Merleau-Ponty bereits im Frühwerk eine existentiale Struktur des Menschen, die er im Spätwerk mit den Begriff des *Fleisches* (chair) ontologisch vertieft[80].

---

[78] Entsprechend schreibt Merleau-Ponty über den zwischen sehendem Subjekt und Sichtbarem „zwischengeschalteten" Körper, dass der weder Ding, Verbindungsstoff noch Bindegewebe sei, sondern „empfindsam für sich" (Vis; 178). Per „Ontogenese" vereine er sich mit den Dingen (179). Die Beziehung zwischen Wahrnehmung und menschlichem Leib versteht Merleau-Ponty ähnlich differenziert: Demnach nimmt der Körper nicht selbst wahr, sondern ist gewissermaßen „um die Wahrnehmung herumgebaut", die sich wiederum seiner als Wahrnehmungsorgan bedient (24).

[79] Vgl. dazu aber auch PP; 372: « On ne peut, disons nous, concevoir de chose perçue sans quelqu'un qui la perçoive. Mais encore est-il que la chose se présente à celui-là même qui la perçoit comme chose en soi et qu'elle pose le problème d'un véritable en-soi-pour-nous. »

[80] Der Entwurf des Eigenleibs lässt sich deshalb ebenso wie das Existential „chair" in gewisser Weise als „dritte Weise des Seins" (vgl. Monika Langer, Merleau-Ponty's Phenomenology of Perception, A Guide and Commentary, London u.a. 1989; 157) begreifen oder auch als Entwurf einer „dritten Dimension" (Waldenfels/vgl. Fußnoten unten III. 1.2., bzw. III. 2.1.1.1.) lesen – eben, weil das beiden Begriffen zugrundeliegende Konzept des „inkarnierten Subjekts", denkbare Dualismen wie Körper und Geist, Subjektivität und Objektivität miteinander vereint. Unverkennbar ist die Nähe des psycho-physischen *Eigenleibs* zu Gabriel Marcels Modell der „leib-geistigen Einheit" Mensch (vgl. Vincent Berning, Gabriel Marcel: Die Metaphysik der schöpferischen Treue, in: Josef Speck, Grundprobleme der großen Philosophen, Philosophie der Gegenwart V: Jaspers, Heidegger, Sartre, Camus, Wust, Marcel, Göttingen 1982; 231). Wenn Merleau-Ponty im Spätwerk schreibt, dass jede Technik „Technik des Körpers" sei (OE; 33: « Elle figure et amplifie la structure métaphysique de notre chair. »), deckt sich diese Ansicht mit der Marcels: Weil der menschliche Leib zwischen Gegenstand und jeweiliges Subjekt ‚geschaltet' ist, dient er zwar als ‚Empfänger' und wird vom Ich auf diese Art und Weise *instrumentalisiert*, ist aber nur insofern ein Instrument, als er auf ein Ich zurückweist, das den Leib in diesem Sinne gebraucht: Weil der menschliche Leib Bedingung für seinen instrumentellen Gebrauch bzw. für den Gebrauch tatsächlicher Instrumente ist, kann über ihn nicht bloß wie über ein Instrument verfügt werden (vgl. Arne Grøn,

Die Einheit des Leibes ist folglich nicht die Summe taktiler und kinästhetischer Empfindungen, sondern entspricht einem „Körperschema"[81], das sowohl unser Körperbewusstsein im Raum umfasst[82], als auch eine Einheit aller sinnlichen Gegebenheiten ist. Der Eigenleib gleicht in diesem Sinne einem empfindsamen Gegenstand[83] – weil er, indem er „Resonanzkörper" der Sinne ist, auch (b) sinngebender (PP; 230) und im weiteren Sinne stilbildender Leib (Signes; 84) ist: „Der Körper ist jenes seltsame Objekt, dass seine Teile als allgemeine Symbolik der Welt nutzt". Durch ihn vermögen wir dieser Welt zu ‚begegnen', sie zu ‚verstehen' und ihr einen Sinn zu geben (PP; 274). Sinnstiftend ist er allein durch seine Anwesenheit in der Welt. Dabei bilden die Sinnesdaten, die er als Resonanzkörper ‚erklingen' lässt, und das Verhalten, das sie jeweils hervorrufen, eine Einheit. Dasselbe gilt auch für sprachliche Sinnesdaten: bestes Beispiel hierfür sind Worte, so Merleau-Ponty, die Zustände wie Kälte oder Hitze beschreiben. Die Aufnahme sprachlicher Sinnesdaten sei folglich eng mit dem körperlichen Vorgang der Verarbeitung verbunden: „Bevor ein Wort Anzeige eines Begriffs ist, ist es ein meinen Körper ergreifendes Ereignis, und seine Wirkung auf meinen Körper umschreibt den Bedeutungsbereich, auf den er Bezug nimmt" (PP; 272)[84].

Gabriel Marcel: Existenz und Engagement, in: Anton Hügli/Poul Lübcke, Philosophie im 20. Jahrhundert, Bd. 1, Hamburg 1992; 433f.).

[81] RC1; 189. Vgl. die differenzierte Auseinandersetzung mit dem *Körperschema* basierend auf den Studien Paul Schilders (PP; 113ff.). Vgl. hierzu auch Hermann Schmitz (1965, 21ff.) sowie den Sammelband unter der Herausgeberschaft von Alain Berthoz und Bernard Andrieu (2010), insbesondere die Beiträge von Jean-Luc Petit und Emmanuel de Saint Aubert (ebd.).

[82] Sehr pointiert schildert Merleau-Ponty das Leibsein im Spätwerk – indem er in kritischer Distanz zu Descartes und im Anschluss an die Analysen Schilders ausführt (OE; 33): « Schilder observe que, fumant la pipe devant le miroir, je sens la surface lisse et brûlante du bois non seulement là où sont mes doigts, mais aussi dans ces doigts glorieux, ces doigts seulement visibles qui sont au fond du miroir. Le fantôme du miroir traîne dehors ma chair, et du même coup tout l'invisible de mon corps peut investir les autres corps que je vois. » Und zu Descartes (ebd., 38): « Un cartésien ne se voit pas dans le miroir : il voit un mannequin, un « dehors » dont il a toutes raisons de penser que les autres le voient pareillement, mais qui, pas plus pour lui-même que pour eux, n'est une chair. Son « image » dans le miroir est un effet de la mécanique des choses ; s'il s'y reconnaît, s'il la trouve « ressemblante », c'est sa pensée qui tisse ce lien, l'image spéculaire n'est rien *de* lui. »

[83] PP; 273: « En somme, mon corps [...] est un objet sensible à tous les autres, qui résonne pour tous les sons, vibre pour toutes les couleurs, et qui fournit aux mots leur signification primordiale par la manière dont il les accueille. »

[84] Vor diesem Hintergrund ließe sich die systematische Frage anschließen, inwiefern sich Merleau-Pontys Leibphilosophie zur hermeneutischen Tradition verhält. Eine entsprechende Analyse könnte ihren Ausgangspunkt etwa in der folgenden Aussage Hans-Georg Gadamers nehmen ([6]1990; 304): „Das erste, womit das Verstehen

Entsprechend ist die Koexistenz des Menschen mit den Gegenständen in der Welt zu verstehen: Der Mensch existiert und agiert in der Welt im Sinne eines „inkarnierten Subjekts" (PP; 216). Die (c) Wahrnehmung anderer Menschen ist möglich, weil alle Menschen Teil derselben Welt sind; weil sie mir *ästhesiologisch* als „Empfindbarkeiten" (sensibilités) gegeben sind[85]: „Durch meinen Körper verstehe ich die anderen wie ich durch meinen Körper die Dinge wahrnehme" (PP; 216)[86]. Die chiastische Beziehung Wahrnehmender-Wahrgenommenes lässt sich nach Merleau-Ponty am deutlichsten an Husserls Begriff der „Einfühlung"[87] illustrieren. Demnach geschieht die Erfahrung des Menschen, die nach Husserl primär „ästhesiologischer" Natur ist, nicht per *Introjektion* (d.h. geistig)[88], sondern durch die so genannte *Einfühlung*: Das je eigene „Leibsein" ist auf einer primär körperlichen Ebene unmittelbar mit der Erfahrung des Anderen gekoppelt (Signes; 212-214), was Husserl auf den Begriff der „übertragenen Kompräsenz" bringt (Ideen II, §45; 165) und von Merleau-Ponty um den Begriff der *Zwischenleiblichkeit* (une seule intercorporité: Signes; 213) ergänzt wird, die die Kompräsenz bzw. Koexistenz dieser ‚Leiber' anzeigt. Im Moment der Kontaktaufnahme, wenn eine (berührende) Hand eine andere (berührte) Hand ergreift, kehrt sich deren Verhältnis in ein wechselseitiges Berühren-Berührtwerden um: Die berührende Hand empfindet die initiierte Berührung als Berührtwerden. Diese „vorreflexive Umkehrbarkeit"[89] begreift Merleau-Ponty – im Anschluss

---

beginnt, ist, daß etwas uns anspricht. Das ist die oberste aller hermeneutischen Bedingungen."

[85] Paul Good, Du corps à la chair. Merleau-Ponty's Weg von der Phänomenologie zur ‚Metaphysik', (Diss.) Augsburg 1970; 126.

[86] Diese Überzeugung zieht sich durch das Gesamtwerk Merleau-Pontys. In *L'œil et l'esprit* exemplifiziert er das Leibverhältnis des Menschen am spezifischen Dasein des Künstlers, der seinen Körper in den Malprozess mit einbringt (16). Freilich begreift Merleau-Ponty sowohl die Beziehung des Leibes zu den Dingen als auch den Kontakt zu anderen Menschen als keinesfalls unproblematische oder einfache Beziehung (Vis; 25): « S'il est déjà difficile de dire que ma perception, telle que je la vis, va aux choses mêmes, il est bien impossible d'accorder à la perception des autres l'accès du monde. » Zur Leiblichkeit des Künstlers, der Bedeutung von eigenleiblicher Empfindung bzw. Bewegung für den künstlerischen Schaffensprozess vgl. auch Schmitz (1966, 69ff.).

[87] Vgl. insbes. Hua IV, Ideen II, 163-172: Husserl nutzt den Begriff der *Einfühlung* oder *Eindeutung* als theoretischen Erklärungsbegriff für das interindividuelle Entstehen des Wissens vom anderen Menschen (ebd.; §47, 169): „Die Einfühlung führt [...] zur Konstitution der intersubjektiven Objektivität des Dinges und damit auch des Menschen, indem nun der physische Leib naturwissenschaftliches Objekt ist."

[88] Zur geschichtlichen Genese der „Introjektion, die den Irrglauben an ein unräumliches Inneres des Menschen suggeriert" (Schmitz 1967, S. XIII), vgl. insbesondere Schmitz (1965).

[89] Vgl. Tilliette/Métraux, in: Speck, Grundprobleme der großen Philosophen, Philosophie der Gegenwart II: Scheler, Hönigswald, Cassirer, Plessner; Merleau-Ponty,

an Husserl – als eine „Art von Reflexion"[90] bzw. als eine „Quasi-Reflexion" (Vis; 299).

Die *Einfühlung* meint im husserlschen Sinne, eben weil sie je schon über die körperliche Kompräsenz von Individuen hinausgeht, das Erleben des Anderen auch in seiner Existenz als Seelenwesen[91]. Weil wir durch die Wahrnehmung ihrer leiblichen Äußerungen „den anderen ihre Erlebnisse ansehen" (Hua III, 1; 11), kommt Husserl zum Ergebnis, „daß die Natur und der Leib, in ihrer Verflechtung mit diesem wieder die Seele, sich in Wechselbezogenheit aufeinander, ineins miteinander konstituieren" (Hua V/Beilagen; 124).

Die *„Einfühlung* Wahrnehmender-Wahrgenommenes" (Vis; 302) geht, wie Merleau-Ponty betont, notwendig über die intersubjektive Erfahrung des anderen hinaus und ist in einem weitreichenden Sinne bestimmend für das menschliche Zusammenleben:

> „So wie die Wahrnehmung eines Gegenstandes mich mit dem Sein vertraut macht, [...] so begründet meine Wahrnehmung des anderen das Moralgesetz; indem sie das Paradox eines Alter Ego verwirklicht, einer gemeinsamen Situation, die mich selbst, meine Gesichtspunkte und meine nicht mitteilbare Einsamkeit in das Sichtfeld eines anderen und damit aller anderen versetzt" (Primat; 70).

Gehlen, Göttingen ³1991; 188f: „Merleau-Ponty behält die ‚Art von Reflexion', die ‚réflexion épaisse', bei, die Husserls in den ‚Cartesianischen Meditationen' erwähnt, in die endgültige Fassung aber nicht aufgenommen hatte." Vgl. hierzu auch Waldenfels 2000; 36: „Husserl hat dieses Phänomen in den *Cartesianischen Meditationen* als *Reflexion besonderer Art* beschrieben, nicht als Reflexion in Gedanken (die auf ein nahtloses Denken des Denkens abzielt), sondern als eine *leibliche* Reflexion: der Leib ist von sich aus auf sich selbst zurückbezogen." Und ferner ebd.; 258f. – hier 259: „Merleau-Ponty hat diesen Gedanken einer sinnlichen Reflexion ganz zentral aufgenommen. Der Leib definiert sich geradezu dadurch, dass er auf sich selbst rückbezogen ist in dem Sinne, daß man sich in Spiegelungen sieht, sich im Echo sprechen hört. Schließlich bedeutet auch das Sichberühren, bei dem eine Hand die andere berührt, eine Verdoppelung. Diese Kennzeichnung kommt einem Ding nicht zu, denn bei Dingen werden wir höchstens metaphorisch davon sprechen, daß eines an das andere rührt."

[90] Vgl. Signes; 210 und Vis; 247: Die Arbeitsnotiz ist überschrieben: « *Les regards qui se croisent* = eine Art der Reflexion » (Hervorhebung und deutsch im Original).

[91] Hua, Bd. V, Ideen III/Beilagen: §1 Konstitution der Seele (Die Einfühlung); 109-112 bzw. Hua IV; 166: „auch beim Betasten eines Gegenstandes gehört zu meiner Hand- und Fingerstellung je ein Tast-Aspekt des Gegenstandes wie andererseits eine Tastempfindung im Finger etc. und natürlich visuell ein gewisses Bild von meiner tastenden Hand und ihren Tastbewegungen. Das alles ist für mich selbst in Kompräsenz zusammengehörig gegeben und geht dann in die Einfühlung über: die tastende Hand des Anderen, die ich sehe, appräsentiert mir die solipsistische Ansicht dieser Hand und dann alles, was in vergegenwärtigter Kompräsenz dazugehören muss." In diesem Sinne wird „seelisches Sein v e r s t a n d e n, das für den Zuschauer leibliche Bewegungen in Kompräsenz mitgegeben hat" (ebd.).

Indem die anderen Individuen mir als *Empfindbarkeiten* gegeben sind, ist eine elementare Bedingung für die menschliche Kommunikation geschaffen: Man kann grundsätzlich festhalten, dass das Verstehen ganz allgemein auf der Verflechtung der Erfahrung des eigenen Körpers mit der Erfahrung des fremden Körpers, der meiner eigenen Konstitution gleicht, beruht, weil sie eine *sprachliche Koexistenz* (coexistence langagière: PM; 29) schafft. Sprechen und Verstehen sind in diesem Sinne „Momente eines einzigen Systems Ich-Anderer" (29). Deutlich wird dies am Beispiel des Verstehens von Gebärden bzw. Gesten. Sie gelten, weil sie expliziter als andere sprachliche Leistungen an den menschlichen Körper gebunden sind, als *Prototypen* des Verstehens überhaupt.

Der Körper stellt mittels Geste (= Körpersprache) Kontakt[92] zum *Weltleben* der anderen her. Möglich ist dies nur, weil der Leib als *Ausdrucksraum* (espace expressif) kein bloß *Äußeres* ist, das einen *inneren*, seelischen Prozess begleitet[93]: „Es gibt ein erotisches ‚Verstehen', das von anderer Art ist als das Verstehen des Verstandes; der Verstand versteht, indem er eine Erfahrung unter einer Idee erfasst, die Begierde aber versteht ‚blindlings', indem sie den einen Körper mit dem anderen verbindet" (PP; 183).

Auch das Verstehen von Gebärden und Gesten geschieht auf einem *präreflexiven* Niveau; auf jeden Fall, wie Merleau-Ponty betont, nicht durch „intellektuelle Interpretation" (216) oder durch eine wie auch immer geartete „Leistung des Bewusstseins" (215). Indem der Körper die sinnlich erfassten Gebärden einer anderen Person nachahmt, d.h. die fremde Geste zur eigenen macht, versteht er sie (ebd.):

> „Die Kommunikation bzw. das Verständnis von Gesten beruht auf der Reziprozität meiner Intentionen und den Gesten anderer bzw. meiner Gesten und der aus aus dem Verhalten anderer herauslesbaren Absichten. All dies geschieht, als bewohnten die Intentionen des anderen meinen Körper oder meine Intentionen seinen Körper."[94]

---

92 Vgl. PM; 217: « le geste se borne à indiquer un certain rapport entre l'homme et le monde sensible. »

93 Über diesen schreibt Merleau-Ponty in der *Phénoménologie* – hier spricht er übrigens noch von „corps" (PP; 182): « notre corps n'est pas seulement un espace expressif parmi tous les autres. Ce n'est là que le corps constitué. Il est l'origine de tous les autres, le mouvement même d'expression, ce qui projette au-dehors les significations en leur donnant un lieu, ce qui fait qu'elles se mettent à exister comme les choses, sous nos mains, sous nos yeux. » Vgl. auch: Grøn, Maurice Merleau-Ponty: Wahrnehmung und die Welt, in: Hügli/Lübcke, 1992; 481.

94 Aber die Kommunikation erschließt uns den anderen nur in einem sehr eingeschränkten Sinne, wie Merleau-Ponty immer wieder hervorhebt (Vis; 27): „La communication fait de nous les témoins d'un seul monde, comme la synergie de nos yeux les suspend à une chose unique. Mais dans un cas comme dans l'autre, la

Und noch ein wichtiger Aspekt der Sprache ist durch das körperliche Empfinden geprägt: *Bedeutung* definiert Merleau-Ponty grundsätzlich im Sinne von „Orientierung" (PP; 292f.). Dies hat u.a. seinen Ursprung in der Beobachtung, dass Menschen, die mit dem Finger auf etwas zeigen, dem anderen die Richtung zu dem Objekt, das gesehen werden soll, weisen[95]. Merleau-Ponty begreift den *Sinn* eines Gegenstandes als bestimmte Art und Weise, das spezifische Objekt zu präsentieren (ebd.).

Die (e) existential-ontische Bestimmung des Menschen ist es, „Zur-Welt-zu-Sein" (être-en-monde): Ob Wahrnehmung oder Verstehen, beides, so Merleau-Ponty, ist ohne den Körper nicht denkbar. Dies erklärt auch, warum Merleau-Ponty Heideggers „In-der-Welt-Sein" von der Perspektive der *Inkarniertheit* her liest, d.h. die Ontologie Merleau-Pontys im Theorem des Eigenleibs wurzelt. Mensch zu sein, heißt primär *Körper* zu sein und: „Körper zu sein heißt, wie wir gesehen haben, mit einer bestimmten Welt verbunden zu sein. Unserer Körper ist nicht zuerst im Raum: Er ist zum Raum" (PP; 173)[96]. Die Räumlichkeit ist deshalb „Entfaltung des Leibseins selbst", d.h. als Art und Weise, in der sich der menschliche Körper „als Leib verwirklicht" (174). Diese fundamentale Beziehung des Körpers zur Welt meint nach Merleau-Ponty eine *Verankerung* (ancrage) des Menschen in der Welt (169). Nicht von der Hand zu weisen ist die Verwandtschaft dieser strukturellen Bestimmung mit Husserls Definition eines „unmittelbaren Weltverhaltens", d.h. eines Handelns in der noematischen Innenansicht oder Inneneinstellung, die kein theoretisches Erfahren, sondern eine „praktisch-rechnungtragende Einstellung" ist[97]: Der Handelnde weiß während seines Handelns zugleich immer auch schon, dass er handelt. Dabei ist diese Erfahrung keine noematische Reflexion. Sartre nennt sie deshalb etwa „präreflexive Selbstgewissheit" (Hoche,

---

certitude, tout irrésistible qu'elle soit, reste absolument obscure; nous pouvons la vivre, nous ne pouvons ni la penser, ni la formuler, ni l'ériger en thèse. »

[95] James Schmidt, Maurice Merleau-Ponty, Between Phenomenology and Structuralism, London u.a. 1985; 113.

[96] Freilich vereint Merleau-Ponty und Heidegger die *Methodologie* (vgl. Ludwig Landgrebe, Phänomenologie und Geschichte, Gütersloh 1967; 180): Nicht in der transzendentalen Reflexion des Subjekts auf sich selbst erschließt sich der Sinn des Seins in der Welt, sondern durch den Vollzug des „In-der-Welt-Seins". Zur Merleau-Pontys Umdeutung des *In-der-Welt-Seins* zum *Zur-Welt-Sein* vgl. insbesondere unten, Kap. III. Zu Heideggers Lesart der Zuhandenheit vgl. u.a. Heidegger, SZ, §15. Das Sein des in der Umwelt begegnenden Seienden; 71: *„Zuhandenheit ist die ontologisch-kategoriale Bestimmung des Seienden, wie es »an sich« ist. Aber Zuhandenes »gibt es« doch nur auf dem Grunde von Vorhandenem."*

[97] Hans-Ulrich Hoche, Handlung, Bewusstsein und Leib. Vorstudien zu einer noematischen Phänomenologie, Freiburg/München 1973; 193.

1973; 193). Die Welt ist nach Merleau-Ponty folglich nicht das, was ich denke, sondern das, was ich *wahrnehme*, was ich *lebe* (PP; 13/14).

Das existentiale Weltverhältnis des Menschen ist des Weiteren näher bestimmt als (e1) *primordiales* Weltverhältnis, das heißt, es ist konstitutiv in der *vorobjektiven, vorkulturellen* Welt verankert (III. 1.2.). Merleau-Pontys Bestreben liegt seit den frühesten Schriften darin, diese fundamentale Seinsstruktur herauszuarbeiten: Ein wesentlicher Charakterzug seiner Wissenschaftskritik beruht auf der Wiederentdeckung jener *ersten Natur*, auf der jede Wissenschaft und jede Kultur gegründet sind.

Die primordiale Konzeption der menschlichen Existenz ist für die Entstehung von Kultur wie Wissenschaft – im Kant'schen Sinne – transzendental; was, wie Merleau-Ponty noch 1961 bekräftigt, die klassischen Wissenschaften gewöhnlich nicht berücksichtigten (OE; 9).

Den Eigenleib konzipiert Merleau-Ponty als (e2) Basis jeder *Kulturwelt* – nicht nur, weil alle höhere Mathematik zuallererst auf den Gebrauch der Finger zurückzuführen ist und die Sprachkompetenz des Menschen wesentlich auf der körpereigenen Sprache (Gestik und Mimik) beruht[98]; den Menschen zeichne es – im Gegensatz zum Tier – außerdem aus, dass er wählen und sich den Blickwinkel aussuchen könne, von dem aus er die Dinge betrachtet: die Nutzung eines Gegenstandes als Werkzeug etwa bleibe letztlich deshalb virtuell, weil der Mensch damit nicht die Möglichkeit verliere, vom Werkzeug zu abstrahieren. Das Werkzeug sei primär einfacher Gegenstand und erst sekundär Werkzeug (SC; 190).

Demzufolge erschafft nach Merleau-Ponty der Mensch in seinem wissenschaftlichen, sozialen und kulturellen Leben keine ,zweite' Natur, die sich von der biologischen, ursprünglichen Natur abgrenzt. Seine Gabe besteht vielmehr darin, über die je geschaffenen Strukturen immer wieder *hinaus*zugehen (dépasser les structures; ebd.), um mit ihrer Hilfe bzw. aus ihnen selbst, andere, neue Strukturen zu entwerfen. In diesem Sinne ist der menschliche Leib „Bedingung der Möglichkeit [...] aller Ausdruckshandlungen [frz.: opérations expressives] und aller Errungenschaften, die die kulturelle Welt konstituieren" (PP; 445).

1.2. In der ,Lebenswelt'

Noch bevor der Körper für den Menschen ein Objekt ist, das er wahrnehmen und erleben kann, mit dem er wie mit einem beliebigen Gegenstand, einer einfachen materiellen Masse im Raum umgehen kann, ist er

---

[98] Rudolf J. Gerber, The dialectic of consciousness and world (MW, Vol.2, 1/1969; 83-107); 86.

zunächst *Dimension* des eigenen körperlichen Existierens[99]. Der Eigenleib ist primär „erlebt-gelebter Leib" (corps vécu)[100], der, indem er *Leib* ist, konstitutiv Teil einer Welt ist, die Merleau-Ponty in Anlehnung an Husserls *Lebenswelt* auch (f) als „erlebte Welt" (monde vécu) bezeichnet (PP; IIf.). Mit diesem Begriff wendet sich Merleau-Ponty gegen die traditionelle Annahme, dass Gefühle passive Wahrnehmungen seien und dass das Bewusstsein in sich selbst eingeschlossen wäre bzw. die Außen-Welt allein über die Sinne erfahren könne.

Der *erlebt-gelebte Körper* des Menschen ist stattdessen Bestandteil einer aktiven, *erlebt-gelebten* Welt. Entsprechend versteht Merleau-Ponty die Zeit nicht als äußerliche Kraft, die den Menschen ihren Stempel aufdrückt. Spätestens durch den Begriff des „Fleisches" (chair) bestimmt Merleau-Ponty den Körper als Kontaktpunkt zwischen der bestehenden Welt (Welt der Vergangenheit) und der zukünftigen (Gerber, 1969; 93): „Wir machen eine Philosophie der Lebenswelt", schreibt Merleau-Ponty in seinen Arbeitsnotizen zu *Le visible et l'invisible* (224): „alles was wir gesagt haben und sagen enthielt und enthält sie. Sie war je schon gerade als nicht-thematisierte Lebenswelt da."

Das Konzept eines *prä*existenten Weltlebens bezeichnete Husserl in Anlehnung an Richard Avenarius' „natürliche Welt" – nach frühen terminologischen Anklängen – seit ca. 1918 als „Lebenswelt"[101]. Bereits in den 20er Jahren wurde das Lebenswelt-Konzept zunehmend bedeutender; zum zentralen Thema avancierte es 1936 (Krisis). Aus der Unterscheidung zwischen *natürlicher* und *transzendentaler* bzw. *phänomenaler* Einstellung entstanden, bezeichnet Lebenswelt die natürliche Welt des Menschen, in der sich sein Alltag abspielt. Husserl nennt sie auch „die einzig wirkliche Welt" (Hua VI, Krisis; 49). Die Lebenswelt ist nicht nur Basis jeder Wahrnehmung, sie ist der „Gesamthorizont"[102], das „Universum aller Dinge", die wahrgenommen werden können (Hua VI; 176). Als Struk-

---

[99] Gary Brent Madison, La phénoménologie de Merleau-Ponty. Une recherche des limites de la conscience, Paris 1973; 43.

[100] Insofern führt Merleau-Ponty, wie Landgrebe (1967; 176) schreibt, „die Analysen weiter, die Sartre in seinem Buch SN vom Leibe gegeben hat. Sartre sagt dort, bisher wäre der Leib nur untersucht worden, als ob er der Leib des Anderen, der wahrgenommene Leib wäre – also ein Objekt der Betrachtung, aber nicht der, in dem ich lebe".

[101] Ernst Wolfgang Orth, Edmund Husserls >Krisis der europäischen Wissenschaften und die transzendentale Phänomenologie<, Darmstadt 1999; 137. Vgl. auch Routledge Encyclopedia of Philosophy [REPh], Vol. 4 (Genealogy – Iqbal Muhammad), London/N.Y. 1998; (Dagfinn Føllesdal) 583.

[102] Ausgehend davon, dass jede Erfahrung einen „Erfahrungshorizont" besitzt (EU; 27), bestimmt Husserl die Lebenswelt als „Welt der Erfahrung"(52) bzw. als „Boden aller Erkenntnisleistung" (38).

tur von Wissen und Nicht-Wissen ist sie zudem Basis jedes theoretischen Wissens, d.h. der objektiven Wissenschaften.

Die *erlebte Welt* Merleau-Pontys besitzt im Unterschied dazu eine exklusivere Stellung als Husserls Lebenswelt. Sie ist nicht – im Sinne eines Gemeinsamen – *Zusammenstellung* vieler Dinge und vieler Horizonte, sondern *Superlativ*: „Horizont" (horizon) aller Horizonte[103], „Feld" (champ) aller Felder, „Stil" (style) aller Stile[104]. Somit ist sie die Basis der gesamten Wissenschaften (PP) – gemäß einer ursprünglichen Dimension, der alle übrigen Dimensionen entstammen (Nagataki, 1998; 37). Doch selbst in dieser zugespitzten Interpretation des Lebenswelt-Begriffs Husserls sind die Anleihen unübersehbar. Wenn Merleau-Ponty in *Le philosophe et son ombre* (1959) schreibt, dass in der sogenannten natürlichen Einstellung die phänomenologische Reflexion ihren Ausgang nimmt (Signes; 207), bezieht er sich unmittelbar auf Husserls Ideen II: „Vorgegeben ist die Welt als Alltagswelt und innerhalb ihrer erwächst dem Menschen das theoretische Interesse und die auf die Welt bezogenen Wissenschaften"[105]. Bei Merleau-Ponty heißt es auch deshalb, dass es darum ginge mit dem *Meinen* anzufangen, durch es hindurchzugehen, um beim *Wissen* anzukommen:

> „Die Doxa der natürlichen Einstellung ist eine Urdoxa, sie stellt der Ursprünglichkeit des theoretischen Bewusstseins die Ursprünglichkeit unserer Existenz gegenüber; ihr Prioritätsanspruch ist endgültig und das reduzierte Bewusstsein muss dem Rechnung tragen" (Signes; 207).

---

[103] Den *Horizont*-Begriff Husserls versteht Merleau-Ponty als (Vis; 195) „neuen Seinstyp, Sein der Durchlässigkeit, der Trächtigkeit oder Generalität" – siehe ebd: « Nous sommes dans l'humanité comme horizon de l'Être, parce que l'horizon est ce qui nous entoure, nous non moins que les choses. » (290)

[104] Shôji Nagataki, Husserl and Merleau-Ponty: the conception of the world (AH, Vol. LVIII, 1998; 33f./37).

[105] Vgl. Hua IV; 208. Die frühe Kenntnis dieser aus dem Nachlass veröffentlichten Schrift geht auf einen Besuch des Husserl-Archivs in Löwen im Frühjahr 1939 zurück, wo Merleau-Ponty „neben den Ideen II wichtige Fragmente aus Husserls Spätwerk" konsultieren konnte (vgl. Bermes 2003; S. XLV).

2. Analysen zur Sprache und Kommunikation

Merleau-Pontys Studien zur Sprache und Sprachentwicklung sind weniger eigenständige Untersuchungen als vielmehr wesentlicher Teil seiner Leibphilosophie – auch wenn die *Sprache* in den späteren Schriften, im Gegensatz etwa zur *Phénoménologie*, als autonomer Untersuchungsgegenstand erscheint[106]. Nur aus diesem Kontext heraus lassen sich die elementaren Strukturen der Sprachphilosophie Merleau-Pontys verstehen, deren Schwerpunkt auf den Phänomenen des *Ausdrucks* und der *intersubjektiven Kommunikation* ruht[107]. Auch das Phänomen des *sinnvollen Sprachvollzugs* ist nicht allein sprachanalytisch zu erklären, sondern bedarf zur Erläuterung des leibphilosophischen Fundamentes[108]. Dies gilt nicht nur im theoretischen, übertragbaren Sinne, sondern beruht auf jener empirischen Erfahrung, dass, wie Merleau-Ponty etwa in der *Phénoménologie* (350) schreibt, der Körper „Erfahrungssystem" (système de l'expérience) innerhalb eines umfassenderen Erfahrungssystems ist; bzw. dass, wie es in der *Kandidaturschrift* – analog zum husserlschen Sprach- und Leibmodell – heißt, der „wahrnehmende Geist" ein „inkarnierter Geist" ist (402).

---

[106] Heidi Aschenberg, Phänomenologische Philosophie und Sprache. Grundzüge der Sprachtheorien von Husserl, Pos und Merleau-Ponty, Tübingen 1978; 57.

[107] Dies gilt ausdrücklich für die in den 50er Jahren entstandenen Schriften und Vorlesungen (1949: *Conscience et l'acquisition du langage, Les sciences de l'homme et la phénoménologie, Expérience d'autrui*; 1951: *Sur la phénoménologie du langage*; 1952: *Langage indirect et les voix du silence, La prose du monde*; 1953: *Un inédit* [Schrift für die Kandidatur am Collège de France], *Le monde sensible et le monde de l'expression, Recherches sur l'usage littéraire du langage*; 1954: *Le problème de la parole*). Die 1951 auf dem ersten *Internationalen Kolloquium der Phänomenologie* präsentierte Zusammenfassung der eigenen Sprachphilosophie, *Sur la phénoménologie du langage* (Signes; 105-122), bietet einen exemplarischen Überblick über die Grundzüge der Sprachphilosophie Merleau-Pontys (sowie grundsätzlich einen Einblick in die kumulative Arbeitsweise des Philosophen, der die Sprachphilosophie Husserls in die Nähe der linguistischen Theorien de Saussures und Pos rückt, und Humboldts Rede von der „innere Sprachform" neben die der „kohärenten Deformierung" Malraux' stellt).

[108] Nicht zu vernachlässigen ist der Einfluss der *ontologischen Neuorientierung*: Vor allem Merleau-Pontys Sprachtheorie profitierte von dieser späten philosophischen Entwicklung. Seit Anfang der 50er Jahre wurde die Sprache „weniger in ihrem Verhältnis zum Leib als in ihrer eigenen Generativität verstanden und als konstituierter Leib, als ,Sprachleib' [...], als lichte und durchsichtige Existenz untersucht" (Tilliette/Métaux, in Speck, 1991; 222). Allerdings heißt dies nicht, dass sich die Sprachtheorie als Ganzes aus dem leibphilosophischen Konzept des Frühwerks gelöst hätte. Die grundsätzliche Verortung der Sprachtheorie innerhalb der Leibphilosophie bleibt bestehen. Die ontologische Neuorientierung trägt im Gegenteil wesentlich zu deren Fundierung im „fleischlichen Gewebe" (tissue charnel) der Welt bei.

Was für die subjektive Wahrnehmung gilt, lässt sich auch auf die grundlegenden Strukturen der Sprache übertragen. Dementsprechend ist gemäß einem ontologischen Verständnis nicht nur ein „wahrnehmender Geist" im *Leibsein* verwurzelt, sondern das Sein der Sprache selbst ist eine „inkarnierte Logik" (logique incarnée: Signes; 110): Damit ist jene „neue Seinskonzeption der Sprache" (langage) gemeint, die Merleau-Ponty im *sprachlichen System* (langue) der Linguisten – namentlich Ferdinand de Saussures – zu entdecken glaubt. Der Kontext, in dem die Sprachanalysen zu lesen sind, beschreibt er folgendermaßen (Inédit; 402):

> „Unsere ersten beiden Arbeiten versuchten, die Welt der Wahrnehmung zu restituieren. Jene Schriften, die wir vorbereiten, sollen zeigen, wie die Kommunikation mit den anderen und das Denken die Wahrnehmung, die uns mit der Wahrheit vertraut gemacht hat, wieder aufnimmt und sie zugleich überschreitet."

2.1. Husserls eidetisches Sprachmodell

Unter diesem Aspekt, nämlich dem Verhältnis von Wahrnehmung und Kommunikation ist Merleau-Pontys Auseinandersetzung mit Husserls Theorem einer *reinen Grammatik*, d.h. einer reinen *grammatisch-logischen* Formenlehre, zu sehen.

Die sogenannte Eidetik beinhaltet Normen, die einen einheitlichen Sinn von Bedeutungen und Bedeutungszusammenhängen gewährleisten sollen. Sie bilden das Fundament der logischen Gesetze. Merleau-Pontys Kritik an der idealistischen Sprachtheorie Husserls (LU, 4. Untersuchung), zielt vor allem auf die von der reinen Grammatik bereitgestellten Kategorien ab, die in konkreten sprachwissenschaftlichen Untersuchungen operationalisiert werden können: „Dieser Text", schreibt Merleau-Ponty über die 4. Untersuchung[109], „beschließt eine extrem dogmatische Einstellung: Man kann eine Sprache [frz.: une langue] (als menschliches Ausdrucksmittel) nur verstehen, wenn man sie auf eine allgemeine oder eidetische Sprachtheorie gründet, eine Aufzählung und Beschreibung der Bedeutungsformen."[110]

---

[109] Merleau-Ponty, *Les sciences de l'homme et la phénoménologie*, in: RC1; 415.

[110] Weiter in seiner kritischen Einstellung gegenüber der Eidetik Husserls geht Merleau-Ponty in späteren Notizen, was etwa ein Fragment vom Juni 1959 belegt (Vgl. Reading Notes and Comments on Aron Gurwitsch's The Field of Consciousness, ed. by Stéphanie Ménasé, in: Husserls Studies, Vol. 17, No. 3, 2001; 190/Fußnote 11): "The eidetic method as Husserl has defined it always remains between two propositions, two essences. And it could not be otherwise: because even the non-essential is fixed in essence and juxtaposed with other essences without problem, because we are only dealing with essences, and because between essences everything always works out. This eidetic is antiphilosophy."

Dass eine *universale Sprache der Phänomene* Bedingung für das Verstehen von Sprache sein soll, dagegen wendet sich Merleau-Ponty ebenso wie gegen die damit korrespondierende Widerspruchslosigkeit im Wahrnehmungsprozess. Seine Kritik an Husserls früher Sprachtheorie gründet letztlich auf einem *Paradigmen*wechsel innerhalb der Phänomenologie[111]: Husserls *Weltkonstitution*, die eine in der Wahrnehmung konstituierte Welt-Einheit meint, wird in der Phänomenologie Merleau-Pontys abgelöst von der *Kommunikation mit der Welt*. Gemäß der Logik des Gegenstandes bzw. dem Vokabular der Eidetik gibt es in Husserls Frühphilosophie keinen Interpretationsspielraum. J. M. Santos (79) spricht dementsprechend von einem „eidetischen Determinismus", d.h. dass die einheitsstiftende Konstitution der Gegenstände in Bahnen „strengster Wesensnotwendigkeit" verläuft (ebd.).

Demgegenüber steht Merleau-Pontys Konzeption der Sprache. Er bezweifelt grundsätzlich die Objektivierbarkeit von Einzelsprachen sowie die Aufstellung einer universalen Grammatik (Aschenberg, 56). Auch aus einem pragmatischen Grund wendet sich Merleau-Ponty gegen den Idealismus Husserls: Weit mehr als einer universell gültigen *Eidetik* gilt sein Interesse einem *aktiven* Sprachgebrauch, der *lebendigen Rede* (parole vivante) ebenso wie dem *Akteur* der Rede, dem *sprechenden Subjekt*. Deshalb steht auch der Dialog des jeweiligen sprechenden Subjekts (le sujet qui parle)[112] im Mittelpunkt der Sprachstudien Merleau-Pontys. Der Kommunikation, den Aspekten *Intersubjektivität* bzw. *Fremderfahrung*, kommt das Primat seiner Sprachanalysen zu. „Das sprechende Subjekt", schreibt Merleau-Ponty (RC1; 416), „ignoriert die Vergangenheit. Es wendet sich der Zukunft zu. Für das Individuum ist die Sprache [frz.: la langue] Ausdrucksmittel seiner Intentionen und Möglichkeit, mit dem anderen zu kommunizieren."

Anders als der Linguist, der das Ideal der Sprache erforschen will und sich deshalb weniger der realen Spracherfahrung widmet als der Sprach-

---

[111] José M. Santos, Die Lesbarkeit der Welt und die Handschrift des Auges, Zu Merleau-Pontys Phänomenologie des Sehens, (in: Tilman Borsche/Johann Kreuzer/Christian Strub, Blick und Bild im Spannungsfeld von Sehen, Metaphern und Verstehen, München 1998; 75).

[112] Unverkennbar bezieht sich Merleau-Ponty hierbei auf Hendrik Josephus Pos (Phénomenologie et linguistique, in: Revue Internationale de Philosophie, janvier 1939): Der beschreibe, wie Merleau-Ponty in *Sur la phénoménologie du langage* (Signes; 106) ausführt, die Phänomenologie der Sprache eben nicht im Husserlschen Sinne einer *Eidetik*, sondern als Rückkehr zum „sprechenden Subjekt" [sujet parlant], genauer, als Rückkehr zu meinem Kontakt zur Sprache, die ich spreche. Damit habe er gezeigt, dass die phänomenologische Einstellung jene ist, die einen direkten Zugang zur „lebendigen und gegenwärtigen" Sprache erlaube (131).

theorie[113], macht das *kommunizierende* Individuum im alltäglichen Sprechen die Erfahrung, was es heißt, sich einer *lebendigen* Sprache zu bedienen – nämlich in dem Moment, in dem es von seinem Gegenüber verstanden bzw. nicht verstanden wird (geglückte oder gescheiterte Kommunikation). Deshalb, folgert Merleau-Ponty, ist der Sprechakt der einzige Ort,
an dem sich der *Logos einer Sprache* überhaupt entfalten und als solcher
hervortreten kann[114]: Eine Sprach*theorie* müsse sich primär mit dem Spre-
ch*akt* (la parole) befassen (Aschenberg, 56). „Es gibt nämlich", hält
Merleau-Ponty fest (RC1; 417), „keine mögliche universelle Sprachwissenschaft. Allein die aktive Sprache [frz.: langage du fait] steht modellhaft für das Verständnis darüber, was die anderen Sprachen ausmacht."
Wenn es überhaupt „so etwas wie Universalität" gebe, schließt er seine Kritik am eidetischen Modell Husserls, dann nicht im Sinne einer universalen Sprache, die uns mit den Grundlagen jeder möglichen Sprache
versorge, sondern als „versteckter Übergang von jener Sprache, die ich
spreche und die mich mit dem Phänomen des Ausdrucks [frz.:
phénomène de l'expression] vertraut macht, zu jener anderen Sprache, die
ich zu sprechen lerne und die den Ausdrucksvorgang [frz.: l'acte
d'expression] auf ganz andere Art und Weise leistet" (Signes; 109).

Der Paradigmenwechsel zugunsten des *kommunikativen* Aspekts von
Sprache gründet auch auf der Cézanne-Rezeption Merleau-Pontys, genauer, auf dem sogenannten künstlerischen bzw. *dichterischen* Sprachgebrauch: Die dialogische Form des *aktiven* Sprechens ist ganz allgemein
durch ein wechselseitiges Fragen und Antworten gekennzeichnet, das
wiederum einen offenen, unbeschränkten Raum *freier Kommunikation*
verlangt. Merleau-Ponty spricht daher auch von einem „Milieu der Verständigung", einem intersubjektiven diakritischen System, das *gegenwärtige Sprache* ist[115]. Der Widerspruchslosigkeit des eidetischen Ideals stellt er
Interpretations*spielraum* bzw. Interpretations*vielfalt* gegenüber. Das be-
wegliche, fragmentarische und freie Spiel mit bzw. aus Worten, Bedeutungen und Bedeutungszusammenhängen, das sich im Sprechakt artikuliert,
ist grundsätzlich Kennzeichen literarischer oder, im weitesten Sinne,
künstlerischer Sprachformen.

---

[113] Merleau-Ponty bezieht sich hier (RC1; 416) ausdrücklich auf Joseph Vendryes
(1875-1960): « Une langue, dit Vendryes, n'est jamais une réalité; elle est toujours
un idéal. »

[114] « Penser le langage », schreibt Merleau-Ponty (RC1; 416 bzw. 555) entsprechend,
« ce n'est plus rechercher une logique du langage en-deçà des phénomènes linguis-
tiques, mais retrouver un logos déjà engagé dans la parole, retrouver le langage que
je sais parce que je le suis. »

[115] Vgl. Vis; 229 bzw. Paul Ricœur, Main Trends in Philosophy, N.Y./London 1978;
252.

Auf einer *präreflexiven* Ebene korrespondiert darüber hinaus das kommunikative Verhältnis sprechender Individuen mit dem *inspirativ-expirativen* Arbeiten der Künstler (vgl. III. 2.2.): Weil sich Merleau-Ponty gegen jegliche sprachliche Reglementierung (und damit letztlich überhaupt gegen jegliche Reglementierung im zwischenmenschlichen Bereich) wendet, und Interpretationsspielräume grundsätzlich als die Sprache bereichernde Elemente begreift, lassen sich die Sprachstudien Merleau-Pontys als Teil einer philosophischen Gesamtkonzeption begreifen, die sich unter den Termini „Philosophie der Offenheit" oder „Philosophie der Öffnung" (Vis; 135)[116] fassen lässt.

2.2. Das Zeichenmodell Ferdinand de Saussures

Ohne das Zeichenmodell Ferdinand de Saussures zu kennen, hatte Merleau-Ponty bereits im Frühwerk, in der *Phénoménologie*, auf das Zusammenfallen von *Ausdruck* (Zeichen) und *Ausgedrücktem* (Bedeutung)[117] verwiesen und zwischen *empirischer* bzw. *authentischer* Sprache unterschieden (III. 1.2.). Seine späteren Saussure-Studien[118] ergänzten diese ersten Einsichten um den *differenziellen Zeichencharakter*.

Mit dem sogenannten *diakritischen* Zeichenmodell, was die Strukturierungskraft der vorsprachlichen Zeichen bzw. kindlichen Laute meint[119], war Merleau-Ponty Ende der 40er und Anfang der 50er Jahre der Ansicht, eine allgemeine Methode zu besitzen, um Zugang zu den Realitäten der

---

[116] Ebd.: « Il nous a semblé que la tâche était de décrire strictement notre rapport au monde, non pas comme ouverture du néant à l'être, mais comme ouverture simplement : c'est par l'ouverture que nous pourrons comprendre l'être et le néant, non par l'être et le néant que nous pourrons comprendre l'ouverture. »

[117] Siehe (PP; 448): « L'expression est partout créatrice et l'exprimé en est toujour inséparable. Il n'y a pas d'analyse qui puisse rendre clair le langage et l'étaler devant nous comme un objet. L'acte de parole n'est clair que pour celui qui effectivement parle ou écoute, il devient obscure dès que nous voulons expliciter les raisons qui nous ont fait comprendre ainsi et non autrement. »

[118] Nach Shuichi Kaganoi (AH, Vol. LVIII, 1998, Merleau-Ponty and Saussure: On the Turning Point of Merleau-Ponty's Thinking; 151-172) begann Merleau-Ponty diese Studien kurz nach dem Erscheinen des phänomenologischen Frühwerks (169). Demnach bezog sich Merleau-Ponty erstmals im Essay *Le métaphysique dans l'homme* (RMM 52, 1947; 290-307/bzw. SNS) ausdrücklich auf de Saussure (152). Ergänzt wurden die Saussure-Studien um linguistische Modelle anderer Vertreter der strukturalistischen Schule (u.a. Roman Jacobsons).

[119] Das Hauptinteresse Merleau-Pontys an der Phonologie Jacobsons (von dem übrigens der Begriff der „Diakritik" ursprünglich stammt; vgl. Kagoi; 157f.) gilt insbesondere der Umbildung von Laute in Werte, d.h. Phoneme. Merleau-Ponty versteht Phoneme als „Zeichen erster Hand" (RC1; 233). Vgl. dazu Stefan Bucher, Zwischen Phänomenologie und Sprachwissenschaft: Zu Merleau-Pontys Theorie der Sprache, Münster (Diss. 1989) 1991; S. 142ff. (-161).

Sprache zu bekommen (RC1; 569). In *La conscience et l'acquisition du langage* (1949) schreibt Merleau-Ponty entsprechend: „Für den Sprechenden ist die Sprache ein einzigartiges Gesamt [frz.: un ensemble unique], in dem jedes Wort seine Bedeutung durch andere Worte erhält" (RC1; 11). In diesem Sinne steht das *lebendige* Sprechen (la parole) im Gegensatz zur *systematischen* Sprache (la langue). Dies ist eine Differenzierung, die Merleau-Ponty zwar im Wortlaut von Saussure[120] übernimmt, mit der er aber etwas anderes intendiert, nämlich eine Wort*masse*, die im Gespräch kontinuierlich auseinander strebt (une masse en train de se différencier progressivement). Diese dynamische und evolutionäre Bedeutungs*genese* ist bezeichnend für die Sprachphilosophie Merleau-Pontys; das heißt auch, dass dieser Prozess immer schon in Gang gesetzt und gleichzeitig niemals abgeschlossen ist bzw., dass er mit jedem Gespräch aufs Neue beginnt oder sich unter veränderten Vorzeichen fortsetzt (III. 1.2.).

Nach Saussure drückt sich die Einheit der Sprache im sprachlichen Zeichen aus, der *funktionalen Relation* zweier Faktoren: zwischen *signe* =*signifiant*[121] und =*signifié*. Weder das sprachliche Zeichen, im eigentlichen Sinne des Wortes ‚Wort', noch dessen Bedeutung besitzen demnach aber eine deutlich umrissene Existenz. In *Cour de Linguistique générale* ([*Clg*] Paris ³1967; 156), einem Text, der auf Vergleichsstudien indoeuropäischer Sprachen aus den Jahren 1906-11 beruht, beschreibt Saussure Wort und Bedeutung als zwei *amorphe Massen*, die einheits- bzw. sprachstiftend sind. Das (gesprochene wie geschriebene) Wort gilt als Einheit von *signifiant* und *signifié*. Aber weil das verbale Zeichen außerdem *intelligibles signatum* ist, unterhält es keinerlei Verbindung zum angezeigten Gegenstand. Die *internale Differenz* der Zeichen bedeutet für die strukturelle Linguistik, dass das sprachliche System jeglicher Subjekte sowie Dinge entbehrt (Ricœur, 1978; 261).

Die Bedeutung eines jeden Wortes entsteht und existiert bei Merleau-Ponty – in Anlehnung an Saussure – ausschließlich im Wechselspiel mit

---

[120] de Saussure unterscheidet mit *la langue* und *la parole*, den kodifizierten, d.h. formalen Aspekt bzw. den sozialen Aspekt von Sprache (le langage) vom individuellen Sprachgebrauch. Während *la langue* das temporal befristete sprachliche System einer Gemeinschaft bezeichnet, begreift Saussure *la parole* als individuelles Sprechen, das im Sprechakt eine Variation des bestehenden sprachlichen Systems nach sich zieht (vgl. Eugene F. Kaelin, An Existentialist Aesthetics. Theories of Sartre and Merleau-Ponty, Madison 1962; 266/272).

[121] *Signifiant* bezeichnet - im Gegensatz zum Akustischen – das Phonematische eines Wortes - basierend auf der Unterscheidung von Laut und Phonem. Erst dadurch (d.h. durch die deutliche Abgrenzung vom physikalischen wie logischen Bereich) besitze das Wort, wie Ilina Gregori (Merleau-Pontys Phänomenologie der Sprache, Heidelberg 1977; 91) hervorhebt, eine „rein sprachliche Identität".

der Gesamtbewegung des sprachlichen Systems[122]. Diese semiotische Relation veranlasst Merleau-Ponty zur Annahme, dass der Sinn einer Aussage grundsätzlich nur *indirekt* bzw. *lateral* erscheint (Signes; 29/PM; 123). Offensichtlich ist hier der Bezug zur sogenannten *Sprache des Schweigens* hergestellt, die in der kodifizierten Sprache untergründig existiert und nicht als ein reines, der Sprache *voraus*gehendes Denken begriffen werden darf (Gregori, 1977; 183/186), sondern als „sprechendes" bzw. „ausdrucksvolles Schweigen" (une silence parlante)[123].

Dasselbe gilt übrigens für das Verhältnis von *authentischem Sprechen* und *ursprünglichem Schweigen*: Letzteres bestimmte ehemals, so Merleau-Ponty, das *vormenschliche* kommunikative Feld. Die Suche nach dem *primordialen* Schweigen, das als „das ganz eigene Vermögen des Sprechens" (PM; 185) gilt, und nach Merleau-Ponty „unter dem Lärm der menschlichen Gespräche" zu finden ist (ebd.), rekurriert konsequenterweise auf dieses Verhältnis.

Merleau-Ponty erweitert oder ergänzt das zeichentheoretische Gerüst, das er von Saussure übernimmt, um verschiedene Aspekte aus der Sprachphilosophie Husserls – etwa um (1) die sogenannte *Bedeutungsintention*, was soviel heißt, als dass das Bezeichnete (das Ausgedrückte) von jeher die sprachlichen Mittel übersteigt (Hua XIX, 1.I. §9). Dieses Phänomen beruht auf der sprachlichen Struktur, d.h. genauer auf der des Ausdrucks. Dabei liegt die Betonung eindeutig auf der Verhaftung des transzendenten Charakters im sprachlichen ‚Material'. „Der Übergang zur Bedeutung", schreibt Merleau-Ponty deshalb (PM; 53/Fußnote 1), „ist kein Sprung ins Spirituelle." Außerdem liegt die Betonung der Intentionalität darauf, dass die Aussagekraft des sprachlichen Zeichens sich im Moment des Aus-

---

[122] Der Reiz des diakritischen Zeichenmodell liegt nach Tilliette/Métraux (Speck, 1991; 223) für Merleau-Ponty vor allem darin, dass es danach keine starren Bedeutungen gibt, „sondern jeweils nur Bedeutungsabstände, so dass der Sinn aus diesen Überlagerungen, Verbindungen, Konfigurationen etc. erwächst". Relevanz besitzt jenes Zeichenmodell, wie das Spätwerk Merleau-Pontys zeigt, schließlich auch für ästhetische Zeichen: Danach besitzt jede Krümmung, die einer Linie in der Malerei folgt, einen „diakritischen Wert" (OE; 74).

[123] Die Nähe zu Heideggers Definition des Schweigens als „lautloses Sprechen" ist unverkennbar (GA 20, Prolegomena zur Geschichte des Zeitbegriffs, hrsg. v. Petra Jaeger, Frankfurt/M. 1979; 369): „Schweigen besagt [...] nicht einfach stumm sein. Der Stumme hat vielmehr die Tendenz zur Rede und Verlautbarung. [...] Weil im Schweigen die Möglichkeit des Offenbarens liegt, Schweigen aber als Vollzugsmodus der Rede das Verstehen ausbildet, mit dem Verstehen die Entdecktheit des Daseins zeitigt, kann Schweigen im Miteinandersein das Dasein zu seinem eigensten Sein aufrufen und zurückholen, und das gerade dann, wenn das Dasein in der Alltäglichkeit seines Seins von der beredeten Welt und dem Reden über sie sich hat mitnehmen lassen. [...] Um Schweigen zu können, muss man zugleich etwas zu sagen haben." Vgl. auch ders., SZ; 164/296.

drucks nicht darin erschöpft, bloß etwas zu artikulieren, sondern – und dies korreliert mit dem materiellen Charakter des Ausdrucks – dass hierbei über etwas (d.h. über einen bestimmten Gegenstand[124]) gesprochen wird.

Die Voraussetzung für die Übernahme der Bedeutungsintention durch Merleau-Ponty ist Husserls Unterscheidung zwischen *Zeichen* und *Ausdruck*, wobei *Ausdruck* nach Husserl – im Sinne eines engeren Begriffs für *Zeichen* – ein „bedeutsames Zeichen" (ebd.) meint. Husserl nennt rein akustische Lautkomplexe „sinnlose Worte", während er unter einer „sinnvollen Rede" jene verstehbar gewordenen Lautkomplexe meint, die durch sinngebende Akte im wahrsten Sinne des Wortes ‚Ausdruck' sind (Ausdruck und Bedeutung sind bei Husserl korrelative Begriffe). Die *sinnvolle Rede* korrespondiert in gewissem Sinne mit dem *Phonem*, worunter Merleau-Ponty ein „Zeichen erster Hand" versteht (RC1; 233).

Von Husserls früher Sprachphilosophie (LU) übernimmt Merleau-Ponty zudem (2) das Theorem der „einseitigen Fundierung"[125], mittels derer sich jeglicher Spracherwerb konstituiere: „Es gab", schreibt Merleau-Ponty (RC1; 234), „in jeder Sprache Elemente, die begründeten, und solche, die begründet wurden [frz.: des éléments fondants et des éléments fondés]." Entsprechend steht hinsichtlich der Bedeutung für das Sprechen der Erwerb phonematischer Kontraste und nicht etwa die Artikulationsfähigkeit im Vordergrund (vgl. Fußnote zu Jacobson).

Merleau-Pontys Interesse am linguistischen Modell Saussures wurde untergründig durch ein Sprachbild getragen, dass sich vorzugsweise an künstlerischen Sprachformen[126] orientiert. Dieser ganz und gar nicht vor-

---

[124] Die Beziehung zum jeweiligen Gegenstand (was Merleau-Ponty im Spätwerk *Kontakt zum Sein* nennt und, wie unten III. 2.2. zu sehen sein wird, der *neuen* Philosophie ebenso wie der Kunst zuschreiben wird) ist ein Charakterzug der Sprache – und erinnert gleichwohl an das Diktum der Phänomenologie: « Le langage nous mène aux choses mêmes dans l'exacte mesure où, avant d'avoir une signification, il est signification. » (PM; 22)

[125] Bucher (1991; 145) weist darauf hin, dass der Begriff der „einseitigen Fundierung" von Jacobson stammt, der dieses Prinzip wiederum von Husserl in seine Phonologie übernimmt.

[126] Dass sich diese Prägung vor allem im Spätwerk in einer neuen Radikalität niederschlägt (vgl. III. 2.3.), zeigt sich auch mit dem Blick auf den Aspekt der Sinnverschiebung. Waldenfels (Phänomenologie in Frankreich, Frankfurt/M. 1983; 199) schreibt dazu – gewissermaßen als Ausblick auf das Spätwerk: „Die zentrale Instanz der Sinnbildung liegt nicht mehr im Bereich von Bewusstseinsintentionen, die etwas vorstellen, sondern in einem fundamentaleren Differenzierungsgeschehen." Ein weiteres Beispiel der „ästhetisch motivierten" Prägung Merleau-Pontys ist die (wie Gregori, 1977; 120 hervorhebt) Akzentuierung der Undurchsichtigkeit der *eigentlichen* oder *authentischen* Sprache im Gegensatz zur *empirischen* Sprache. Die fehlende Transparenz der lebendigen Rede (die das Problem des

urteilsfreie Blick hat wohl zu den Irrtümern in der Saussure-Rezeption Merleau-Pontys geführt bzw. sie zumindest nicht verhindern können: Die differenzierte Behandlung von *Zeichen* und *Bedeutung* hat in Merleau-Pontys Sprachphilosophie ein Pendant – wenn auch auf anderer Ebene: In *La structure du comportement* (1942) trifft er erstmals die Unterscheidung zwischen *empirischer Sprache* (le langage empirique) und *lebendiger Rede* (la parole vivante). Von einem Pendant zur differenzierten Behandlung von *Zeichen* und *Bedeutung* kann deshalb die Rede sein, weil die Pointe dieser Unterscheidung auf der Feststellung beruht, dass es in Sprachen allgemein begründende bzw. begründete Elemente gibt. Deshalb bezeichnet Merleau-Ponty die *lebendige Rede* in der *Phénoménologie* auch als „parole transcendentale" (448), als Bedingung der Möglichkeit von Sprache überhaupt: Der lebendigen Rede ordnet Merleau-Ponty im Sinne eines authentischen Sprechens deshalb auch das Denken zu (207)[127]. Denn nur das „echte, einen Sachverhalt erstmalig formulierende Wort" ist mit dem Denken *identisch*, während sich die empirische Sprache, die Merleau-Ponty auch als „expression seconde" bezeichnet, gewöhnlich im Reden über „schon Gesagtes" erschöpft (ebd.). Für die Unterscheidung von empirischer Sprache und lebendiger Rede gibt es, wie deren unterschiedliche Konnotationen[128] zeigen, mehrere Lesarten: Merleau-Ponty betont etwa, dass das *authentische Sprechen* auch das Sprechen eines Kindes sein könne, das sein erstes Wort spreche (208). Genauso könne aber auch – im Hin-

---

Verstehens bzw. Verstandenwerdens in sich trägt) gipfelt in gewisser Weise in der Ansicht, dass der jeweilige Gesprächspartner durch die Sprechweise des anderen ‚verführt' werden muss, um überhaupt einen Bereich der Verständigung zu etablieren. Merleau-Ponty spricht deshalb auch von der „Sprache der Eingeweihten" (Signes; 95).

[127] Man kann, was das Verhältnis *Denken* (pensée) und *Sprache* (langage) betrifft, grundsätzlich nicht von einer klaren Rollenverteilung sprechen, zumindest nicht in einem generativen Sinne. Merleau-Ponty erachtet beide als gleichberechtigt. In Anlehnung an Simone de Beauvoir spricht er davon, dass weder Denken noch Sprache voreinander Vorrang eingeräumt werden könne (u.a. PM; 158): « Il nous faut donc dire du langage par rapport au sens ce que Simone de Beauvoir dit du corps par rapport à l'esprit: qu'il n'est ni premier ni second. » Im Vorwort zu Signes (25) führt er dies näher aus: « Pensée et parole s'escomptent l'une l'autre. Elles se substituent continuellement l'une à l'autre. Elles sont relais, stimulus l'une pour l'autre. Toute pensée vient des paroles et y retourne, toute parole est née dans les pensées et finit en elles. » (Vgl. III. 1.2.1.2.)

[128] Eine noch nicht genannte Konnotation ist die Unterscheidung zwischen „la parole parlée", die die etablierte Wortbedeutung meint, und der „parole parlante", die neue Bedeutungen ermöglicht bzw. einen Bedeutungswandel innerhalb der etablierten Sprache begründet (Signes; 56).

blick auf Kunst bzw. Philosophie – der kreative, schöpferische Aspekt der Sprache selbst gemeint sein[129].

Die enge Verflechtung der lebendigen Rede mit dem Phänomen des Ausdrucks offenbart nicht zuletzt durch die Forderung nach sprachlicher Echtheit bzw. Authentizität eine der Sprachphilosophie Merleau-Pontys immanente Hierarchie zu Ungunsten der empirischen Sprache im Sinne eines nur *sekundären Ausdrucks*.

Merleau-Ponty ergänzt die Zeichentheorie Ferdinand de Saussures um sprachphilosophische bzw. allgemein sprachtheoretische Konzepte Edmund Husserls, Roman Jacobsons oder Hendik J. Pos'. Wie bei einer begrifflichen Analyse auch erkennbar wird, versteht Merleau-Ponty Saussures Differenzierungen – obwohl er sie den Begriffen nach übernimmt – offensichtlich grundlegend anders. Dies wurde verschiedentlich in der Forschungliteratur konstatiert[130]: So unterscheidet Gregori etwa zwei wesentliche Neuerungen Merleau-Pontys: (1) Während Saussure mit dem Terminus „la parole" eine individuelle und einmalige Realisierung von „la langue" im konkreten Sprachvollzug definiere, identifiziere Merleau-Ponty unter *parole*, was er „sujet parlant" nenne. Dadurch, so Gregori (90), korrespondiere „parole" – anders als bei Saussure angelegt – mit „langage". Tatsächlich lässt sich an zahlreichen Textstellen belegen, dass Merleau-Ponty Saussures linguistisches Modell in gewisser Weise spiegelbildlich versteht – zumindest, was die Gewichtung von *langue* und *parole* angeht (vgl. 3). (2) Den *System*-Begriff Saussures, der ein historisch bestehendes, d.h. folglich ein empirisch identifizierbares Zeichensystem meint, verstehe Merleau-Ponty im Sinne einer Sprachsystematik als Zusammengehörigkeit einzelner Sprachelemente zu einer strukturierten Totalität. Merleau-Pontys Rezeption verbinde demnach den saussureschen *System*begriff mit dem eigenen *Struktur*begriff (Gregori; 91)[131].

Die bedeutendste Veränderung, die Merleau-Ponty noch dazu programmatisch am linguistischen Entwurf Saussures vornimmt, betrifft dessen Unterscheidung zwischen *synchroner* und *diachroner* Phase einer Sprache. Während Letztere im Sinne Saussures die temporäre Beeinflussung der Sprache, d.h. die Wirkung der Zeit auf einzelne bestehende sprachliche Elemente, betont, klammert die synchrone Phase jeglichen zeitlichen Einfluss aus. Daraus resultiert nach Saussure (Clg; 114f.) eine Spaltung der

---

[129] So unterscheidet Merleau-Ponty in *Le langage indirect et les voix du silence* (Signes; 56) den „schöpferischen Gebrauch" (l'usage créateur du langage) vom „empirischen Sprachgebrauch" (l'usage empirique).

[130] Vgl. z.B. Madison, 1973; 126/Fußnote.

[131] Zum Stellenwert des Strukturgedankens Merleau-Pontys für den aufkommenden *Strukturalismus* siehe z.B. Günzel (2007).

Sprachwissenschaft in „axe des simultanéités", die die *synchrone Linguistik* (linguistique synchronique), bzw. in „axe des successivités", die die *diachrone Linguistik* (linguistique diachronique) abdeckt. Beide Zweige der Sprachwissenschaft gelten als gegensätzlich und unvereinbar (119f.).

Merleau-Ponty revidiert[132] bzw. verändert die von Saussure gemachte Unterscheidung, indem er *Synchronie* und *Diachronie* ‚zusammenführt': Nach Saussure beschäftigt sich die *synchrone* Linguistik (linguistique statique), vereinfacht gesagt, mit den statischen Aspekten der Sprache, wohingegen sich die *diachrone* Forschung (linguistique évolutive) den evolutionären Vorgängen innerhalb eines sprachlichen Systems widmet (141). Beide, *synchrone* wie *diachrone* Forschung, siedelt Saussure bei der „langue" an (139: Grafik). Die „parole", die Merleau-Ponty als elementare Kraft jedes sprachlichen Systems erachtet, klammert Saussure aus dem Modell zweier divergenter Sprachwissenschaften aus. Es gibt demnach nicht nur eine Hierarchie zwischen *synchroner* und *diachroner* Forschung (128), sondern auch eine grundlegendere zwischen *langue* und *parole*. In beiden Fällen geht sie zu Lasten der *parole*. Merleau-Pontys Bestreben, Synchronie und Diachronie zusammenzuführen, liegt wesentlich in seinem einheitlichen Sprachbild begründet: Er spricht davon, dass *synchrone* und *diachrone* Phasen einander umschlingen und dass der *kommunikative Aspekt* (parole) die systematische Einheit einer *Sprache* (langue) gewährleiste (Signes; 108).

Aufgrund der offensichtlichen Rezeptionsprobleme Merleau-Pontys (in Bezug auf das sprachtheoretische Modell de Saussures allgemein) bescheinigt ihm beispielsweise Gregori nur ein eingeschränktes Verständnis der

---

[132] Inwieweit Merleau-Ponty dies vorgenommen hat oder aber die Revision auf einem Missverständnis beruht, darüber streitet sich die Forschung. Gleichzeitig ist diese Umwertung der Unterscheidung de Saussures – etwa bei früheren Kritikern de Saussures, wozu insbesondere Jacobson, Tynajanow u.a. zählen, bereits angelegt (Vgl. Regula Giuliani-Tagmann, Sprache und Erfahrung in den Schriften Maurice Merleau-Pontys, (Diss.) Bern/Frankfurt a. M. 1983; 107f./I. Gregori, 1977; 98 erwähnt in diesem Zusammenhang Charles Bally) und deshalb von Merleau-Ponty ‚übernommen' worden. Merleau-Pontys Unterscheidung einer „Linguistique synchronique de la parole" bzw. „Linguistique diachronique de la langue" (Signes; 107/ vgl. auch RC1; 84f.), die er wohlgemerkt Saussure unterstellt, legt eher eine Fehlinterpretation des Saussureschen Originals nahe – unterstützt von den in der eigenen Sprachphilosophie angelegten Strukturen. Einen Hinweis darauf gibt es bei Saussure selbst: Er schreibt, dass die Synchronie lediglich eine Perspektive kenne, nämlich die des „sujet parlants" (Clg; 128). Und da Merleau-Ponty das *sprechende Subjekt* der *lebenigen Rede* zuordnet, ist es nicht weit zur Definition der Synchronie als „Linguistique synchronique de la parole" (Signes; 107). Zudem: Auch eine eher indirekte Einflussnahme der frühen Kritiker de Saussures ist hierbei denkbar, etwa durch die Studien Merleau-Pontys zur Phonologie Jacobsons'.

linguistischen Analyse (Gregori; 96); und Edie[133] wirft Merleau-Ponty die Abhängigkeit von der Perspektive de Saussures vor, die letztlich verhindert habe, dass er die Eidetik Husserls vollständig erfassen konnte. Diese Vorwürfe sollen an dieser Stelle nicht bestritten oder widerlegt werden. Tatsächlich ergibt sich aber aus einer anderen Lesart – die anhand eines Beispiels aus der Sprachphilosophie Merleau-Pontys erörtert werden soll – eine positivere Gewichtung seiner Rezeption de Saussures: Gemeint ist vorrangig der Aspekt der Sinngenese[134], d.h. die Entstehung von Bedeutung, und weitergehend deren Entwicklung und Veränderung innerhalb eines bestehenden Ausdrucksystems.

In Merleau-Pontys Sprachanalysen sind zwei unterschiedliche Auffassungen der *Bedeutungs*entwicklung bzw. -verschiebung zu finden, die zudem aufeinander aufbauen[135]. In *La prose du monde* (183) spricht er von (a) einer *unmerklichen Abweichung* (une imperceptible déviation) vom etablierten Wortgebrauch, was die im Sprachsystem bereits angelegte Kombinationsmöglichkeit und Bedeutungsentwicklung der Worte (entgegen der Annahme von Gregori[136]) mit einschließt. Gleichzeitig kennt Merleau-Ponty (b) eine freie und radikale Abweichung von jener *natürlichen* Sinnverschiebung, die aus ihr erwächst, sie aber an Konsequenz noch weit übertrifft. Letztere findet sich vor allem im künstlerischen Sprachgebrauch, d.h. insbesondere in der *Literatur* (Inédit; 406f./RC2; 22ff.): Sie setzt sich ausdrücklich mit der natürlichen Sinnverschiebung, die in der

---

[133] Vgl. Edie; Merleau-Ponty's philosophy of language: structuralism and dialectics, Washington, D.C. 1987; 27. An anderer Stelle (89/Fußnote) relativiert er freilich die durchaus berechtigten Vorwürfe Maurice Lagueux', indem er Merleau-Ponty zugesteht, de Saussure nicht wirklich ernstzunehmend missverstanden zu haben.

[134] Den Begriff der „Sinngenesis" übernimmt Merleau-Ponty (PP; p. XIV) aus Husserls *Formale und Transzendentale Logik* (Hua XVII; 184ff.). Und damit auch die Auffassung (vgl. Tilliette/Métraux in: Speck, 1991; 210), dass der Sinn nicht *an sich* existiert, sondern aus einem konkreten Kontext (z.B. durch die Verbindung sprachlicher Zeichen) entsteht bzw. sich von Nicht-Sinn unterscheidet.

[135] Beiden, aber vor allem der radikalen Abweichung, ist gemein, dass das Benennen Hand in Hand mit dem Erkennen von Dingen bzw. Bedeutungszusammenhängen geht. Merleau-Ponty schreibt entsprechend (PM; 183): « Cette anticipation, cet empiétement, cette transgression, cette opération violente par lesquels je construis dans la figure, je transforme l'opération, je les fais devenir ce qu'elles sont, je les change en elles-mêmes – dans la littérature ou dans la philosophie, c'est la parole qui l'accomplit. » (Vgl. III. 2.2.) Hier rekurriert Merleau-Ponty auf die Lyrik Stéphane Mallarmés, genauer auf das Gedicht *Le Tombeau d'Edgar Poe*: « Tel qu'en Lui-même enfin l'éternité le change, / Le Poëte suscite avec un glaive nu / Son siècle épouvanté de n'avoir pas connu / Que la mort triomphait dans cette voix étrange! » (Mallarmé, 2010; 122).

[136] Gregori (1977; 95f.) unterstellt Merleau-Ponty, er übersehe „die Tatsache, daß die Sprache nicht nur aus einzelnen Wörtern besteht, sondern die Kombinationsmöglichkeiten der Wörter miteinschließt."

Plastizität von Sprache angelegt ist, auseinander, und reizt gleichzeitig die sprachlichen Möglichkeiten vollständig aus. Die Grenzen zwischen dem jeweiligen Grad der Sinnverschiebung sind fließend, sowie grundsätzlich in der Beurteilung abhängig vom Ort ihres Erscheinens[137].

Wenn man Merleau-Pontys Auffassung von der Genese sprachlicher Zeichen betrachtet, wird offensichtlich, dass er in deren Analyse grundsätzlich von der extremsten bzw. radikalsten Möglichkeit, nämlich der Sinnverschiebung in der Poesie, ausgeht. Die in der Sprache angelegte Plastizität gewinnt in den sprachphilosophischen Analysen Merleau-Pontys, was die Einschätzung sprachlicher Potenz insbesondere der *lebendigen Rede* betrifft, eine herausragende Bedeutung.

3. Die Theorie des Ausdrucks

Ausdrucksphänomene und vor allem expressive Figuren der Lebenswelt, darunter vornehmlich der Leib als „Ausdrucksraum" (espace expressif: PP; 272) sowie „Knotenpunkt lebendiger Bedeutungen" (nœud de significations vivantes: PP; 177), bestimmen bereits die frühen Schriften Merleau-Pontys. Sie sind Signum und Realisierungspunkte mannigfaltiger Arten der sprachlichen und nicht-sprachlichen Kommunikation. In Merleau-Pontys Theorie des Ausdrucks bzw. des Ausdrückens werden die sprachphilosophischen Schriften zu den vorangegangenen phänomenologischen Untersuchungen zum Eigenleib sowie in besonderer Weise zum künstlerischen Schaffensprozess in Beziehung gesetzt (vgl. unten III. 1.2.1.). So will etwa Kaelin die kunstphilosophischen Überlegungen Merleau-Pontys als „allgemeine Theorie des Ausdrucks" verstanden wissen (Kaelin, 1962; 251). Christian Bermes hat ferner deutlich gemacht, dass die Besonderheit der Philosophie Merleau-Pontys darin bestehe, dass sich im Ausdruck „ein Sinn auf Bewährung" zeige, der eben darum auch kein „Ideal der Erkenntnis" postuliere, sondern „das Erkennen auf seine eigene Maßstäbe hin" freilege (Bermes, 2003; S. XXVIII). Im Spätwerk verdichten sich Merleau-Pontys Analysen expressiver Figuren bzw. expressiver Prozesse und erfahren im Rahmen der ontologischen Neuorientierung unter den Begriffen des „Chiasma" bzw. des „Ineinander" (Vis; 322) eine besondere Würdigung, etwa im Sinne einer natürlichen, sich selbst äußernden Kraft: „Es kann sehr gut sein, dass das Leben nicht ein-

---

[137] Es lässt sich doch durchaus der Fall denken, dass eine *natürliche* Sinnverschiebung bereits als ‚radikal' angesehen wird, während eine *radikale* Sinnverschiebung noch in gewisser Weise ‚natürlich' erscheinen kann – je nach dem, ob sie sich in Prosa oder in Poesie artikuliert. Abhängig ist diese Zuordnung, die Merleau-Ponty allerdings nicht vornimmt, vom individuellen Sprachverständnis bzw. dem Bewusstsein darüber, was als ‚normal' oder als ‚radikal' angesehen wird.

zig dem Prinzip der Nützlichkeit unterworfen ist, und dass hier eine absichtsvolle Morphogenese des Ausdrucks vorliegt." (Nature; 240)

Ich werde hier – aufbauend auf den vorangegangenen Ausführungen zu den sprachphilosophischen Schriften Merleau-Pontys in den 1950er Jahren – die Besonderheiten seiner „Theorie des Ausdrucks" (s.a. Bonan 1997) in ihren wesentlichen Zügen skizzieren. Vorangestellt ist dieser Skizze eine Einführung in das Ausdrucksdenken im frühen 20. Jahrhundert.

3.1. Ausdrucksdenken im frühen 20. Jahrhundert

Als prägend für das Ausdrucksdenken im frühen 20. Jahrhundert und ihr besonderes Wirken in Kunst und Kultur erwiesen sich neben verhaltens- und entwicklungspsychologischen Studien insbesondere medizinische Forschungsansätze, die basierend auf Bewegungsstudien und Physiognomik einen diagnostischen Mehrwert versprachen. Sie knüpften nicht zuletzt an anatomische bzw. medizinisch-anthropologische Forschungsansätze an, die schon früh darauf abzielten, psychische Eigenschaften des Menschen mit körperlichen Merkmalen in Beziehung zu setzen (vgl. Gould [2]1996). Forschungsarbeiten zur Typologisierung des Pathologischen anhand von Mimik, Gestik sowie Bewegungsabläufen insgesamt profitierten erheblich durch die Nutzbarmachung neuer Aufzeichnungsmöglichkeiten – darunter ist in der Frühzeit vor allem die Fotografie (u.a. Didi-Hubermann 1997) zu nennen. Wie Michael Großheim und Stefan Volke herausgearbeitet haben, entstehen bedeutende theoretische Schriften der „Leitwissenschaft vom Ausdruck" nach dem ersten Weltkrieg und vor allem in den 1920er Jahren (Großheim & Volke 2010). Sie verweisen hier namentlich auf die wegweisenden Arbeiten Ludwig Klages', darunter seine „Grundlegung der Wissenschaft vom Ausdruck" (1936), die aus der 1913 erschienenen Abhandlung über „Ausdrucksbewegung und Gestaltungskraft" hervorgegangen war[138]. Über die jeweiligen Grenzen ihrer wissenschaftlichen Arbeitsgebiete hinausreichende, einflussreiche Schriften zum Phänomen des *Ausdrucksverhaltens* bzw. der Wahrnehmung von Struktur und Gestalt in den 1920er Jahren hatten in der Regel ihren Ursprung in der tierbasierten Verhaltensforschung (v.a. Iwan Pawlow; Frederik Buytendijk), in der Sprachpsychologie (Karl Bühler) und Entwickungspsychologie (Pierre Guillaume; Jean Piaget) sowie in

---

[138] Das Denken des Philosophen und Charakterkundlers, der maßgeblich zur Erneuerung der Graphologie beitrug, war schon früh durch das Vorhaben angetrieben, eine „Ausdruckswissenschaft" oder „Erscheinungswissenschaft" zu etablieren, die – so Reinhard Falter (2003, 11) – „ihre Gegenstände nicht verdinglicht und verwirklicht, sondern zu einer Begegnung mit ihnen verhilft".

der jungen Schule der Gestaltpsychologie (v.a. Max Wertheimer; Wolfgang Köhler; Kurt Koffka).

Das Ausdrucksdenken Merleau-Pontys wurde vor allem im Frühwerk, in der *Structure du comportement* und der *Phénoménologie* maßgeblich von Forschungsansätzen aus der Psychologie, Physiologie und Pathologie beeinflusst[139]. Wichtige Quellen für beide Werke der 1940er Jahre waren neben den verhaltens-, entwicklungs- und gestaltpsychologischen Studien vor allem die Forschungen zur Neurophysiologie bzw. Psychopathologie der Mediziner Paul Schilder (hier: die Auseinandersetzung mit dem so genannten *Körperschema*, vgl. II. 1.), Kurt Goldstein und des späteren Gestaltpsychologen Adhémar Gelb[140]. In seiner Frühschrift *La structure du comportement* geht Merleau-Ponty lediglich an einer Stelle ausdrücklich auf die Arbeiten von Klages ein, in dem er verweisend auf dessen Schrift *Vom Wesen des Bewusstseins* schreibt:

> „Zweifellos versteht man, warum wir nicht ohne Vorbehalt eine Ausdrucksbeziehung [frz.: rapport d'expression] zwischen dem Geist und dem Körper [frz: corps[141]] annehmen können, die der Beziehung zwischen Konzept und Wort vergleichbar wäre; noch können wir den Geist als „Sinn des Körpers", noch den Körper als „Manifestation des Geistes" verstehen." (SC; 225)[142]

---

[139] Stellvertretend für diese Einflussnahme auf sein Denken sei auf eine Passage in der *Phénoménologie* verwiesen (PP; 186f.): « Ainsi la vue, l'ouïe, la sexualité, le corps ne sont pas seulement les points de passage, les instruments ou les manifestations de l'existence personelle: elle reprend et recueille en elle leur existence donnée et anonyme. Quand nous disons que la vie corporelle ou charnelle et le psychisme sont dans un rapport d'*expression* réciproque ou que l'événement corporel a toujours une *signification* psychique, ces formules ont donc besoin d'explication. […] Revenir à l'existence comme au milieu dans lequel se comprend la communication du corps et de l'esprit, ce n'est pas revenir à la Conscience ou à l'Esprit, la psychoanalyse existentielle ne doit pas servir de prétexte à une restauration du spiritualisme. Nous le comprendrons mieux en précisant les notions d'« expression » et de « signification » qui appartiennent au monde du langage et de la pensée constitués, que nous venons d'appliquer sans critique aux relations du corps et du psychisme et que l'expérience du corps doit au contraire nous apprendre à rectifier. »

[140] Vgl. auch Waldenfels 1983. Sowie ferner Waldenfels 2000, 64ff.: Hier führt Waldenfels den Einfluss der Gestalttheoretiker auf die Begrifflichkeit Merleau-Pontys v.a. im Frühwerk aus (Struktur, Gestalt, Physiognomie).

[141] Zur Übersetzung von „corps" bzw. Merleau-Pontys Verständnis des „Leibes" vgl. oben II. 1.1.

[142] Hier wendet er sich kritisch gegen Klages, den er wie folgt zitiert (SC; 223/ Fußnote 3): « L'âme est le sens du corps et le corps est la manifestation de l'âme, aucun des deux n'agit sur l'autre car aucun des deux n'appartient à un monde des choses […]. Comme le concept est inhérent à la parole, l'âme est inhérente au corps: il est le sens du mot, elle est le sens du corps; le mot est le vêtement de la pensée et le corps la manifestation de l'âme. Et il n'y a pas plus d'âmes sans manifestation que de concept sans parole." L. Klages, Vom Wesen des Bewusztseins. »

Er fährt fort (ebd.; 226f.): „Unser Körper ist nicht immer sinnge-
bend, und im Übrigen erhalten auch unsere Gedanken – etwa im Falle von
Schüchternheit – durch ihn nicht immer den Reichtum ihres lebendigen
Ausdrucks [frz.: expression vitale].“[143] Auch Cassirers *Philosophie der
symbolischen Formen* hatte auf Merleau-Ponty – gerade auch im Hinblick
auf seine Begriffswahl, das heißt der Unterscheidung von „Ausdruck",
„Darstellung" und „Bedeutung" – nicht unerheblichen Einfluss[144].

Die gestaltpsychologischen Studien und die bereits erwähnten Forschungen aus dem Bereich der Physiologie bzw. Psychopathologie haben nicht
nur deutlichere Spuren im Werk Merleau-Pontys hinterlassen, sondern
hatten – gewissermaßen als empirisches Fundament – essentiellen Anteil
an seiner Weiterentwicklung der Phänomenologie mit ihrem spezifischen
Fokus auf sinnliche Empfindungen und die *Ausdruckswelt* des Eigenleibs
(vgl. Petit 2010; de Saint Aubert 2010).

3.2. Der *Ausdruck* oder: das ‚offen-unbestimmte Vermögen des Bedeutens'

Der sinnstiftende Mensch, der durch sein „offen-unbestimmtes Vermögen
des Bedeutens" (cette puissance ouvert et indéfinit de signifier)[145], wie
Merleau-Ponty in der *Phénoménologie* schreibt (226), „kraft seines Leibes
und der Sprache sich selbst auf ein neues Verhalten, auf einen anderen
oder auf das eigene Denken hin übersteigt", wird mit dem, was man
gewöhnlich *Ausdruck* nennt, erst im Augenblick des Bedeutens oder Sprechens konfrontiert. Bezeichnend für dieses Phänomen ist zweierlei (448):
Einmal ist der Ausdruck „überall schöpferisch" und zudem das Ausgedrückte vom Ausdruck stets untrennbar. Schöpferisch ist er deshalb, weil
er die Mittel, die er sich zu eigen macht, stets transzendiert, und indem er
sie sich zu eigen macht, in seinem Sinne verändert, ihnen eine *neue* Form

---

[143] Später ergänzt er – wiederum indirekt auf Klages verweisend – dies mit folgenden
Worten (SC; 227): « On peut bien comparer les relations de l'âme et du corps à
celles du concept et du mot, mais à condition d'apercevoir sous les produits séparés
l'opération constituante qui les joint et de retrouver sous les langages empiriques,
accompagnement extérieure ou vêtement contigent de la pensée, la *parole* vivante
qui en est la seule effectuation, où le sens se formule pour la première fois, se fonde
ainsi comme sens et devient disponible pour des opérations ultérieures. »

[144] Vgl. hierzu seine Ausführungen in der *Phénoménologie* (PP; 271f.): « Mon corps
est le lieu ou plutôt l'actualité même du phénomène d'expression (Ausdruck), en
lui l'expérience visuelle et l'expérience auditive, par example, sont prégnantes l'une
de l'autre, et leur valeur expressive fonde l'unité antéprédicative du monde perçu,
et, par elle, l'expression verbale (Darstellung) et la signification intellectuelle (Bedeutung) ». [Deutsch im Original]

[145] PP; 226: Merleau-Ponty nennt dieses Vermögen ein „urspüngliches Faktum" (fait
dernier).

bzw. Struktur gibt. Die Untrennbarkeit von Ausgedrücktem und Ausdruck nennt Merleau-Ponty die „ursprüngliche" oder „primordiale Leistung des Bedeutens" (PP; 193). Grundsätzlich gilt: Der Ausdruck rückt nicht erst in den sprachtheoretischen Studien der Übergangszeit in unmittelbare Nähe des ästhetischen Ausdrucks bzw. der „Idee des künstlerischen Ausdrucks", sondern Merleau-Pontys Bestimmung spezifischer Ausdrucksphänomene bildet sich bereits im Frühwerk (PP) am schöpferischen Akt des Ausdrückens aus. Dies soll im Folgenden nachgezeichnet werden:

Über den ästhetischen Ausdruck bzw. die „Idee des künstlerischen Ausdrucks" schreibt Merleau-Ponty in der *Phénoménologie* (213), dass dieser die Zeichen „ihrer empirischen Existenz entreißt und", hier gerät der kreative Aspekt der Neuordnung in den Blick, sie dabei „in eine andere Welt versetzt" – jene Welt, die das Kunstwerk heraufbeschwört bzw. anzeigt: „Es ist hinreichend bekannt, dass ein Gedicht, dessen erste Bedeutung in Prosa übersetzbar ist, im Geist des Lesers ein zweites Leben führt, das es als Poesie bestimmt" (PP; 176). Darin zeigt sich nicht nur, (1) dass die Kunst im wahrsten Sinne des Wortes „Ausdrucksvorgang"[146] ist, sondern auch, (2) dass, wie Merleau-Ponty schreibt, der Sinn eines Satzes „nicht wie die Butter auf einem Brot" (Vis; 203) liegt. Womit er meint, dass das Gefüge eines Satzes bedeutungsentfaltend ist, und dass das, was in einem Satz zur Sprache kommt, nicht in den einzelnen Zeichen, Morphemen oder Worten für sich genommen ruht. „Wenn wir dies sagen", argumentiert Merleau-Ponty (PM; 61f.), „dann behaupten wir zugleich, dass sie [die Sprache] ebenso sehr ausdrückt durch das, was zwischen den Worten liegt, wie durch die Worte selbst, und ebenso sehr durch das, was sie nicht sagt, wie durch das, was sie sagt."[147] In diesem Sinne bringt das Wort*gefüge*, d.h. die Gesamterscheinung eines Satzes, *Ausdruck* sowie *Ausgedrücktes* hervor.

Dass Zeichen und Bedeutung, Ausdruck und Ausgedrücktes untrennbar voneinander sind, davon ist Merleau-Ponty bereits vor seiner Hinwendung zur strukturalistischen Linguistik Ferdinand de Saussures überzeugt. Dessen damit übereinstimmende Unterscheidung zwischen „signe" und „signifié", *Zeichen* (im Sinne von etwas bezeichnend) und *Bezeichnetes*, übernimmt Merleau-Ponty Ende der 40er Jahre, um die Grundzüge einer phänomenologischen Sprachphilosophie, wie sie mit dem Frühwerk vorliegen, weiterzuentwickeln (vgl. II. 2.). Schon die frühen

---

[146] DC; 30: « L'art n'est ni une imitation, ni d'ailleurs une fabrication suivant les vœux de l'instinct ou du bon goût. C'est une opération d'expression. »

[147] In Li (Signes; 56f.) hatte er diese Möglichkeit noch zur Diskussion gestellt. Damals sprach er in diesem Zusammenhang von einer „Sprache zweiter Potenz" (un langage à la deuxième puissance), die in der empirischen Sprache verborgen vorläge.

Schriften Merleau-Pontys hatten bereits das Spezifische literarischen Sprechens offengelegt (PP; 212f.):

> „Der Ausdrucksvorgang, so er gelungen ist, ist dem Leser und dem Schriftsteller selbst nicht nur eine Gedächtnishilfe, sondern macht die Bedeutung einem Ding im Herzen des Textes selbst gleich; der gelungene Ausdruck bringt die Bedeutung dazu, im Organismus der Worte zu leben, sie dem Schriftsteller oder dem Leser als neues Sinnesorgan zuzueignen und eröffnet unserer Erfahrung ein neues Feld bzw. eine neue Dimension."[148]

Die wichtigste oder die wesentlichste Leistung des Ausdrucks ist nach Merleau-Ponty das *Anzeigen* einer *neuen* Welt, die in ihrer Art, Gestaltung und ihrem Ausmaß gar nicht anders als durch den ästhetischen Ausdruck zur Darstellung kommen kann[149]. Das zeigt sich darin, dass die Sprache bedeutet, „wenn sie anstatt den Gedanken zu kopieren, sich durch ihn auflösen und wieder herstellen lässt" (Signes; 56). Ebenfalls wichtig ist der Aspekt der Verständlichkeit, d.h. die Transparenz der im Werk erscheinenden Welt. „Der ästhetische Ausdruck", schreibt Merleau-Ponty (PP; 213), „verleiht dem, was er ausdrückt, ein Ansich-Sein und versetzt es als ein jedermann zugängliches Wahrnehmungsding in die Natur".

Zur Klärung der Frage, inwiefern sich ein literarischer Satz von einem einfachen Aussagesatz unterscheidet, bemüht Merleau-Ponty den Vergleich zwischen menschlichem Leib und Kunstwerk, genauer, zwischen der kommunikativen Sprache des Körpers, die er „konstituierte Sprache" nennt, und der Sprache des Kunstwerks (II. 1.): (1) Die konstituierte Sprache bezeichnet die materielle Basis der Sprache und ist mit dem Dingcharakter des Körpers bzw. des Kunstwerks vergleichbar. Dagegen knüpft (2) die ästhetische Sprache an das transzendente Vermögen des Ausdrucks an, das darin besteht, immer schon über den bloßen Dingcharakter hinauszustreben. Merleau-Ponty führt für dieses doppelte Sprachmodell die Begriffe (1) „empirische" Sprache und (2) „transzendentale" bzw. „au-

---

[148] Entsprechend heißt es über den Augenblick des Ausdrucks (in der Literatur), es sei jener, „wo die Beziehung sich umkehrt, wo das Buch vom Leser Besitz ergreift" (PM; 20).

[149] Diese *neue Welt* ist insofern revolutionär, als sie, wie Merleau-Ponty in seiner Kandidaturschrift (Inédit; 409) hervorhebt, eine *Spontaneität* meint, die „scheinbar Unmögliches verwirklicht und scheinbar heterogene Elemente zusammenfasst". Deshalb bezeichnet er das Phänomen des Ausdrucks in diesem Zusammenhang als „gute Ambiguität", der er die „schlechte Ambiguität" in der *Phénoménologie* gegenüberstellt, die, weil sie „Studium der Wahrnehmung" ist, lediglich „eine Mischung von Endlichkeit und Universalität, von Innerlichkeit und Äußerlichkeit offenbaren" konnte (ebd.).

thentische" Sprache ein[150]. Während in der empirischen Sprache die Worte primär als Lautphänomene vorliegen, bezeichnet die transzendentale Sprache, wie schon ihr Name sagt, das, was sie wesentlich bestimmt, d.h. das, was sie überhaupt erst zur *Sprache* macht. Durch *sie* beginnt, wie Merleau-Ponty schreibt, „eine Idee zu existieren" (PP; 448).

Streng genommen ist jede Sprachform eine authentische Sprache, insofern sie, zum Beispiel in dem Aussagesatz „Der Apfel ist rot", die materielle Basis der Worte, auf unseren auditiven Sinn zu wirken, übersteigt und im wahrsten Sinne des Wortes etwas *bedeutet*: Dieses runde Ding vor mir ist tatsächlich ein roter Apfel[151]. Was für einen Aussagesatz charakteristisch ist, dass im Moment des Ausdrucks die sprachlichen Zeichen hinter das Bedeutete, das Gesagte, zurücktreten, gilt umgekehrt nicht für das künstlerische Sprechen: Dort hat man es mit einer besonderen Sprachform zu tun, die den transzendenten Charakter der Sprache um ein Vielfaches (im Sinne eines höheren Niveaus) übersteigt, indem sie u.a. neue Konnotationen eines Begriffes erschafft, kurz, eine neue Rezeptionsgeschichte beginnt. Diese Form der Neu- oder Umordnung, die – wie sie Merleau-Ponty in späteren Schriften (Signes; 97/PM; 71) nennen wird – der „erobernden Sprache" (langage conquérant) oder des „schöpferischen Ausdrucks" (expression créatrice) zu eigen ist, übersteigt den Bedeutungsgehalt eines einfachen Aussagesatzes. Dies gilt explizit für den Bereich des künstlerischen Ausdrucks. „Die Musik und die Malerei, ebenso wie die Literatur", schreibt Merleau-Ponty (PP; 448), „schaffen sich ihren eigenen Gegenstand". Diese stets neugeschaffene Ordnung, die im bildhaften Ausdruck liegt, wird mit jedem Werk wiederholt und gleichzeitig überschritten[152]. Deshalb ist die Struktur der Neuordnung, wie sie

---

[150] Diese Unterscheidung führt Merleau-Ponty wohlgemerkt in der *Phénoménologie* ein. In späteren Schriften, etwa in *Le langage indirect et les voix du silence* (Signes; 56) nimmt er sie noch einmal auf, um die Besonderheiten des „schöpferischen Gebrauchs" der Sprache anzuzeigen (vgl. II. 2.: „parole parlée" bzw. „parole parlante"). Tatsächlich thematisiert Merleau-Ponty diese Dichotomie bereits in *La structure du comportement* (227) und zwar unter den Begriffen „langage empirique" bzw. „parole vivante". Auf diese Begriffsvielfalt weist u.a. Aschenberg (1978; 58f.) hin.

[151] Auch Husserl unterscheidet zwischen *sinnlosen Worten*, die uns als bloße akustische Lautkomplexe vorliegen, und *sinnvoller Rede*. Letztere meint einen Lautkomplex, der durch *sinngebende Akte* verstehbar wird. Dementsprechend meint Husserls *Ausdruck* – im Gegensatz zum bloß anzeigenden Zeichen – ein „bedeutsames Zeichen". Ausdruck und Bedeutung sind bei Husserl korrelative Begriffe (vgl. etwa Wolfgang Stegmüller, Hauptströmungen der Gegenwartsphilosophie, Eine kritische Einführung, Bd. 1, Stuttgart ⁶1978; 61 bzw. II. 2.2.).

[152] PM; 86: « L'expression picturale reprend et dépasse la mise en forme du monde. » Vor diesem Hintergrund ließe sich – im Anschluss an Nelson Goodmans *Sprachen der Kunst* – die aktuelle Debatte um den *Zeichen*charakter des Bildes neu aufnehmen (vgl. z.B. Bild-Zeichen, Perspektiven einer Wissenschaft vom Bild, hrsg. v.

Merleau-Ponty ausdrücklich, wenn auch nicht systematisch in den Schriften des Übergangs entwirft, wesentlich als *Um*ordnung oder als Etablierung einer neuen Ordnung im Sinne eines „neuen Äquivalenzsystems" (un nouveau système d'equivalences) zu verstehen.

Ein weiterer wichtiger Unterschied zwischen dem Ausdruck eines Aussagesatzes und dem Ausdruck künstlerischer Sprachformen besteht in ihrem jeweiligen Bedeutungsgehalt. Während der Aussagesatz klarer Bedeutungsträger ist und hinter das Bedeutete zurücktritt, bringen künstlerische Sprachformen eine extreme Bedeutungsvielfalt hervor. Diese Vielfalt erschafft nicht nur einen breiteren Interpretationsraum, sondern revolutioniert zudem das eindeutige Verhältnis von Ausdruck und Ausgedrücktem durch den hohen Grad an Abstraktheit des Bezeichneten. In diesem Zusammenhang wird deutlich, warum die *Neu*ordnung bzw. *Um*ordnung zunächst als *Un*ordnung erfahren wird, worin liegt, dass die neuen Kategorien oder veränderten Ausdrucksformen erst einmal als Kategorien oder Ausdrucksformen begriffen und anerkannt werden müssen. Der Impetus der Neuordnung liegt nach Merleau-Ponty auf der Hand, geschieht die Neuordnung doch „im Namen einer wahreren Beziehung zwischen den Dingen" (PM; 90).

Stefan Majetschak, München (Wilhelm Fink) 2005) – möglicherweise zugespitzt auf erkenntnistheoretische Dilemmata, die die vermeintliche Lesbarkeit technischer Bilder zeitigt, wie die so genannten Bildwissenschaften gezeigt haben.

III. Das ästhetische Fundament der ontologischen Neuorientierung

1. Die Neuordnung der Welt

„Essenz und Existenz, Imaginäres und Wirkliches, Sichtbares und Unsichtbares, die Malerei bringt all unsere Kategorien durcheinander, indem sie ihre Traumwelt sinnlicher Wesenheiten, wirksamer Ähnlichkeiten und stummer Bedeutungen entfaltet", schreibt Merleau-Ponty um 1960[153]. Dieses Verhaltens- oder Verfahrensmodell, sich an etablierten Kategorien abzuarbeiten bzw. sie grundsätzlich in Frage zu stellen und in der Folge eine *neue* Ordnung zu entwerfen, entspricht nach Merleau-Pontys Entwurf nicht nur dem spezifischen Charakter der Malerei, sondern ist Merkmal der Kunst ganz allgemein. In diesem Sinne muss es in seinem Werk als eine Struktur begriffen werden, die seinem Denken und seiner Konzeption einer philosophischen Ästhetik zugrunde liegt.

1969 erscheint *La Prose du Monde* aus dem Nachlass. Darin stellt Merleau-Ponty dem hegelschen Begriff der *Prosa*, die als *Prosaisches* die etablierte Ordnung, die Welt der Objekte meint, die *Poesie* (als Synonym jener besonderen Sprache, die ihren Ort in der Kunst bzw. im Künstlerischen hat) als ein Durchbrechen dieser Ordnung gegenüber[154]: „Die Malerei ordnet", so Merleau-Ponty (PM; 89), „die prosaische Welt neu und bringt, wenn man so will, ein Brandopfer an Gegenständen dar, so wie die Poesie die gewöhnliche Sprache in Brand steckt."

Wie ist die *Neuordnung* der Malerei bzw. der Literatur näher bestimmt? Ist sie nur der Kunst zueigen oder hat der Gedanke der *Neu*ordnung auch das philosophische Projekt Merleau-Pontys beeinflusst? Wenn dem so ist, welchen Stellenwert nimmt dieses Modell darin ein?

Die Neuordnung beruht, wie die Analyseschritte zeigen werden bzw. zum Teil schon gezeigt haben, auf zwei Grundmodellen: (1.) auf der menschlichen Suche nach innerweltlichen Sinnstrukturen bzw. (2.) auf dem *offen-unbestimmten Vermögen des Bedeutens* bzw. dem Phänomen des *Aus-*

---

[153] Im französischen Original heißt es (OE; 35): « Essence et existence, imaginaire et réel, visible et invisible, la peinture brouille toutes nos catégories en déployant son univers onirique d'essences charnelles, de ressemblances efficaces de signification muettes. »

[154] Für diese Lesart, die Waldenfels in seiner Einleitung zur deutschen Ausgabe der *Prosa der Welt* (11) vertritt, spricht Merleau-Pontys Arbeitsübersicht von 1951/52 (Inédit; 407): « Hegel disait que l'État Romain c'est la prose du monde. Nous intitulerons Introduction à la prose du monde ce travail qui devrait en élaborant la catégorie de prose, lui donner, au delà de la littérature, une signification sociologique. »

drucks (vgl. II. 3.). Gleichzeitig ist die Neuordnung Ergebnis einer *lebendigen* Auseinandersetzung mit Husserls Modell der *Epoché* (III. 1.3.) einerseits sowie der Kunsttheorie Cézannes andererseits. Einer Theorie, in der Merleau-Ponty das Reduktionsmodell Husserls insbesondere im spezifischen *Weltverhältnis* des Künstlers (III. 1.4.), wiederzuentdecken glaubt. Die Zusammenführung der scheinbar unvereinbaren künstlerischen bzw. philosophischen Welten offenbart nicht zuletzt, dass das Theorem der *Neu*ordnung nicht nur die Ästhetik oder die Sprachphilosophie Merleau-Pontys essentiell bestimmte, sondern als ein entscheidendes Motiv zu verstehen ist, um unterschiedlichste Themata und Schwerpunkte innerhalb des Gesamtwerks zu einer Philosophie, das heißt einer elementaren *Verständnisstruktur* zu vereinen.

Dem Sinnhaften in der Welt nachzuspüren bzw. sich in der Welt *sinnhaft* einzurichten, diese Motivation des Menschen findet sich bereits in der *Phénoménologie*: Übertragen auf das Spannungsfeld von Ordnung und Unordnung, lässt sich davon sprechen, in einer zunächst als chaotisch empfundenen Welt die Erfahrung von Ordnung zu machen bzw. weitergehend einen Kontext, in dem *sinnhafte Strukturen* erst möglich sind, zu schaffen[155]. Die Denkmöglichkeit struktureller Ordnung und das Mitwirken des Einzelnen hieran, findet sich sowohl im Früh- als auch im Spätwerk Merleau-Pontys und kann als eigentliches Fundament des Neuordnungsmodells verstanden werden. Eingeschränkt wird dieses Fundament freilich durch zwei weitreichende Vorüberlegungen, auf die kurz eingegangen werden soll, um das Feld abzustecken, in dem sich dieser frühe Entwurf Merleau-Pontys bewegt.

(a) Die im Gemälde, in der Poesie etc. sich niederschlagende künstlerische Arbeit ist nach Merleau-Ponty nicht als Duplikat oder Kopie der Natur (OE; 23) zu verstehen; das heißt, sie ist folglich keine Abbildung, sondern vielmehr Darstellung der Welt, in der sich die Menschen bewegen. Damit korrespondiert Merleau-Pontys Überzeugung, dass es keinen Urtext oder etwas Gleichwertiges gibt, was die Künstler durch ihren Arbeitsprozess einfach zu übersetzen hätten (Signes; 54/104).

(b) Die Vorläufigkeit aller Kunst, insofern das Werk Ausdrucksmittel bzw. -medium ist und insofern es dem Wesen sprachlicher und nicht-

---

[155] Merleau-Ponty versteht, wie etwa Tilliette und Métraux (Speck, 1991; 215ff.) herausgearbeitet haben, die Etablierung von Sinn als „Beseitigung des Nicht-Sinns" (AD; 55), d.h. des Chaos und der ungeordneten Weltverhältnisse. Die Beseitigung ungeordneter Verhältnisse sieht Merleau-Ponty in gewisser Weise als Stigma der Menschheit: Über die stete Absicht der Philosophie, die Welt zu beschreiben und zu verstehen (Speck; 192) schreibt er in der *Phénoménologie* (p. XIVf.): « Parce que nous sommes au monde, nous sommes condamnés au sens, et nous ne pouvons rien faire ni rien dire qui ne prenne un nom dans l'histoire. »

sprachlicher Formen des Ausdrucks entspricht nur vorübergehend, nur vorläufig zu sein (PM; 54), kann als weitere einschränkende Vorüberlegung gelten. Eine Artikulationsmöglichkeit der Vorläufigkeit besteht neben der Tatsache aktuell zu sein, darin, in die Zukunft zu weisen – wenn auch derart, durch einen anderen, neuen Ausdruck irgendwann einmal überdeckt oder ersetzt zu werden. Derselbe Status, nämlich vorübergehend zu sein, kein ewig gültiger, gilt explizit für die Interpretation von Kunst bzw. für die Sinngenese eines Kunstwerks. Unterstützt wird diese Überzeugung von der Ansicht, dass es zwar zum Wesen der Ausdrucksmittel gehört, immer nur vorläufig zu sein (PM; 54); dass die Sprache aber gerade deshalb auf eine „kumulative Vollständigkeit" des Ausdrucks abzielt (Signes; 102), d.h. der Vollständigkeit sich allmählich annähert. Die Bereitschaft des Individuums, in der ihn umgebenden Welt sinnvolle Zusammenhänge auszumachen, gründet nicht allein auf dem sogenannten „offen-unbestimmten Vermögen" des Menschen, „einen Sinn zu erfassen und zu kommunizieren" (PP; 226); sondern beruht auf einem weit tieferen Verlangen des Menschen, in einer Welt ohne *Sinn* über Strukturen zu verfügen, die gültig (wahr) und verlässlich (dauerhaft) sind: Der Zweck dieser Strukturen ist kein geringerer als der der *Selbst*verortung in der Welt, des „Zu-Sich-Selbst-Kommens" als eines „In-der-Welt-Seins".

Der Gedanke der *Neuordnung*, die ein kritisches Überdenken bereits etablierter Ordnung(en) im Sinne von Erklärungssystemen in sich trägt, fußt auf eben diesem Potenzial der menschlichen Welterschließung. *Neu*ordnungen in verschiedenster Form und Ausprägung lassen sich an der Ausbildung von Modellen der Welterklärung ausmachen, aber eben nicht nur dort: Auch das künstlerische Tun kann sich am Gelingen oder Misslingen der *Neu*ordnung entzünden, und verhandelt somit gerade auch die Frage nach sich selbst: „Was die Geschichte der Kunstwerke angeht," schreibt Merleau-Ponty (OE; 62), „so ist der Sinn, den man ihnen nachträglich gibt, in jedem Fall, wenn sie groß sind, aus ihnen selbst hervorgegangen. Das Werk selbst hat ein Feld eröffnet, von dem aus es später erscheint, es verändert sich und wird zu seiner Nachwirkung, und die endlosen Neuinterpretationen, für die es berechtigterweise empfänglich ist", schließt Merleau-Ponty, „verwandeln es nur in sich selbst."[156]

Gerade am Beispiel der Kunstwerke, deren *Verwandlung in sie selbst* auf dem Neuordnungsmodell beruht, entlarvt Merleau-Ponty die menschliche Suche nach Sinn als eine ambivalente Figur. Tatsächlich erweckt diese unter dem Diktum der Sinngebung stehende *Durch*ordnung, der als fremd erfahrenen Welt, den Anschein, der Wahrheit im Sinne einer absoluten und dauerhaft gültigen *Sinn*struktur immer näher zu kommen. Von

---

[156] Vgl. Fußnote zu Mallarmé (oben III. 2.2.)

Fortschritt könne aber nach Merleau-Ponty nicht gesprochen werden[157] (OE; 92):

> „Wenn wir weder in der Malerei noch irgendwo anders eine Hierarchie der Zivilisationen feststellen, noch von Fortschritt sprechen können, liegt dies nicht darin, dass uns irgendein Schicksal zurückhielte, sondern vielmehr darin, dass die erste aller Malereien in gewissem Sinne bis auf den Grund der Zukunft reichte."

Der zukunftsweisende Charakter jener ersten aller Malereien, der sich in jedem folgenden Kunstwerk wiederholt oder fortsetzt, meint jene Verwandlung der Werke in sie selbst und rekurriert auf das Paradoxon, das Merleau-Ponty mit „etwas wird, was es ist"[158] zusammenfasst.

Letzteres erinnert nicht zufällig an das Initiationsfeld des *Stiftungs*-Modells, das Husserl u. a. in *Die Frage nach dem Ursprung der Geometrie als intentionalhistorisches Problem* (1939) entwickelt[159]. Mit „Stiftung" bezeichnet Husserl die Etablierung einer Bedeutung (im Sinne eines schöpferischen Aktes), die „gestiftet" derart erscheint, als hätte sie seit jeher bestanden. Dieser Anschein wird aber nur deshalb erweckt, weil in der veränderten Bedeutung alte Bedeutungsmuster weiterexistieren und sich in Erinnerung bringen[160]. Merleau-Ponty stellt eben jenem Stiftungs-Begriff

---

[157] Vgl. OE; 92. Ähnliches lässt sich bei Fiedler nachlesen (I, 196): „Wir können den Künstler auf die Höhe einer Jahrhunderte, Jahrtausende langen Entwicklung stellen, er wird dadurch nicht den geringsten Zuwachs an jener Kraft erhalten, durch die allein irgend eine künstlerische Aufgabe gelöst werden kann. Mit dieser Kraft steht der Künstler, welchem Volke, welcher Zeit er angehören mag, der Natur doch immer wieder unmittelbar gegenüber, und hat sich zu bestätigen, als ob er der erste und auch der letzte wäre, der der Natur das Geheimnis ihrer sichtbaren Erscheinung abverlangte. Und damit hängt es endlich auch zusammen, daß die künstlerische Arbeit immer eine fragmentarische bleiben muß. Sie stellt sich dar als ein immer und überall sich wiederholender, zu den verschiedensten Graden des Gelingens führender Versuch, in das Gebiet des sichtbaren Seins vorzudringen und es in gestalteter Form dem Bewußtsein anzueignen. Es kann aber nur zu Mißverständnissen führen, wenn man in ihr eine fortschreitende Bewegung nach einem Ziele sucht, zu dessen Erreichung alle künstlerischen Leistungen nur als Vorstufen zu betrachten seien. Die Aufgabe der Kunst, wenn man von einer solchen reden will, bleibt immer dieselbe, im ganzen ungelöste und unlösbare, und muß immer dieselbe bleiben, solange es Menschen gibt."

[158] Vgl. Vorlesungen I; 293.

[159] Vgl. Hua VI; 36-86. Und Merleau-Ponty, Husserl et la phénoménologie, in: RC2; 161ff.: Er unterscheidet – analog zu Husserl – *un pointillé vers l'avenir* (Urstiftung), *une sorte de création seconde* (Nachstiftung) und *une dernière recréation* (Endstiftung).

[160] Merleau-Ponty (Signes, Li ; 73f.): « Husserl a employé le beau mot de *Stiftung,* – fondation ou établissement, – pour désigner d'abord la fécondité illimitée de chaque présent qui, justement parce qu'il est singulier et qu'il passe, ne pourra ja-

den der *Institution* zur Seite. Dies geschieht, wie er in der Vorlesung *L'institution dans l'histoire personelle et publique* (1955) schreibt, „als Mittel gegen die Schwierigkeit der Bewusstseinsphilosophie" (RC2; 59) – folglich in Abgrenzung zu Husserls Modell der Konstitution. Demnach besteht eines der gravierendsten Probleme des *konstituierenden Subjekt*-Modells darin, (1.) dass das Bewusstsein von der Welt lediglich aus einer einzigen, selbst *geschaffenen* und damit beschränkten (weil nicht objektivierbaren) Perspektive weiß. Die Verbindung zwischen dem *konstituierenden* Subjekt und dem *konstituierten* Objekt, d.h. zwischen *Bewusstsein* und *Gegenstand* ist entsprechend eingeschränkt. Ist ein Gegenstand erst einmal konstituiert, und zwar auf eine unvollständige, nur rudimentäre oder gar falsche Art und Weise, vermag es das Bewusstsein nicht, über dieses konstituierte Bild hinaus auf den realen (objektivierbaren) Gegenstand zu rekurrieren. „Zwischen Bewusstsein und Objekt gibt es", schreibt Merleau-Ponty, „weder einen Austausch noch Bewegung" (59)[161]. Aus dem eingeschränkten Weltbild des Bewusstseins folgt, (2.) dass dessen Rekurs auf jedes andere Bewusstsein die „reine Negation seiner selbst" (60) impliziert. Das heißt weiterhin, wie Merleau-Ponty ausführt, dass das Bewusstsein zwar weiß, dass es betrachtet wird, allerdings das betrachtende Subjekt nicht definieren oder zuordnen kann.

Das Modell des „instituierenden Subjekts" soll beide Schwierigkeiten beseitigen: Mit der Institution lässt sich, so Merleau-Ponty, sowohl verstehen, (1) warum das Bewustein des Subjekts nicht auf ein augenblickliches Sein beschränkt ist, also im eigentlichen Sinne Subjekt-Bewusstsein (Ich) ist, als auch, (2) dass der Andere nicht die Negation des Subjekt-Bewusstseins ist: „Ein instituierendes Subjekt kann mit einem anderen koexistieren, weil das Instituierte [im Gegensatz zum Konstituierten] nicht die unmittelbare Spiegelung seiner eigenen Akte ist" (60). Wie muss diese Einzigartigkeit der Institution verstanden werden? Und inwiefern unterscheidet sie sich, was ihre Systematik betrifft, von der der *Konstitution*?

---

mais cesser d'avoir été et donc d'être universellement, – mais surtout celle des produits de la culture qui continuent de valoir après leur apparition et ouvrent un champ de recherches où ils revivent perpétuellement. »

[161] Bereits in der *Phénoménologie* kritisiert er das Prinzip der *Konstitution* (275): « Si ma conscience constituait actuellement le monde qu'elle perçoit, il n'y aurait d'elle à lui aucune distance et entre eux aucun décalage possible, elle le pénétrerait jusque dans ses articulations les plus secrètes, l'intentionnalité nous transporterait au cœur de l'objet, et du même coup le perçu n'aurait pas l'épaisseur d'un présent, la conscience ne se perdrait pas, ne s'engluerait pas en lui. » Im Spätwerk ändert sich – durch die intensive Auseinandersetzung mit den *Ideen II* – Merleau-Pontys Haltung gegenüber dem Konstitutionsmodell Husserls, wie etwa *Le philosoph et son ombre* (Signes; 217-228) zeigt.

Merleau-Ponty hat den Begriff der Institution, wie Métraux gezeigt hat[162], am Zeit-Begriff, d.h. genauer am Theorem der Vergangenheit entwickelt, die als das Bindeglied fungiert zwischen den einzelnen als Gegenwart erfahrenen zeitlichen Abständen (zu ihr). Merleau-Ponty bezieht sich dabei auf Prousts Schilderung der Vergangenheit, der diese als Mittel begreift, die Kontinuitätserfahrung des Bewusstseins zu bewahren und dauerhaft abzusichern. Die Vergangenheit ist somit das notwendige Korrektiv, um die jeweiligen Gegenwartserfahrungen zu einer einzigen Erfahrung aneinander zu reihen. Gleichzeitig gewährleiste dieses Modell, so Merleau-Ponty, eine prinzipielle „Offenheit auf die Zukunft", d.h. „auf etwas, was noch nicht ist" (Vorlesungen; 293): Die Erfahrung der Vergangenheit ist das Residuum des Ich-Bewusstseins (ebd.). Damit ist allerdings nur der erste Schritt getan. Neben der *Innen*perspektive (analog etwa zum „inneren Zeitbewusstsein" Henri Bergsons) muss eine „Entsprechung in der Außenwelt" gedacht werden – im Sinne einer *Kontroll*instanz: Ohne diese Entsprechung wäre, so Merleau-Ponty, zwar die Ich-Erfahrung im Sinne einer Kontinuitäts-Erfahrung zu erklären, nicht aber der Egozentrismus des Subjekts aufzuheben. Deshalb spricht er von der Institution als Summe der „Ereignisse einer Erfahrung, die ihr zeitliche Dimensionen verleihen, durch die wiederum andere Erfahrungen Sinn erhalten" (RC2; 61).

Der proustsche Gedanke, die Vergangenheit als Korrektiv anzusehen, deckt sich zudem mit Merleau-Pontys Modell der Sinngenese: Die Vergangenheit setzt danach die einzelnen Kulturgüter insgesamt zueinander in Beziehung, indem sie die Einzelwerke als Teile einer Kultur, eines speziellen kulturellen Kanons bestimmt. Darüber hinaus ist jedes Kulturgut selbst Signum jener Verbindung von Vergangenheit und Zukunft, ausgehend etwa von der Annahme, dass die Rezeption der Kunstwerke wesentlich dazu beiträgt, dieselben „in sie selbst zu verwandeln". Aus dem ‚Vorschein' ihrer Bedeutung konstituiert sich die Vorstellung, dass die Pinselbewegungen der Maler streng genommen eine einzige Bewegung bezeichnen, genauso wie das Sprechen oder Schreiben der Literaten, im Sinne einer gemeinsamen Sprachgeschichte, mit dem Sprechen und Schreiben jedes anderen Menschen ineins geht: „Die Schwierigkeiten, die man hat", schreibt Merleau-Ponty (PM; 55f.), „jeder Sprache eine rationale Formel anzugeben, sie unzweideutig durch ein Wesen zu definieren, […] zeigen, dass in dieser immensen Geschichte, wo nichts plötzlich endet oder be-

---

[162] Vorlesungen I; 293: In den Anmerkungen Métraux' findet sich ein übersetzter Auszug aus der betreffenden *Vorlesung über die Zeit*, die lediglich als Nachschrift vorliegt (293f.). Darin schreibt Merleau-Ponty: „Die Zeit ist das Modell der Institutionen, die Institution der Institution! Sie liegt am Schnittpunkt von Aktivität und Passivität; sie ist unteilbar, weil ich gewesen bin und weil ich bin."

ginnt, in diesem nie versiegenden Gewimmel abweichender Formen, in dieser unaufhörlichen Bewegung der Sprachen, wo Vergangenheit, Gegenwart und Zukunft sich vermischen, kein rigoroser Schnitt möglich ist und dass es schließlich streng genommen nicht anderes gibt als eine einzige Sprache im Werden."

Was für die Sprache gilt, findet sich ebenso in den strukturellen Entwürfen einer Genese der Geschichtlichkeit bzw. einer Geschichte des Denkens[163] wieder. Das geschichtliche Leben der Menschen einerseits sowie die Einzelwerke der Philosophen und Künstler andererseits werden über die unendliche Zahl der Neuschöpfungen und privaten wie öffentlichen Lebensentwürfen zu einer einzigen Bewegung. Der Motor der Veränderung ist, neben der ideellen Realisierung eines *vollständigen* Ausdrucks, nicht zuletzt das *offen-unbestimmte* Vermögen der menschlichen Sinnstiftung selbst, das sich am deutlichsten an der bedeutungsschöpfenden Kraft der aktiven Rede zeigt, die Merleau-Ponty in Anlehnung an Saussure *parole*[164] nennt: „Die Auflösung der Zweifel an der Sprache findet sich", so Merleau-Ponty (PM; 37), „nicht im Rückgriff auf irgendeine universelle Sprache, die die Geschichte überragen würde, sondern in dem, was Husserl die ‚lebendige Gegenwart' nennen wird; in einer lebendigen Sprache, die sich von allen anderen lebendigen Sprachen, die vor meiner Existenz gesprochen wurden, unterscheidet, und auch ein Muster für das bleibt, was jene gewesen sind..."[165].

---

[163] Über die der *Idee einer gemeinsamen Geschichte* (l'idée d'une histoire unique) zugrundeliegenden Überlegungen schreibt Merleau-Ponty in der Kandidaturschrift (Inédit; 407f.) etwa: « c'est parce que les cultures sont autant de systèmes cohérents de symboles, qui peuvent etre comparés et placés sur un dénominateur commun ».

[164] de Saussure unterscheidet zwischen *langue* und *parole*. Letzteres meint den individuellen Sprachgebrauch. Merleau-Ponty unterscheidet weiterhin *parole parlante* bzw. *parole parlée* (vgl. II. 2.).

[165] Merleau-Pontys Studien zu Husserls „lebendiger Gegenwart" stützen sich im wesentlichen – wie das Spätwerk (Vis; 278) zeigt – auf die von Alfred Schütz aus dem Nachlass Husserls veröffentlichte Schrift *Die Welt der lebendigen Gegenwart und die Konstitution der außerleiblichen Umwelt* (in: Philosophy and Phenomenological Research [PPR], A Quarterly Journal, Vol. VI, No. 3, March 1946; 323-343) bzw. auf die *Vorlesungen zur Phänomenologie des inneren Zeitbewusstseins* (1893-1917/Hua X., hrsg. v. Rudolf Boehm, Den Haag 1966). Wie etwa der Begriff der „lebendigen Sprache" zeigt, nutzt Merleau-Ponty Husserls Theorem der *strömend-stehenden Gegenwart* bzw. *Raumzeitlichkeit* (Hua VI, Krisis; 171) vor allem sprachphilosophisch, während er sich gleichzeitig gegen Husserls Projekt einer universellen Sprache (Eidetik) wendet: Die Gegenwärtigkeit bzw. Aktualität der lebendigen Rede bzw. erlebten Sprache bestehe gerade darin, sich mit etablierten Bedeutungen *lebendig* auseinander zu setzen. Auch wenn Husserl die Zeitform der lebendigen Gegenwart als *Seinsweise des letztfungierenden transzendentalen Ichs* versteht – das sich einerseits als das Vollzugs-Ich einzelner Akte in den jeweiligen Gegenwarten des Bewusstseinslebens und andererseits als der verharrend identische Pol konsti-

1.1. Phänomenologische Reduktion und ‚vorgängiges Sein'

Die *Neu*ordnung ist im Werk Merleau-Pontys durchaus methodisch angelegt: Sie vereint unterschiedliche philosophische Untersuchungen, darunter die Frage nach der Entstehungsstruktur der Sprache ganz allgemein[166].
Diese kann nach Merleau-Ponty streng genommen nur nachvollzogen
werden, wenn man so tut, „als hätten wir Menschen niemals gesprochen"
(Signes; 58/ PM; 64f.). Das heißt, dass die *empirische Sprache* ebenso wie
ihr aktiver oder lebendiger Part, das *Sprechen*, nur auf dem Unter- bzw.
Hintergrund des *Schweigens* verstanden werden kann.

Mit diesem Zurücktreten aus der Kultur der Sprache bzw. Sprach-
lichkeit in eine *vor*sprachliche oder *stumme* Welt korrespondiert eine
künstlerische Vorgehensweise. In *Le doute de Cézanne* schreibt Merleau-
Ponty über den Status großer Künstler wie Paul Cézanne oder Honoré de
Balzac (SNS; 32), dass ein solcher Künstler sich nicht damit begnügt, „ein
kultiviertes Tier zu sein, sondern die Kultur von Anfang an auf sich
nimmt und sie neu begründet. Der Künstler spricht wie der erste Mensch
gesprochen hat und malt, als ob noch nie ein Mensch gemalt hätte."

Künstlerische Authentizität bemisst sich demzufolge an der Bereitschaft, bewährtes Handwerkszeug sowie künstlerisches Know-how
grundsätzlich in Frage zu stellen, mit anderen Worten *einzuklammern*. In
diesem Punkt gleichen sich künstlerische und sprachphilosophische Methode: Beide, Künstler wie Sprachphilosoph, entscheiden sich nach
Merleau-Ponty für diesen *Rückschritt* – mit dem gemeinsamen Ziel einer
Neu- bzw. Umordnung der gegebenen Welt: Indem sie sich in die Position
des ersten Menschen begeben, der gemalt oder gesprochen hat, hoffen sie,
die Welt im Sinne einer *vormenschlichen* Welt zu erfassen und zu verstehen. Mit dem Neuordnungsmodell greift Merleau-Ponty, wie das folgende
Kapitel zeigen wird, auf Husserls Methode der *phänomenologischen Reduktion* zurück, die dieser in Anlehnung an die antike Skepsis auch als
Epoché bezeichnet.

---

tuiert, der im Strome des intentionalen Lebens als dessen allzeitliches Zentrum
gegenwärtig ist (vgl. HWPh, Bd. 3: G - H, 1974; 139) – was Merleau-Ponty in seinen sprachphilosophischen Studien übergeht – ist die Nähe zu den Analysen
Husserls unverkennbar. So könnte dieses Husserl-Zitat (in: PPR; 331) zur Illustration der Sprachtheorie Merleau-Pontys dienen: „In der lebendigen Gegenwart habe
ich den Wechsel von Phasen, [von] Gegenwartsstrecken, in denen [einerseits]
Dinge zur Erfahrung kommen, die noch nicht da waren, und [in denen anderer-
seits] Dinge aus der wirklichen Erfahrung verschwinden, die doch als früher schon
dagewesenen bzw. nach ihrem Verschwinden fortdauernde [Dinge] aufgefasst
sind." (Einfügungen durch A. Schütz).

[166] « Car enfin, » schreibt Merleau-Ponty (PM; 59), « si ce qu'on nous dit de l'histoire
de la terre est fondé, il faut bien que la parole ait commencé, et elle recommence
avec chaque enfant. »

1.1.1. Husserls phänomenologisches Reduktionsmodell in der Rezeption Merleau-Pontys

Das Prinzip der sogenannten *phänomenologischen Reduktion* besteht, vereinfacht gesagt, darin, das Gegebene zu hinterfragen, die sogenannte *natürliche Einstellung* künstlich aufzugeben, um eine neue Sicht auf den Gegenstand, der untersucht werden soll, zu ermöglichen[167]. Wobei die natürliche Einstellung, die auch als „mundane" oder „naive" bezeichnet wird, das entsprechende Weltbild eines Menschen meint.

Die Methode der Reduktion soll demnach eine neue, nicht mehr länger naive bzw. beschränkte Weltsicht erlauben, und dabei auch jene Akte beleuchten, die die Erfahrungsgegenstände konstituieren. In den *Fünf Vorlesungen* von 1907 führt Husserl den Begriff der *Reduktion* erstmals aus, nimmt dazu in den folgenden Jahren aber unterschiedliche Positionen ein. Die Entwicklung der husserlschen Phänomenologie von einer kartesischen Philosophie hin zur Transzendentalphilosophie des Spätwerks drückt diese schwierige und differenzierte Beziehung zur Methode der Reduktion aus. Dennoch gelingt es Husserl durch die phänomenologische Methode der Reduktion die Theorien der Reflexion, der Einstellung, des Interesses und des Themas überhaupt, wie Rudolf Boehm in der Einleitung zur *Theorie der Phänomenologischen Reduktion* (Hua VIII; S. XVI) schreibt, zu entwerfen und „zugleich die Möglichkeit der Entwicklung einer phänomenologischen Einstellung aus derjenigen der natürlichen Reflexion" zu zeigen. In der Folgezeit setzt sich Husserl freilich wiederholt mit den Grenzen des eigenen Modells auseinander. In der *Krisis* bezweifelt er etwa den Sinn seines Weges zur „transzendentalen *Epoché*", auch wenn er betont, dass dieser Weg ein notwendig erster Zugang zum „transzendentalen *Ego*" bedeutet hat[168].

Welch entscheidenden Schritt dieser Weg letztlich in der Philosophie Husserls darstellt, zeigen folgende Sätze aus der Formalen und transzendentalen Logik (Hua XVIII; 245): „Ich, das ‚transzendentale Ego'," schreibt Husserl hier in Abgrenzung vom Konzept des psychophysisch-weltlichen Ichs, „bin das allen Weltlichen ‚vorausgehende', als das Ich nämlich, in dessen Bewußtseinsleben sich die Welt als intentionale Einheit allererst konstituiert."

Die unterschiedlichen Reduktionsmodelle, die Husserl in seinem Werk entwirft, von der „cartesianischen Methode der phänomenologi-

---

[167] U. a. Hua IX; 206: Die auf transzendente Tatsachen bezogene natürliche Einstellung wird per *transzendentaler Reduktion* zur *phänomenologischen* Einstellung. Die Welt als „transzendentes Sein" wird dadurch aber nicht ausgeschaltet oder in Frage gestellt, sondern lediglich ‚eingeklammert'.

[168] Vgl. Hua VI, III. Teil, A. § 43: Charakteristik eines neuen Weges zur Reduktion in Abhebung gegen den „cartesianischen Weg"; 156ff.

schen Reduktion", über „die phänomenologische Transzendentalphilosophie von der Psychologie aus", bis hin zur „phänomenologischen Transzendentalphilosophie von der vorgegebenen Lebenswelt aus", vereint, wie
er in seinem Nachwort zu den *Ideen* (Hua V; 148f.) 1930 meint, dass sie
alle „Wege zum Anfang einer ernstlichen Philosophie [sind], die in
reflektiver Bewußtheit durchgedacht sein müssen, und die somit eigentlich selbst mit zum Anfang gehören, sofern ein Anfang eben nur werden
kann in dem sich selbst besinnenden Anfänger." Tatsächlich vermochte allein die Methode der phänomenologischen Reduktion ihn zum „wahren
Prinzip aller Prinzipien", zum „ersten Satz aller wahren Philosophie" zu
bringen; so sei es „klargeworden", wie er in der *Ersten Philosophie* (Hua
VIII; 78) schreibt, „daß wir den Zugang zur transzendentalen Subjektivität nicht nur faktisch der beschriebenen Methode verdankten, sondern
daß diese oder eine verwandte Methode überhaupt unerläßlich ist, sie zu
entdecken."

Für Merleau-Ponty ist die Phänomenologie ganz im Sinne des späten
Husserl (Krisis), *Transzendentalphilosophie* – die einerseits die natürliche
Einstellung ausblendet, um unsere naive Haltung zur Welt zu überwinden
und einen Zugang zu den die natürliche Einstellung konstituierenden Akte zu gewinnen; und die andererseits zugleich eine Philosophie ist, die auf
dieser Welt gründet, die immer schon vollbracht bzw. immer schon da
ist[169]: „Die Welt ist da vor aller Analyse, zu der ich fähig bin", schreibt er
in seinem Vorwort zur *Phénoménologie* (p. IV); und einige Seiten weiter
(p. XV): „der einzige präexistente Logos ist die Welt selbst".

Das husserlsche *Reduktion*smodell versteht Merleau-Ponty als Rückgang auf ein „transzendentales Bewusstsein" (p. V), wobei, wie er hervorhebt, der husserlsche Begriff des *Transzendentalen* nicht mit dem Kants
korrespondiert (p. 10f.). Statt die Welt dem Subjekt immanent zu setzen
(das ist nach Husserl die Pointe der bloß *mundanen* Philosophie Kants),
nehme der Philosoph per phänomenologischer Reduktion einen, wenn
auch nur zeitweiligen Abstand zur natürlichen Einstellung ein, um die
Welt und die Beziehungen zwischen Welt und Subjekt zu enthüllen. Das
transzendentale Bewusstsein ist demnach dasjenige, „vor dem sich die
Welt in absoluter Transparenz" (PP; p. V) zeige.

Die phänomenologische Reduktion Husserls umfasst neben der
transzendentalen Reduktion zudem die sogenannte *eidetische* Reduktion,
was wiederum nur eine andere Bezeichnung für die „ideierende Abstraktion" der *Logischen Untersuchungen* ist, die die Möglichkeit meint, am faktisch Gegebenen *Wesens*strukturen zu entdecken. Die „eidetische Reduktion" ist in der Phänomenologie Husserls demnach das methodisch gesi-

---

[169] Vgl. PP; p. XII: « l'unité du monde [...] est vécue comme déjà faite ou déjà là. »

cherte Verfahren der *Wesensschau*, das sich formal in drei Schritte gliedert[170]:

(1) Ausgehend von einem beliebigen individuellen Gegenstand, einem Apfel oder einem Tisch beispielsweise, und einer unbestimmten Anzahl an denkbaren Varianten dieses Apfels bzw. Tisches (= eidetische Variation), (2) soll diese Mannigfaltigkeit als Ganzes gedacht werden. In dieser Anschauungsform kann dann (3) der Inbegriff jener Bestimmungen, die in aller Variation invariant bleiben als das notwendige *Was* aller Varianten, als Eidos offensichtlich werden (Hua I, CM; 73):

> „Das Eidos selbst ist ein erschautes bzw. erschaubares Allgemeines, ein reines, ‚unbedingtes', nämlich durch kein Faktum bedingt, seinem eigenen intuitiven Sinn gemäß. Es liegt vor allen ‚Begrifflichkeiten' im Sinne von Wortbedeutungen, die vielmehr als reine Begriffe ihm angepasst zu bilden sind."

In diesem Sinne bedeutet für Merleau-Ponty dem Wesen der Welt nahe zu kommen, nicht die vermeintliche Wortbedeutung jedes Gegenstandes zu entziffern, sondern die *vor*sprachliche Welt zur Erfahrung zu bringen, die Welt vor ihrer menschlichen Prägung zu erkunden (p. Xf.). In der Überzeugung, dass die Welt in ihren wesentlichen Strukturen auch erfahrbar ist (p. XI), dass sie tatsächlich das ist, „was wir wahrnehmen".

Merleau-Ponty setzt sich schon früh mit dem husserlschen Reduktionsmodell auseinander, wie etwa im Vorwort der *Phénoménologie*. Er ist sich des Umfangs der Schriften und der Problematiken, die mit der phänomenologischen Reduktion einhergehen und die Husserl im Laufe seines Werkes selbst vielfach anspricht, durchaus bewusst, wenn er schreibt (PP; p. V): „Es gibt ohne Zweifel keine Frage, der Husserl mehr Zeit gewidmet hat, um mit sich selbst ins reine Verständnis zu kommen, keine Frage, auf die er so oft zurückgekommen ist, wie auf die ‚Problematik der Reduktion'." Die Unmöglichkeit einer vollständigen Reduktion, die Merleau-Ponty als *wichtigste Lehre* des husserlschen Modells bezeichnet, sei letztlich der Grund dafür gewesen: Husserl wollte demnach die Möglichkeiten der Reduktion ausloten, um herauszufinden, was mit ihr letztlich überhaupt zu erreichen ist[171]. Gegen Husserls Modell der *künstlichen* Einstellung sind, wie die Forschungsliteratur gezeigt hat, zwei Einwände, (a) ein spezieller bzw. (b) ein grundsätzlicher Einwand denkbar:

---

[170] U.a. in: Hua I; 72f. (§34).

[171] Vgl. PP; p. VIII: « Voilà pourquoi Husserl s'interroge toujours de nouveau sur la possibilité de la réduction. » In der deutschen Übersetzung von Rudolf Boehm (PhW; 11) fehlt dieser Satz! Vgl. auch Signes, PO; 203: « Soit le thème de la réduction phénoménologique, – dont on sait qu'elle n'a jamais cessé d'être pour Husserl une possibilité énigmatique, et qu'il y est toujours revenu. »

Rudolf Boehm beschreibt die *Epoché* Husserls – ausgehend von dessen Szientismuskritik und der daraus resultierenden Notwendigkeit per Epoché die subjektive Relativität der Lebenswelt zum universalen und systematischen Thema der Wissenschaft zu machen – (a) als bloß *fiktive Weltenthebung.* Dabei stützt er sich auf Beschreibungen Husserls: Demnach gehe auch nach dem Vollzug der Epoché das natürliche Welterleben weiter, „nur dass ich", wie Boehm schreibt[172], „an diesem Leben nicht mehr teilnehme, mich mit ihm nicht mehr identifiziere, nicht in ihm aufgehe – und selbst dies erscheint als ein Verhalten, ,als ob' ich am natürlichen Weltverhalten nicht mehr teilnähme". Der zweite Einwand stützt sich nicht nur auf grundsätzlichere Überlegungen, sondern ist auch sprachlich konsequenter: Die Methodenlehre Eugen Finks[173] verknüpft Husserls Begriff der „transzendentalen Subjektivität" mit Heideggers Frage nach der „Seinsweise des Transzendentalen" und thematisiert das ontologische Verhältnis zwischen dem transzendentalen Subjekt und dem *phänomenologischen Zuschauer*, der das Subjekt beschreibt. Die Betonung der Methodenlehre Finks liegt auf der mundanen Bindung des Menschen, d.h. der unhintergehbaren *Verweltlichung* des transzendentalen Subjekts.

Merleau-Ponty, der sich mit Finks Arbeiten unmittelbar nach ihrer Niederschrift 1932 auseinandersetzt, übernimmt dessen grundsätzliche Überlegungen. Er ist davon überzeugt, dass sich der Mensch schlechthin nicht außerhalb der (Lebens-)Welt, d.h. außerhalb der eigenen Existenz, die als „Zur-Welt-Sein" (être-au-monde) bestimmt ist, stellen kann. Dies macht streng genommen den Gedanken einer Epoché unmöglich: „Wenn wir absoluter Geist wären, wäre die Reduktion vollkommen unproblematisch" (PP; p. VIIIf.). Weil wir aber unser Leben (unseren Körper, unser Dasein) nicht verlassen können, sehen wir „weder die Idee noch die Freiheit jemals von Angesicht zu Angesicht" (SNS; 44). Deshalb kommt Merleau-Ponty zu folgendem Schluss (PP; p. XIII):

> „Der Bezug der Welt, der sich in uns unermüdlich artikuliert, gehört nicht zu den Dingen, die per Analyse klarer zur Erscheinung gebracht werden können: Die Philosophie vermag sie lediglich in unseren Blick und zur Feststellung zu bringen."

Diese Überzeugung beruht auf der Einsicht, dass die Lebenswelt, als Welt, in der wir alltäglich sind und uns verhalten, tatsächlich ,lebensnäher' ist als dies irgendeine künstliche Einstellung sein kann (Signes, PO; 206).

---

172 Rudolf Boehm, in: Elisabeth Ströker, Lebenswelt und Wissenschaft in der Philosophie Edmund Husserls, Frankfurt/M. 1979; 26.

173 Sie liegt erst seit 1988 als Veröffentlichung vor: VI. Cartesianische Meditation (1932). Hua. Dokumente 2/1 (1988) - zitiert nach HWPh, Bd. 10: St - T, 1998; Sp. 1419.

Merleau-Ponty stützt sich hierbei wiederum auf Husserl, der über den Wissenschaftler schreibt (Ideen II; §49, 183): „Er hat habituelle Scheuklappen. Als Forscher sieht er nur ‚Natur'. Aber als Person lebt er wie jeder andere und ‚weiß' sich beständig als Subjekt seiner Umwelt." Husserls durchweg positive Wertung des Übergangs von der *personalistischen* zur *wissenschaftlichen* Einstellung kritisiert Merleau-Ponty: Dem Forscher gehe durch seine theoretische Einstellung wertvolles Wissen verloren[174]. Zwar könne er sich jederzeit in die natürliche Einstellung zurückversetzen und die in der theoretischen Einstellung gewonnenen Ergebnisse *überprüfen*; Merleau-Ponty bezweifelt aber den Wert dieser Ergebnisse (Signes; 206): „Unser natürlichstes Menschenleben verweist auf ein ontologisches Milieu, das ein anderes als das des Ansich ist und das gemäß der konstitutiven Ordnung nicht aus diesem hergeleitet werden kann."

Ein wichtiges Zwischenergebnis dieser Auseinandersetzung von 1959 ist, (1.) dass die natürliche Einstellung eine *höhere Wahrheit* als jede künstliche Einstellung besitzt, die es deshalb wiederzuentdecken gilt (ebd.) bzw., (2.) dass es nur darum geht (225), „die Reflexion dem anzugleichen, was wir in ganz natürlicher Weise tun, indem wir von einer Einstellung zur anderen übergehen". Beides kann als ein Fundament der späten Philosophie Merleau-Pontys gelesen werden.

Den Vorwurf, dass Merleau-Ponty einerseits die Phänomenologie als fundamentale Wissenschaft begreife, deren Methode aber als unpraktikabel zurückweise bzw. selbst eine Phänomenologie der Wahrnehmung entwerfe, die aber auf der Überzeugung gründe, dass die Wahrnehmungsebene nie verlassen (d.h. eingeklammert) werden könne[175], versteht Rudolf J. Gerber (MW, 1969; 87) als Möglichkeit, den Einwand Merleau-Pontys gegenüber dem Reduktionsmodell Husserls grundsätzlich verständlich zu machen:

Demnach sei die darin erkannte Unvereinbarkeit eben nur scheinbar eine, weil Merleau-Pontys Schriften letztlich zeigten, „dass es möglich ist, von der Wahrnehmung zu abstrahieren, indem man davor zurücktrete und es von einer objektiveren Perspektive her begreife." Gerber führt dies frei-

---

[174] Vgl. Hua IV, Ideen II; 25 (§11): „Alle unsere Gemütsintentionen klammern wir aus...Wir erfahren also in dieser ‚reinen' oder gereinigten theoretischen Einstellung nicht mehr Häuser, Tische, Straßen, Kunstwerke, wir erfahren bloß materielle Dinge und von solchen wertbehafteten Dingen eben nur ihre Schicht der räumlich-zeitlichen Materialität und ebenso für Menschen und menschliche Gesellschaften nur die Schicht der an räumlich-zeitliche ‚Leiber' gebundene seelische ‚Natur'." Die theoretische Einstellung nennt Husserl entsprechend naturwissenschaftliche Einstellung. Die materiellen Dinge sind im Unterschied zur den Objekten in der natürlichen Einstellung *naturwissenschaftliche* Objekte (27).

[175] Vgl. Alphonse de Waelhens, Une philosophie de l'ambiguité, L'Existentialisme de M. Merleau-Ponty, Louvain 1951; 230.

lich nicht näher aus und nennt auch keine konkreten Textbeispiele, die diese These stützen würden. Blickt man aber auf die Offenlegung der *Seinseinheit* von Dasein und Welt, auf die *prä*existente menschlich-mundane Verflechtung, die Merleau-Ponty durch den Rückgang auf die Lebenswelt als Wahrnehmungswelt (vgl. II. 1.) begreift, wird deutlich, dass er das husserlsche Reduktionsmodell nur in einem eingeschränkten Sinne für sich in Anspruch nehmen kann und sich zudem gegen dessen Rückgang auf die „transzendentale Subjektivität" im Sinne einer *reflexiven Abstraktion* wenden muss. Und zwar deshalb, weil diese Abstraktion nicht das *wahre* Sein von Dasein und Welt, d. h. die Seinsweise der menschlichen Existenz in ihrer *Einheit* mit der Welt, offen zu legen vermag.

1.1.1.1. ‚Zu den Sachen selbst'

Husserls Phänomenologie liest Merleau-Ponty als klare Absage an die Wissenschaft. Mit dem Diktum einer vorurteilsfreien Philosophie (der Phänomenologie), „auf die Sachen selbst" zurückzugehen[176], legt Husserl in den *Logischen Untersuchungen* (Hua XIX,1; 10) die Basis für die Untersuchung jener konstitutiven Schicht, die er in der *Formalen und transzendentalen Logik* „Sphäre primordialer Eigenheit" nennt und die das spezifische Sein des „an sich ersten psychophysischen Ichs" bezeichnet[177]. Dieses erste Ich wiederum ist nach Husserl, „Glied einer an sich ersten Natur, die noch nicht objektive Natur ist, deren Raum-Zeitlichkeit noch nicht objektive Raumzeitlichkeit ist, mit anderen Worten noch nicht konstitutive Züge von dem schon konstituierten Anderen her hat" (Hua XVII; 247). Es ist für diese primordiale Schicht bei Husserl wie später bei Merleau-Ponty (SNS; 26/27) charakteristisch, dass hier das *Ich* noch als *Einheit* von Körper und Geist vorliegt, oder wie Husserl in den *Cartesianischen Meditationen* 1929[178] schreibt, „als Einheit eines unendlichen Systems meiner [d.h. der des jeweiligen Individuums; Anm. L.H.] Potentialitäten". Die *primoriale Welt* bzw. die *erste Natur* (Hua XVII; 248) ist, wie es bei Husserl auch heißt, der Untergrund der „objektiven Welt", die sich folglich wiederum in mehreren konstitutiven Stufen von der ersten, *primordialen* Welt abhebt.

Mit jener aller Erkenntnis vorausgehenden *primordialen* Welt, auf der sich die Wissenschaften wie jede menschliche Kultur gründen, setzt sich Merleau-Ponty bereits in *La structure du comportement* (1942) auseinander

---

[176] Diese Maxime fordert nicht nur eine *vorurteils*freie Beschreibung der Phänomene als unmittelbar und absolut gegebene, sondern beruht zudem auf der Überzeugung, dass es keine hinter den Phänomenen verborgene, unzugängliche Welt der Dinge an sich gibt.

[177] Hua XVII; 247 (§96a) bzw. 248.

[178] Hua I; 135f. (§48).

(vgl. II.1.). Dort betont er, dass der Mensch mit seinem (sozialen, kulturellen, wissenschaftlichen) Leben keine *zweite* Natur auf der Basis jener biologischen und ursprünglichen Natur entwirft, sondern immer wieder, im Bewusstsein dieser *ersten* Natur, über etablierte Strukturen hinausgeht, auf sie einwirkt und sie verändert.

Die Besinnung auf die Primordialität und damit auf die eigentlichen Wurzeln unseres Wissens (der Wissenschaften, der Kultur) ist, wie noch zu sehen sein wird, ein wesentliches Merkmal der Szientismus- und Philosophiekritik Merleau-Pontys, die sich durch sein Gesamtwerk zieht, sich vor allem aber in den späten Schriften artikuliert.

Husserls Diktum, auf die Sachen selbst zurückzugehen, heißt für Merleau-Ponty bereits in der *Phénoménologie* (p. III), „zurückgehen auf diese Welt vor aller Erkenntnis, von der die Erkenntnis stets spricht und bezogen auf die jegliche wissenschaftliche Bestimmung abstrakt, symbolisch und abhängig bleibt". Die vorurteilsfreie Schau der *Sachen* übernimmt Merleau-Ponty als idealistischen Anspruch seiner Wahrnehmungsphilosophie – auch wenn er diesen Anspruch aufgrund seines im Gegensatz zu Husserls Idealismus stehenden realistisch orientierten Weltbildes gleichzeitig stets in Frage stellen muss.

Besonders deutlich wird diese Tendenz in den Sprachanalysen der 40er und 50er Jahre. Aber bereits das Frühwerk ist Ausweis eines stillen Realismus; auch deshalb, weil dieser eine direkte Konsequenz der ‚Hermeneutik des Leibes' ist, d.h. der grundsätzlichen Annahme, dass die Leiblichkeit des Menschen dessen *Sosein* ebenso wie dessen Wahrnehmung der *Sachen* bestimmt und sich damit letztlich vom vorurteilsfreien Standpunkt in einem praktischen Sinne entfernt.

Die Vorurteilslosigkeit ist nach Husserl Bedingung, um *vernünftig oder wissenschaftlich über Sachen urteilen* zu können (Hua III,1; 41). Husserls „Fundamentalarbeit an den unmittelbar erschauten und ergriffenen Sachen", als die er die Logischen Untersuchungen (Hua XVIII; 9) verstanden wissen will, beruht auf der Überzeugung, dass das ‚unmittelbare Sehen', durch das die Sachen nicht bloß sinnlich erschaut werden, „die letzte Rechtsquelle aller vernünftigen Behauptungen" ist (ebd.). Diese Schau der Sachen beinhaltet eine Abkehr von so genannten *Weltanschauungen*, von empiristischen *Meinungen und Vorurteilen* und von einer Analyse, die sich mit „bloßen Worten" bzw. mit einem „bloß symbolischen Wortverständnis" zufrieden gibt (Hua XIX,1; 10).

Auf die Sachen selbst zurück zu gehen meint entsprechend nicht den einzelnen empirischen Gegenstand, sondern *Sachverhalte* überhaupt, die die Phänomenologie „in ursprünglicher Erfahrung und Einsicht fasst" (Hua I; 6). Dabei räumt Husserl ein, dass der Rückgang auf die Sachen nicht „mit der Forderung aller Erkenntnisbegründung durch Erfahrung identifiziert, bzw. verwechselt" werden darf (Hua III,1; 42): „Die echte Vorurteilslosigkeit fordert nicht schlechthin Ablehnung von ,erfahrungsfremden Urteilen', sondern nur dann, wenn der eigene Sinn der Urteile Erfahrungsbegründung fordert."

1.1.1.2. ,Ich bin' bzw. ,Die Welt ist'

Husserls Suche „nach dem archimedischen Punkt, auf den", wie er in der *Ersten Philosophie* (Hua, Bd. VIII; S. 69) schreibt, „ich mich absolut fest verlassen, nach dem Erkenntnisboden, auf dem ich meine erste, sozusagen absolute Arbeit ins Werk setzen kann", führt Merleau-Ponty zwar fort, allerdings findet sich bei ihm kein Hinweis auf Husserls grundsätzliches Problem, welchem der Sätze, dem *Ich bin* (dem Bewusstsein) oder dem *Die Welt ist* (dem Sein) in der Phänomenologie Priorität zukommen soll. Die Tatsache des *Ich bin*, das Merleau-Ponty als absoluten Ursprung der eigenen sozialen Umwelt begreift, gesellt sich in der *Phénoménologie* scheinbar widerspruchslos[179] zu der Feststellung, dass *die Welt ist*: „Alles, was ich über die Welt weiß, und sei es auch durch die Wissenschaft", schreibt Merleau-Ponty (p. II), „weiß ich aufgrund meines Blickes bzw. aufgrund einer Welterfahrung, ohne die die Symbole der Wissenschaft keine Aussagekraft besäßen." Während er einige Seiten weiter bemerkt (p. IV): „Die Welt ist da, vor aller Analyse" und fortfährt (p. V): „Die Welt ist kein Gegenstand, dessen Konstitutionsgesetz sich in meinem Besitz befände; sie ist das natürliche Milieu und Feld all meines Denkens und aller ausdrücklichen Wahrnehmung."

Die Suche nach jenem *archimedischen Punkt*, einem Erkenntnisboden, auf dem alles Wissen sich gründet, geht bei Merleau-Ponty mit der Besinnung auf die *primordiale Gebundenheit* (engagement primordial) unseres Bewusstseins einher. Vorrangig heißt das, dass das Bewusstsein uranfänglich an das Leben gebunden ist: So muss auch der *Impetus ein reines Bewusstsein zu werden* immer noch als Weise gelesen werden, *Stellung zur Welt* bzw. zu anderen Menschen zu nehmen (SNS; 41).

Auch im Spätwerk Merleau-Pontys findet sich keine eindeutige Stellungnahme: Die Primatsfrage zwischen *subjektivem Bewusstsein* und *Sein* bleibt ungeklärt. In der ontologischen Vertiefung des phänomenologischen Frühwerks – symbolisiert durch den Begriff *chair* (dt. Fleisch) – eröffnet sich freilich eine ,dritte' Option: Die Primatsfrage wird aufgelöst, indem die scheinbar unvereinbaren Setzungen *Ich bin* bzw. *Die Welt ist* in

---

[179] Schmidt (1985; 158) hat dieses Dilemma auf den Punkt gebracht: "It is as if Merleau-Ponty is torn between two positions and is unable to decide on the one or the other."

einer symbiotischen bzw. chiastischen Weise miteinander in Beziehung gesetzt werden (vgl. III. 2.1.1.1.). Eine Vorstufe dieser Möglichkeit findet Merleau-Ponty schon bei Husserl:

Die Kritik am Konstitutionsmodell, gegen das Merleau-Ponty das der *Institution* stellt (III. 1.1.), erfährt im Spätwerk eine Wende. In *Le philosophe et son ombre* (1959), das dem Andenken Husserls gleichermaßen wie seinem ‚Ungedachten' gewidmet ist, setzt sich Merleau-Ponty intensiv mit dem Konstitutionsbegriff der *Ideen II* auseinander. Er kommt zu dem Schluss, dass sich in Husserls Rückgang auf die *vortheoretische, vorthetische* bzw. *vorobjektive* Ordnung die Beziehungen zwischen Konstituiertem und Konstituierendem umkehrt (217f.):

> „Das Ansich-Sein, das Sein für einen absoluten Geist erhält seine Wahrheit fortan von einer ‚Schicht', wo es weder einen absoluten Geist noch eine Immanenz der intentionalen Objekte in diesem Geist gibt, sondern lediglich inkarnierte Geisteszustände [des esprits incarnés], die durch ihren Leib ‚derselben Welt angehören'".

Es scheint, als verstünde Merleau-Ponty Husserls *Ideen II* in einem Sinn, der dem leibphilosophischen Fundament seiner eigenen Spätphilosophie dienlicher ist als frühere Schriften Husserls (Ideen I) – ihm vielleicht sogar entgegenkommt: „Wenn Husserl an den Evidenzen der Konstitution festhält," schreibt Merleau-Ponty (224f.), „geschieht das nicht im Wahn des Bewusstseins […], sondern deshalb, weil das transzendentale Feld nicht länger allein das unserer Gedanken ist, um das der vollständigen Erfahrung zu werden; weil Husserl der Wahrheit vertraut, in der wir von Geburt an sind und die die Wahrheit des Bewusstseins wie der Natur enthalten können muss."

So vielfältig und differenziert sich Merleau-Ponty auch an den Begriffen bzw. an der phänomenologischen Methode Husserls abarbeitet und der idealistischen Prägung dieser Schriften wiederholt mit offensichtlichem Realismus begegnet, so konsequent ist er, was die Übernahme grundsätzlicher phänomenologischer Strukturen und Bewegungsmuster betrifft – wozu explizit der in der *Epoché* angelegte Aspekt des *Neubeginns* bzw. der *Neugestaltung* zu zählen ist.

In der Annahme, die Phänomenologie sei noch nicht zu einem „abgeschlossenen philosophischen Bewusstsein gelangt" (PP; p. II), verfolgt Merleau-Ponty das philosophische Projekt, ihren *wahren Sinn* zu erforschen. Demnach gehe es nicht darum (ebd.) „Zitate aneinander zu reihen, sondern diese Phänomenologie für uns zu fixieren und zu objektivieren", sowie deutlich zu machen, warum sie in der Vergangenheit immer wieder in das Stadium des Anfangens geraten ist.

Merleau-Ponty kommt in diesem Vorwort (PP) zum Schluss, dass das Manko der Phänomenologie streng genommen kein Manko sei; und dass die Reduktion, deren Mangel darin bestehe, nicht vollständig sein zu können, essentieller Teil der Phänomenologie sein müsse, damit die ihrer Aufgabe, die Welt zu *enthüllen*, überhaupt gerecht werden könne[180]. Denn gäbe es die Möglichkeit bis zum Sein vorurteilsfrei im Sinne Husserls vorzustoßen, bestünde nicht die Notwendigkeit, dass die Philosophie mit jedem Philosophen, im Bestreben, das Sein und das Seiende zu erforschen, von neuem oder von vorne beginne. Die phänomenologische Methode sei deshalb auch, wie Merleau-Ponty betont, immer schon mehr als *Bewegung* zu verstehen, denn als ein festes System oder als eine Lehre (PP; p. XVI): „Sie ist mühselig wie das Werk Balzacs, Prousts, Valérys oder Cézannes – in der gleichen Art der Aufmerksamkeit und des Erstaunens, im gleichen Anspruch an das Bewusstsein und in gleicher Absicht, den Sinn der Welt oder Geschichte in statu nascendi zu begreifen."

Die verwandtschaftliche Beziehung zwischen der Aufgabe des Philosophen und der des Künstlers ist im Werk Merleau-Pontys breiter und vor allem tiefer angelegt als dies aus dem Vorwort der *Phénoménologie* herauszulesen ist. Was die Behandlung und Gewichtung von Philosophie und Kunst im Gesamtwerk betrifft, sind vielfach Parallelen offensichtlich: So vereint der *Kontakt zum Sein* sowie die Suche nach dem *primordialen Grund* Phänomenologie und Kunst, Husserl und Cézanne. Deren Philosophie bzw. Kunsttheorie prägen das Werk Merleau-Pontys von seinen Anfängen bis in die späten Schriften hinein auf besondere Weise. Das husserlsche Diktum *auf die Sachen selbst zurückzugehen*, erinnert nicht nur dem Wortlaut nach an das selbstgesetzte Ziel Cézannes: Das, wie Merleau-Ponty in *Le doute de Cézanne* von 1942 (SNS; 20f.) hervorhebt, darin besteht *zum Gegenstand zurückzukehren* (revenir à l'objet) oder vereinfacht gesagt darin, die kulturellen Eigenschaften des Menschen wieder in Verbindung zu ihrer natürlichen Basis, der Natur, zu bringen, aus der sie einst hervorgegangen sind.

Es ist davon auszugehen, dass Merleau-Ponty in Cézannes eigenwilliger Kunsttheorie Husserls phänomenologisches Grundkonzept wieder zu entdecken glaubte; und dass diese Entdeckung nicht zuletzt zur vielfältigen und breiten Behandlung der Kunst im Gesamtwerk Merleau-Pontys beigetragen hat. Es wird im Folgenden zu zeigen sein, wie die künstleri-

---

[180] Im Spätwerk greift er diesen scheinbaren Nachteil der *Reduktion* wieder auf (Vis; 232): « le passage de la philosophie à l'absolu, au champ transcendantal, à l'être sauvage et < vertical > est par définition progressif, incomplet. Cela à comprendre non comme une imperfection […] mais comme thème philosophique: l'incomplétude de la réduction […] n'est pas un obstacle à la réduction, elle est la réduction même, la redécouverte de l'être vertical. »

sche *Rückkehr zum Gegenstand* mit der *phänomenologischen Methode der Reduktion* korreliert und was beide Ansätze voneinander unterscheidet.

1.2. Cézannes Gegenstand

Merleau-Ponty schreibt über Cézannes künstlerisches Konzept, dass es diesem darum gegangen sei (SNS; 20f.), „zum Gegenstand zurückzukehren, ohne dabei die impressionistische Ästhetik aufzugeben, die sich die Natur zum Vorbild nimmt." Tatsächlich wurzelt Cézannes Kunsttheorie wesentlich in der seit 1874 als ‚Impressionisten' verunglimpften Gruppe französischer Maler, darunter Camille Pissarro, Auguste Renoir, Claude Monet, Alfred Sisley und Edgar Degas.

Pissarro, einer der Köpfe der Bewegung, lehrte Cézanne den impressionistischen Malstil, der sich im Wesentlichen aus kurzen Pinselstrichen, der Linearperspektive und dem Malen im Freien (en plein air) zusammensetzte. Im Mittelpunkt dieser Kunstauffassung stand die Orientierung am Vorbild der Natur. Cézanne übernimmt zunächst den Stil der Impressionisten, bedient sich dessen aber zunehmend mit großer Freiheit[181]. Er emanzipiert sich im Folgenden nicht nur in einem technischen Sinne von seinem impressionistischen Lehrer, sondern entwickelt schließlich eine eigene Kunsttheorie, die vor allem die Darstellbarkeit zeitloser Strukturen zum Thema hat. Dies ist mit ein Grund dafür, warum Cézanne an einem seit Jahrhunderten gängigen Themenrepertoire festhält: Landschaften, Portraits, Stilleben und Figurenkompositionen. Dieses Repertoire, das ihn, wie Götz Adriani[182] schreibt, „sogar rückschrittlicher als manchen seiner Zeitgenossen erscheinen" lässt, gewährleistet Cézanne letztlich jenen Malstil, der nach dem Grund der Dinge sucht, den der Natur innewohnenden und bestimmenden zeitlosen Strukturen.

Im Gegensatz zu den Impressionisten, deren Malen sich auf das Festhalten des momentanen Naturerlebnisses, auf das augenblickliche Erscheinen konzentriert, geht es Cézanne darum, die Stabilität und Beständigkeit der Natur hervorzuheben. Das Malen selbst gestaltet sich immer dann als problematisch, wenn das Darzustellende großen zeitlichen Veränderungen unterworfen ist, wenn *Cézannes Meditieren vor dem Gegenstand* in die Irre läuft und die Realisierung des Bildes unmöglich scheint:

---

[181] Um dies nachzuvollziehen, muss man lediglich den Stil sowie die Farbpalette beider Maler miteinander vergleichen. Besonders deutlich wird die Entwicklung Cézannes in seinen späten Gemälden und Zeichnungen der *Montagne Sainte-Victoire* (1898-1906).

[182] Götz Adriani, Paul Cézanne, Gemälde, Köln 1993; 16.

„Die Natur bereitet mir die größten Schwierigkeiten", schreibt Cézanne in einer solchen Phase im September 1979 an Emile Zola[183].

Gegen den atmosphärischen Schwebezustand, in den die Gegenstände durch die impressionistische Malweise geraten, setzt Cézanne konstituierende Farbformen (Adriani; 17). Die *Rückkehr zum Gegenstand*, die Merleau-Ponty aus Cézannes Kunsttheorie herausliest, ist somit in diesem Zusammenhang eine angemessene und wichtige Interpretation. Durch die atmosphärische Verhaftung im Augenblicklichen verlieren die Gegenstände an Bedeutung. Die Reduzierung der Dinge auf ihr momentanes Erscheinen entfernt sie zudem aus der Einflussnahme des Betrachters: Sie werden unbestimmt und entziehen sich auf diesem Wege ihrer Wahrnehmbarkeit, der Möglichkeit, sie als solche in ihrem Wesen zu bestimmen.

Cézanne rückt den Gegenstand, das Wesen oder Sosein der Dinge in den Mittelpunkt seiner Kunsttheorie. Eine starke visuelle Sensibilität ist dafür die essentielle charakterliche Voraussetzung: Die Wiedergabe der Natur oder die Darstellung eines Themas oder ‚Gegenstandes' verlangt zunächst ein intensives Studium der Natur. In diesem Sinne ist, wie Merleau-Ponty Cézanne zitiert, die Natur *innen* (OE; 22): „Qualität, Licht, Farbe und Tiefe, die sich dort vor uns befinden, sind nur deshalb dort, weil sie in unserem Körper ein Echo hervorrufen, weil er sie empfängt." Dem eigentlichen Malakt geht als erster Schritt ein langer *Prozess des Schauens* voraus (Becks-Malorny; 47). Der Maler ist zunächst ein aufmerksamer und gewissenhafter Beobachter und streng genommen erst dann im eigentlichen Sinne Maler (19), wenn er nicht nur ein starkes *Empfinden für die Natur* besitzt, sondern „auch die Kenntnis der Mittel" die eigene „Empfindung zum Ausdruck zu bringen", wie Cézanne am 25. Januar 1904 schreibt.

Weil sich die Natur in der Wahrnehmung Cézannes äußerst komplex darstellt und darüber hinaus immer wieder anders erscheint, entwickelt er einen Malstil, der in einer realen *Schau* das mannigfaltige Erscheinungsbild der Gegenstände auf der Leinwand festhalten soll. Offensichtlich ist die Nähe dieser Arbeitsweise zu Husserls Wesenschau, die sich der eidetischen Reduktion (vgl. III. 1. 3) bedient: Cézanne „übermalt und korrigiert seine Bilder fortwährend, um die Fülle der Beobachtungen, die Reichhaltigkeit der Realität, festzuhalten" (Becks-Malorny; 28).

Die provenzalische Landschaft, in der Cézanne vorzugsweise seine Staffelei aufstellt, ist neben ihrer klaren Formensprache kaum jahres- oder tageszeitlichem Wechsel ausgesetzt. Diese Beständigkeit der Vegetation (ebd.; 37) unterstützt den Malstil Cézannes, fordert ihn aber auch heraus, wie ein Brief an seinen Sohn Paul belegt (Aix, 8. September 1906):

---

[183] Paul Cézanne, Correspondance, (hrsg. v. John Rewald) Paris 1937; 185f. bzw. in der dt. Ausgabe, Zürich 1962; 172.

„Ich kann nicht die Intensität erreichen, die sich vor meinen Sinnen entwickelt, ich besitze nicht jenen wundervollen Farbenreichtum, der die Natur belebt. Hier, am Ufer des Flusses, vervielfachen sich die Motive; dasselbe Sujet, unter einem anderen Blickwinkel gesehen, bietet ein Studienobjekt von äußerstem Interesse und von solcher Mannigfaltigkeit, dass ich glaube, ich könnte mich während einiger Monate beschäftigen, ohne den Platz zu wechseln, indem ich mich bald mehr nach rechts, bald mehr nach links wende."

Die Empfindsamkeit des Künstlers gegenüber der Natur – Voraussetzung für das Erfassen der Gegenstände – soll nach der Kunsttheorie Cézannes freilich keinen Einfluss auf die Darstellung oder Umsetzung des Wahrgenommenen haben: Um naturgetreu zu malen, müsse der Maler sich und seine Empfindung ‚einklammern'. Entsprechend tat Cézanne „alles, um keine Vertrautheit zu den Bildobjekten aufkommen zu lassen" (Adriani; 18). Ihn interessieren weder Gefühlsregungen noch Individualität der Portraitierten. Der Stilllebencharakter der Figurenkompositionen wie etwa *Die Kartenspieler* ist unübersehbar.

Cézanne greift zudem bestimmte Kompositionen oder Themata wiederholt auf. Von den *Kartenspielern* malt er fünf Versionen, vom *Montagne Sainte-Victoire* sogar einen umfangreichen Zyklus, der den Berg von unterschiedlichen Blickwinkeln aus thematisiert; rund 140 Skizzen und Gemälde behandeln das Thema der *Badenden*. Der prozesshafte und oftmals langwierige Malstil Cézannes gipfelt in einem wiederholten Aufgreifen derselben Themata oder Motive. Im Mittelpunkt seiner kunsttheoretischen Überlegungen steht nach Merleau-Ponty die Darstellung der primordialen Welt, einer Welt vor jedem (menschlichen) Blick (SNS; 23): „deshalb erwecken seine Bilder den Eindruck einer Natur im Naturzustand, während die Fotografien derselben Landschaften von der Arbeit der Menschen, ihren Gewohnheiten und ihrer Präsenz erzählen".

Auf die Darstellung des primordialen Weltzustandes, jener *vormenschlichen* Welt, die Cézanne angeblich im Sinn hatte, konzentriert sich die Interpretation Merleau-Pontys hauptsächlich. Cézannes Bilder spiegeln demnach nicht nur für sich genommen eine ‚Welt ohne Vertraulichkeit' (28) wider. Die in der Kunsttheorie Cézannes angelegte Überzeugung, die subjektiven Empfindungen des Künstlers im Darstellungsprozess gewissermaßen ‚einklammern' zu müssen, dient Merleau-Ponty als Basis für eine einzigartige und exemplarische Analyse der husserlschen *Primordialität*[184].

---

[184] Merleau-Ponty beschreibt in *Le doute de Cézanne* (SNS; 15-44) nicht nur jene *primordiale Welt*, sondern führt weitere Differenzierungen ein: So meint die primordiale *Wahrnehmung* (perception primordiale; 26) eine uranfängliche Einheit von Tast- und Gesichtssinn; der primordialen *Empfindung* (expérience primordiale; 27) entstammen Begriffe und Vorstellungen, die ursprünglich untrennbar verbun-

So verlangt das naturgetreue Malen Cézannes keine Übertragung der Natur auf die Leinwand im Verhältnis eins zu eins. Auch hegt Cézanne keinen *mimetischen* Anspruch, einen Malstil, der sich darin erschöpfen würde die Natur ,nachzuahmen'. Er ist davon überzeugt, dass sich die Naturformen allenfalls in Farbformen übersetzen lassen, die ihrem Wesen nach nur eine Variation des Wahrgenommenen sein können: „Ich habe die Natur abschreiben wollen", zitiert ihn J. Gasquet (1982; 148) „es ist mir nicht gelungen. [...] Es gibt nur einen Weg, um alles wiederzugeben, alles zu übertragen: die Farbe."

In diesem Sinne ist seine Kunsttheorie die Entwicklung einer ,Harmonie parallel zur Natur', wie Cézanne Kunst ganz allgemein verstanden wissen will[185]. *Naturgetreu* heißt in diesem Sinne *Treue* zu den Verhältnissen von Farben und Formen im Raum (Beck-Malorny; 48). Eine Überzeugung, die gerade auch die Maltechnik Cézannes widerspiegelt. Emile Bernard[186], einer der jungen Künstler, die Cézanne in Aix besuchten, berichtet über das Arbeiten des Malers: „Er begann mit dem Schatten [...]. Dann legte er eine andere größere Farbschicht darauf [...], bis schließlich alle aufgetragenen Töne zusammen ein dichtes Gewebe bildeten und den Gegenstand ganz aus der Farbe heraus modellierten."

Die Farbeindrücke (sensations colorantes) waren für Cézanne demnach *primäre optische Ereignisse*[187]. Die Farben sind in diesem Sinne, wie Merleau-Ponty betont, nicht *Scheinbild der Naturfarben*, sondern „Farbdimensionen, [...] die von sich aus Identitäten, Unterschiede, ein Gewebe, eine Materialität, Etwas schaffen..." (OE; 67). Die *Kunst als Harmonie parallel zur Natur* ist eine authentische Kunst, weil sie sich ihrer Möglichkeiten, aber vor allem auch ihrer Darstellungsgrenzen bewusst ist. Anders als es der impressionistische Kunstbegriff nahe legt, verzichtet Cézanne

---

den waren; und die primordiale *Gebundenheit* (engagement primordial; 41) verweist jedes Bewusstsein uranfänglich auf die eigene Existenz (den Lebenszusammenhang).

[185] In einem Brief an Gasquet (Melun, 27. September 1879).

[186] Vgl. Rewald, Cézanne, Biographie, Köln 1986 bzw. Emile Bernard, Erinnerungen an Paul Cézanne, 1904-1906, in: Gespräche mit Cézanne, (hrsg.v. Michael Doran) Zürich 1982; 68-106.

[187] Vgl. Adriani; 22. Zur Parallelisierung von Farbe/Farbigkeit und Ereignis vgl. auch die Auseinandersetzungen Roland Barthes' mit Cy Twombly – hier abgekürzt TW – (1983; 20): „TW malt nicht die Farbe; höchstens könnte man sagen, daß er koloriert; aber diese Kolorierung ist rar, unterbrochen und immer frisch, wie wenn man den Stift ausprobiert. Dieses bißchen Farbe gibt nicht eine Wirkung (noch eine Wahrscheinlichkeit) zu lesen, sondern eine Geste, die Lust einer Gebärde: am Ende seines Fingers, seines Auges etwas entstehen sehen, was zugleich erwartet ist (dieser Stift da, ich weiß, er ist blau) und zugleich unerwartet (nicht nur weiß ich nicht, welches Blau herauskommt, aber selbst wenn ich es wüßte, wäre ich immer überrascht davon, denn die Farbe ist, wie das *Ereignis* mit jedem Mal *neu*: genau das macht die Farbe aus, wie es den Genuß macht)."

darauf, den lediglich zweidimensionalen Bildraum der Leinwand durch perspektivische Illusion auszuweiten und entwickelt eine völlig neue Art gegenständlicher Darstellung im Raum (Becks-Malorny; 55): Der *modulierende* Farbstil arbeitet mit Kaltwarm-, sowie mit Komplementärfarbigkeit. Die Stilleben Cézannes erzielen gerade auch durch die sich gegenseitig überlappenden Farbstrukturen den Anschein von Tiefenräumlichkeit – freilich nicht ohne gleichzeitig die *Zwei*dimensionalität der Bildfläche zu betonen.

Cézannes Kritik an der *planimetrischen Perspektive* wendet sich gegen die Darstellung realer oder geometrischer Gegenstände in einem zweidimensionalen Bildraum. Nach Merleau-Ponty geht es ihm vorrangig darum, sich der optischen *Farb*eindrücke zu bedienen, weil die Gegenstände ihre Umrisse durch die eigene Ausdruckskraft immer schon überschreiten und sich nicht mit dem Raum zufrieden geben, der ihnen durch die Umrisslinien zugestanden wird (PM; 210)[188].

Die *planimetrische Perspektive* kann in diesem strengen Sinne nicht als realitätsnaher Ausdruck der Welt gelten (206). Sie ist, wie Merleau-Ponty betont, allenfalls ein Konstruktionsprinzip (ebd.). Deshalb sei darauf zu achten (211), „dass die Perspektive, selbst wenn sie da ist, nicht anders gegenwärtig ist, als die Regeln der Grammatik in einem Stil präsent sind."

Wenn Merleau-Ponty angesichts der Malerei behauptet, sie *bringe unsere Kategorien durcheinander*, geht er direkten Weges zurück auf Cézanne, dessen künstlerische Radikalität weniger darin bestanden hat, die Malerei selbst revolutioniert zu haben; sondern sie im Gegenteil mit aller Konsequenz der in ihr liegenden Möglichkeiten umgesetzt – und damit bestimmt zu haben, dass nur eine *authentische* Kunst *moderne* Kunst sein kann. In Cézanne fand Merleau-Ponty zudem einen Künstler, der Husserls phänomenologisches Diktum künstlerisch vorwegnahm[189]; heißt doch Cézannes *Rückkehr zum Gegenstand*, die der Welt innewohnenden und sie bestimmenden Seinsstrukturen auf der Leinwand *zur Darstellung zu bringen*. Deshalb schreibt Merleau-Ponty, dass sich der *primordiale* Grund unserer Existenz, die Wurzeln unserer Kultur und Wissenschaft, in

---

[188] In OE bezieht sich Merleau-Ponty implizit auf Cézannes Verteidigung des zweidimensionalen Bildraums, wenn er von der Tiefe sagt, sie sei eine von den beiden anderen Dimensionen (Höhe, Breite) abgeleitete *dritte* Dimension (45); und zugleich betont, dass der Raum als solcher nicht *drei*dimensional sei (48): « Quand Cézanne cherche la profondeur, c'est cette déflagration de l'Être qu'il cherche, et elle est dans tous les modes de l'espace, dans la forme aussi bien », schreibt Merleau-Ponty ebd. (65) bzw. allgemeiner (71): « C'est cette animation interne, ce rayonnement du visible que le peintre cherche sous les noms de profondeur, d'espace, de couleur. »

[189] Vgl. Tilliette (in: Critique, 1969; 111f): « Si la Phénoménologie est laborieuse comme l'œuvre de Cézanne, l'œuvre patiente de Cézanne est une sorte de phénoménologie en images. »

Cézannes Malziel wiederfindet; das darin besteht, die Dinge in ihrer vielfältigen Erscheinungsweise, die „sich selbst formgebende Materie" (SNS; 23) zu malen. Zur Darstellung jener „durch eine spontane Organisation entstehende Ordnung" bedarf es eines Sehens, das, wie Merleau-Ponty schreibt (28), „bis zu den Wurzeln, diesseits der konstituierten Menschheit reicht". Adriani nennt dieses auf seine Ursprünge zurückgeführte Sehen *voraussetzungsloses* bzw. *unvoreingenommenes* Sehen, dessen Ausgangspunkt „nicht das vorgegebene Wissen um die Erscheinungsweise [ist], sondern [...] die tatsächlich wahrgenommenen Farbeindrücke, aus denen sich dann schrittweise die weiteren Fakten ergeben" (22/23).

1.2.1. Modellcharakter der Kunst

Cézannes Kunsttheorie ist für die Ausrichtung des Frühwerks Merleau-Pontys in vielerlei Hinsicht ausschlaggebend gewesen. Nicht in der philosophischen Grundorientierung, sondern in deren Verfestigung bzw. im Ausblick auf die Entwicklung der späteren Schriften. Cézanne ging es vordergründig nicht darum, einen neuen Malstil zu entwickeln, sondern ein persönlich motiviertes, selbstgesetztes Ziel zu verwirklichen. Für Merleau-Ponty bot jenes bescheidene und zugleich künstlerisch bedeutsame Konzept eine geeignete Basis für die Ausarbeitung bzw. Überprüfung eines *philosophischen Pendants*, das das Diktum der *Neu*ordnung mit Husserls Modell der phänomenologischen Reduktion verbindet (vgl. auch Johnson, 1993; 9).

Inwiefern dieses *philosophische Pendant* in der Kunst- und Sprachphilosophie Merleau-Pontys bereits im Frühwerk angelegt ist und sich durch die Schriften der Übergangszeit differenziert, ist Thema der folgenden Abschnitte: Der *Neubeginn in der Malerei* (III. 1.2.1.1.) widmet sich dem Kunstbegriff Merleau-Pontys. Gerade in den Schriften des Übergangs häufen sich die Anzeichen dafür, dass Literatur und Poesie nicht als Gegensatzpaar zu den sogenannten *stummen* Künsten, wozu nach Merleau-Ponty insbesondere die Malerei zählt, zu gelten haben. Gleichzeitig zeigt der *Neubeginn in der Sprache* (III. 1.2.1.2.), dass die beobachtete Nähe von Malerei und Literatur eine gegenseitige ist, d.h. dass selbst die ‚stummen' Künste im weitesten Sinne noch *sprachliche* Ausdrucksformen sind.

1.2.1.1. Neubeginn in der Malerei

Die Annahme, dass der Künstler, wie Merleau-Ponty bei Cézanne gelernt hat, sich im Idealfall „nicht damit begnügt, ein kultiviertes Tier zu sein", sondern „malt, als ob noch nie ein Mensch zuvor gemalt hätte" (SNS; 32), meint, das sei hier hervorgehoben, kein mit dem Philosophieren vergleichbares Verhalten – zumindest kein reflexives Vorgehen, wie etwa das des Sprachphilosophen (II. 2.). Die Pointe besteht vielmehr darin, den Unterschied zwischen dem Ansatz des Künstlers bzw. dem des Sprachphilosophen deutlich zu machen:

Die Rückkehr zum Gegenstand geschieht im Malakt in einer vollkommen anderen Art und Weise als es das husserlsche Modell der phänomenologischen Reduktion nahelegen würde. Merleau-Ponty übernimmt nicht nur (a) Cézannes eigentümlich *schöpferisch-visuelle Schau* des Motivs, um die Besonderheit der künstlerischen Tätigkeit aufzudecken, sondern auch, was (b) die Umsetzung des Motivs angeht, eine Grunderfahrung verschiedener Künstler[190]: *Arbeits*berichte davon, dass sich die *Natur* ihnen gegenüber auf eine Weise artikuliert, die sie überhaupt erst dazu motiviert, das *Gesehene* oder vielleicht auch nur *Geahnte* ins Bild umzusetzen (III. 2.2.). Die *Natur* meint jene Strukturen bzw. Erfahrungszusammenhänge, die künstlerische Motive hervorbringen.

Cézannes Erkenntnis, während des Malens nicht darüber nachzudenken, was man tut, sondern das Motiv gewissermaßen *in uns selbst entstehen, in uns keimen* zu lassen, ist eine direkte Antwort auf diese Erfahrung. Aus einem ganz pragmatischen Grund wendet er sich gegen die *Reflexion* im Malakt (III. 2.3.1.): Sie verhindert das künstlerische Gestalten bzw. macht es *un*möglich[191], indem sie die eigentümliche Kommunikation zwischen der Welt und dem Künstler stört oder sogar unterbricht. Über den Grund dieser Beobachtung ist sich Merleau-Ponty sicher: Die in der Literatur zum Ausdruck kommenden Ideen sind genauso wenig *Verstandes*ideen wie die Ideen in der Malerei oder Musik. Die Arbeit des Schriftstellers bleibt deshalb vielmehr *Arbeit der Sprache* als *Arbeit des Denkens*[192].

Weil es dem Künstler im Nachhinein äußerst schwer fällt, diese Beziehung zu rekonstruieren, ist er letztlich außerstande den eigenen Ar-

---

[190] Vgl. OE; 31f. Wie weit diese Grunderfahrung verbreitet ist, und wie sehr sie letztlich die Kunst beeinflusst, sieht man auch an einer Schilderung von Max Ernst: « Jamais je n'impose un titre à un tableau: j'attends que le titre s'impose à moi », schreibt er etwa in seinen Aufzeichnungen (Ecritures, Paris 1970; 336).

[191] Joachim Gasquet berichtet darüber in den bekannten Gesprächen mit Cézanne (Doran, 1982; 149). Über den Künstler sagt Cézanne an anderer Stelle (ebd.; 136f.): „Wenn er dazwischenkommt, wenn er es wagt, der Erbärmliche, sich willentlich einzumischen in den Übersetzungsvorgang, dann bringt er nur seine Bedeutungslosigkeit hinein, das Werk wird minderwertig."

[192] RC2, Le problème de la parole; 40 (bzw. Vorlesungen I; 65). Merleau-Ponty fährt fort: « il s'agit de produire un système de signes qui restitue par son agencement interne le paysage d'une expérience, il faut que le reliefs, les lignes de force de ce paysage induisent une syntaxe profonde, un mode de composition et de récit, qui défont et refont le monde et le langage usuels. »

beitsprozess zu erklären[193]. In *La Prose du Monde* schildert Merleau-Ponty dies ausdrücklich und verweist auf die erstaunliche Erfahrung, die die Zeitlupenaufnahme eines Malakts von Henri Matisse den verblüfften Zuschauern vermittelte (PM, 62):

> „Denselben Pinsel, der – mit bloßem Auge betrachtet – von einem Strich zum anderen sprang, ihn sah man nun, wie er sich einen gedehnten und feierlichen Augenblick lang besann angesichts eines kurz bevorstehenden Weltanfangs, wie er zu zehn möglichen Handlungen ansetzte, vor der Leinwand einen Versöhnungstanz tanzte, sie mehrmals streifte, bis er sie beinahe berührte, um schließlich, wie ein Blitz den einzig treffenden Strich zu ziehen."

Von dieser rational nicht nachvollziehbaren Arbeitsweise des Künstlers sagt Merleau-Ponty, sie habe „mehr Sinn, als man zunächst", d.h. im Augenblick des Malens „weiß"[194]. Entsprechend lässt sich mit Merleau-Ponty sagen, dass das, was der Philosoph ausdrücklich zum Verständnis der sprachlichen bzw. ästhetischen Strukturen unternimmt und was jederzeit nachträglich, aber eben nur *künstlich*, wiederholt werden kann, geschieht im künstlerischen Prozess auf eine der Kunst selbst innewohnenden, *a*reflexive Art und Weise: Indem der Künstler sich als Person intuitiv und programmatisch zugleich *zurücknimmt* oder *einklammert*.

Wenn Merleau-Ponty in Anlehnung an Paul Valéry betont, dass der Künstler „seinen Körper mit einbringe" (OE; 16), ist damit zunächst in einem engeren Sinne (a) das Einbringen des so genannten *Eigenleibs* gemeint; d.h. dass das Sehen des Künstlers *aus den Dingen heraus* geschieht (19) und dass Maler wie Dichter gleichermaßen nie etwas anderes darstellen können als ihre Begegnung mit der Welt, die aus ihrer spezifischen *Eigenleiblich*keit resultiert (Signes; 70)[195]. In einem weiteren Sinne ist damit aber zugleich (b) ein Einbringen gemeint, das im Wesentlichen einer Zu-

---

[193] Vgl. hierzu auch filmische Dokumente, die Künstler beim Arbeitsprozess zeigen bzw. Selbstberichte von Gerhard Richter oder Jackson Pollock, die das Spannungsfeld aus kontrollierter Aktivität und inhärenter Dynamik des Gestaltens problematisieren (zu den Quellen vgl. auch IV. Fazit und Ausblick).

[194] PM; 63. Diese überraschende Einsicht macht auch der Schriftsteller, für den sein eigenes Arbeiten genauso undurchsichtig ist, wie das Malen für den bildenden Künstler (Signes, Li; 56): « Le langage est de soi oblique et autonome, et, s'il lui arrive de signifier directement une pensée ou une chose, ce n'est là qu'un pouvoir second, dérivé de sa vie intérieure. Comme le tisserand donc, l'écrivain travaille à l'envers: il n'a affaire qu'au langage, et c'est ainsi que soudain il se trouve environné de sens. »

[195] Entsprechend betont Merleau-Ponty (OE; 32), man könnte in den einzelnen Kunstwerken eine *in ihnen verbildlichte, gleichsam ikonographische Philosophie des Sehens* erkennen.

rückhaltung bzw. einer Zurücknahme der subjektiven Empfindungswelt
(III. 1.2.) entspricht.

Es lässt sich als wichtiges Zwischenergebnis festhalten, dass sich der ‚Erkenntnis'gewinn *in* der Kunst (des Künstlers) umgekehrt zum Erkennt-
nisgewinn *durch* die Kunst verhält. Letzteres meint die bedeutungsbildende Reflexion des Bildbetrachters bzw. des Philosophen am jeweiligen
Werk. Diese nachträgliche Reduktion im eigentlichen Sinne steht im Mittelpunkt der Analysen Lambert Wiesings[196], der dabei die Bedeutung der
Reduktion für die *formale Ästhetik* aufzuweisen versucht – die wiederum
eine Bildbetrachtung meint, die „das Bild bewußt auf seine Infrastruktur
reduziert und eine Vielzahl anderer Bildaspekte" (ders.; 209) aus der Betrachtung ausschließt. Wiesing bezeichnet die formale Ästhetik als eine
Vollzugsform einer phänomenologischen Reduktion an einem *anderen
Gegenstand*: Die Studien Merleau-Pontys seien in dieser Hinsicht *wegwei-
send* (211).
	Zunächst soll die Frage geklärt werden, ob die intuitive *Selbst*zurück-
nahme des Künstlers im Malakt, die den Stil Cézannes auf exemplarische
Weise prägt, ebenso in der Arbeit des Schriftstellers anzutreffen ist.
Merleau-Ponty verweist nämlich auf ein Ungleichgewicht in der öffentlichen Meinung (OE; 13f.): „Vom Schriftsteller wie vom Philosophen verlangt man Rat oder Meinung, man lässt nicht zu, dass sie die Welt in
Schwebe halten, sondern will, dass sie Position beziehen, und sich der Ver-
antwortung sprechender Menschen nicht entziehen können. [...] Allein
der Maler", fährt er fort, „hat das Recht, alle Dinge zu besehen, ohne je zu
ihrer Bewertung verpflichtet zu sein."
	Diese Zugeständnisse haben ihren Grund primär darin, dass die Ma-
lerei, weil sie sich nonverbal artikuliert, streng genommen kein sprachliches Medium sein kann. Das Fehlen jener Mittel macht sie – neben der
Musik, der Bildhauerei und dem Tanz und im Gegensatz zur Literatur –
zu einer jener *stummen* Künste, deren Bedeutung etwa in der Erschlie-
ßung der Entstehungsstruktur der Sprache für Merleau-Ponty erwiesen
ist[197]. Dass die Malerei aber schlichtweg *a*politisch sein darf, während der
moderne Schriftsteller politisch sein muss, d.h. gesellschaftliche Zustände
bzw. Ideen zu benennen hat[198], gegen diese Überzeugung wendet sich
Merleau-Ponty ausdrücklich – auch wenn Cézannes Abkehr vom gesell-

---

[196] Wiesing, Die Sichtbarkeit des Bildes. Geschichte und Perspektiven der formalen
Ästhetik, Hamburg 1997; 209ff.

[197] Das gilt, wie noch zu sehen sein wird, insbesondere für die Schriften *Le langage
indirect et les voix du silence* (1951) bzw. *La Prose du Monde* (1969).

[198] Vgl. SNS, Le roman et la métaphysique; 34ff.: Merlau-Ponty wendet sich hiermit
offensichtlich gegen Sartres kunsttheoretische Schrift *Qu'est-ce que la littérature?*
(vgl. II. 3.2.1.).

schaftlichen Leben, von den Gegenwartsbezügen der Malerei hin zur Suche nach dem Wesen oder Sein der *Sachen*, das Bild des apolitischen Malers letztlich stützt.

Unverkennbar ist, dass die Malerei in der Kunstphilosophie Merleau-Pontys im Wesentlichen denselben Stellenwert wie die Literatur besitzt[199]: Der Malerei kommt keinesfalls eine einzigartige, mit keiner Kunstform vergleichbare Position zu[200]. Genauso wenig geht es Merleau-Ponty darum, zu zeigen, dass die Malerei in Abgrenzung zur *engagierten Literatur* etwa unschuldig ist oder unschuldig sein darf. Das Gegenteil ist der Fall: Merleau-Ponty betont gerade, dass die Kunst insgesamt, aus jener *Schicht unverarbeiteter Sinneserfahrung schöpft* – einer Schicht, von der bisher weder Wissenschaften noch die Philosophie, das sogenannte „aktivistische Denken" (13) etwas wissen will. Der Vorrang, den Levine der Malerei zuspricht, besteht folglich nicht vor der Poesie oder der Literatur, sondern vielmehr *vor* der Praxis der Wissenschaften wie der Philosophie.

Malerei wie Literatur haben, was ihre Einflussnahme auf die neue Philosophie Merleau-Pontys betrifft, mehr gemein als sie voneinander unterscheidet (NC; 189). Merleau-Ponty geht in diesem Vergleich sogar so weit zu sagen, dass – was etwa die Aussagekraft literarischer oder poetischer Texte betreffe – deren sprachlicher Charakter weniger stark ausgeprägt sei als etwa der der Alltagssprache. Die Poesie gelte demnach als „Sprachform, die nichts besagen will"[201], während es in der Alltagssprache um das Anzeigen konkreter Sachverhalte gehe. Merleau-Ponty spricht auch davon, dass das bedeutungsbildende Sprechen hinsichtlich des lautmalenden Sprechens (der empirischen Sprache) nur *Schweigen* sei – und zwar deshalb, weil jenes Sprechen „nicht bis zum gemeinsamen Namen vordringe" (Signes; 56). Was ist aber mit diesem *gemeinsamen Namen* gemeint?

Das *authentische* Sprechen, wozu Merleau-Ponty explizit die künstlerischen Sprachformen zählt, befreit sich von einem reglementierten und starren Umgang mit seinen spezifischen sprachlichen Voraussetzungen (empirische Sprache). Merleau-Ponty nennt dieses Sprechen deshalb auch *autonom*. Gerade die Dichtung macht sich diesen evolutionären Sprachgebrauch zu Nutze. Es lässt sich erläuternd ergänzen, dass hierbei nicht unbedingt das hermetische Sprechen Paul Celans im Mittelpunkt stünde,

---

[199] Nicht zu leugnen ist freilich, dass der Malerei – und insbes. Cézanne *in persona* wie *in theoria* (vgl. III. 2.) – darin eine Schlüsselrolle zukommt.

[200] Vgl. Stephen K. Levine, Merleau-Ponty's Philosophy of Art, in: MW, August 1969, Vol.2, No.3; 441.

[201] In der Vorlesung *L'usage littéraire du langage* (RC2; 26) heißt es genauer: « Il y avait d'ailleurs au moins une forme de langage qui n'était pas contestable, précisément parce qu'elle ne prétendait pas dire quelque chose: c'était la poésie. »

sondern ein ergänzendes und variantenreiches Sprechen, etwa das eines Synästhetikers wie Gottfried Benn.

Das künstlerische Sprechen verzichtet bewusst auf den *gemeinsamen Namen*, kann sich aber nicht vollständig davon befreien. Nur auf dem Untergrund der etablierten Strukturen lässt sich das *neue Sprechen* verstehen und als *neu* oder *modern* begreifen. Das *Schweigen*, das nicht nur ein Fehlen ist, sondern grundsätzlich einen wichtigen Interpretationsspielraum schafft, vereint den Künstler und dessen eigene Kunstwelten miteinander (Signes; 56/95): Der Maler herrscht über die *schweigende Welt der Farben*[202] *und Linien*, der Literat vermeidet, Gefühle, Landschaften oder Menschen zu detailliert zu beschreiben. Maler wie Schriftsteller verzichten nach Merleau-Ponty zugunsten des *Ausdrucks* auf Genauigkeit in der Darstellung[203].

Malerei und Literatur teilen sich zudem ein gemeinsames Ziel, nämlich zu den Sachen selbst zu gelangen. Während uns die alltägliche Sprache lediglich die *Illusion* vermittelt, die *Dinge* selbst zu berühren (PM; 59), besitzen die Künstler die Gabe, in uns echte Gefühle zu erwecken, uns die *Dinge in natura* nahe zu bringen. Statt philosophische Abhandlungen über Begriffe wie Freiheit, Individuum oder Zeit zu schreiben, ist es nach Merleau-Ponty die ausdrückliche Aufgabe der Schriftsteller, Freiheit, In-

---

[202] In OE spricht Merleau-Ponty vom unbestimmten ,Murmeln', ,Säuseln' bzw. ,Raunen' der Farben [murmure indécis des couleurs, OE; 43]. Er begreift dieses – trotz oder gerade wegen seiner Unbestimmtheit – wie die vorangegangene Analyse gezeigt hat, als ausdrucksvolles Schweigen. Hans-Georg Gadamer spricht mit dem Blick auf die moderne (abstrakte) Kunst von deren Verstummen (1962 in: 1993; 305): „Abstrakte Bilder sind völlig sprachlos und verstummt, sie können ein geradezu brütendes Schweigen ausstrahlen, wie die von Mondrian." Gleichzeitig räumt er ein (1965 in: 1993; 315): „Verstummen heißt nicht, nichts zu sagen haben. Im Gegenteil: Verstummen ist eine Weise des Redens. Das Wort *stumm* hängt mit dem anderen Wort *stammeln* zusammen, und die ergreifende Not des Stammelns besteht ja wahrlich nicht darin, daß der Stammelnde nichts zu sagen hätte, vielmehr darin, daß er viel, ja zu viel auf einmal sagen möchte und die Worte nicht findet angesichts der drängenden Fülle dessen, was zu sagen wäre." Vgl. auch: L. Huber, Vom Raunen der Kunst, Betrachtungen zur hermeneutischen Ästhetik Maurice Merleau-Pontys und Hans-Georg Gadamers am Beispiel der Bildenden Kunst, Tübingen 1999 (Magisterarbeit unveröffentlicht).

[203] In gewisser Weise könnte man dieses Faktum als das Vermögen beschreiben, „Lügen zu müssen um die Wahrheit zu sagen", wie Merleau-Ponty Sartre (Signes; 71) zitiert. Er illustriert die Notwendigkeit dieses Vermögens in der Kunst am Beispiel Klees (OE; 76): « Il y a deux feuilles de houx que Klee a peintes à la manière la plus figurative, et qui sont rigoureusement indéchiffrables d'abord, qui restent jusqu'au bout monstrueuses, incroyables, fantomatiques à force < d'exactitude >. » Der absichtliche Verzicht auf eine sehr genaue und detaillierte Darstellung dieser Stechpalmblätter hätte im Gegensatz dazu der notwendigen Radikalität entsprochen, die mit der Neuordnung in der Kunst einhergeht, und wie sie Merleau-Ponty in Anlehnung an andere Künstler proklamiert (Signes; 70-71).

dividuum oder Zeit in der Art von *Dingen vor uns entstehen zu lassen*[204]. Der Ansatz Cézannes, die weltlichen Strukturen in ihrem *Sosein* sichtbar zu machen, ist eben deshalb mit jenem Impetus moderner Schriftsteller vereinbar.

Dass die Gemeinsamkeiten von Literatur und Malerei überhaupt aufgedeckt werden konnten, ist, so Merleau-Ponty, das Verdienst einer modernen Errungenschaft, der *Idee des schöpferischen Ausdrucks*: Angesichts des geschriebenen Romans oder des fertiggestellten Gemäldes haben Maler und Schriftsteller, wie Merleau-Ponty in Anlehnung an André Malraux festhält (PM; 68), „jeder auf seine Weise und jeder für sich dasselbe Abenteuer überstanden".

1.2.1.2. Neubeginn in der Sprache

Merleau-Ponty geht es aber – vor allem in den Schriften der Übergangszeit – nicht nur darum, die Verwandtschaft zwischen den Kunstformen aufzudecken. Seine Auffassung von Kunst reicht noch einen Schritt darüber hinaus: Es galt, die geplanten Studien zu den künstlerischen Sprachformen für die Sprachanalyse per se nutzbar machen.

Dieses Vorhaben erwähnt Merleau-Ponty an verschiedener Stelle: So sollte in *La prose du monde* (22f.), im Rahmen einer weitläufigen Analyse der ‚lebendigen Rede' und eingebettet in eine Theorie des Ausdrucks (vgl. II. 3.), „das Funktionieren der Rede in der Literatur" erforscht werden. In der Schrift für die Kandidatur am Collège de France (1951/52) hatte Merleau-Ponty seine Absichten bereits folgendermaßen beschrieben (Inédit; 406):

> „Bevor wir dieses Problem [gemeint ist das Verhältnis von formellem Denken und Sprache; L.H.] ausgiebig in der in Vorbereitung befindlichen Schrift über *L'Origine de la Vérité* behandeln werden, haben wir es in einem zur Hälfte schon geschriebenen Buch[205] von der zugänglichsten Seite her in Angriff genommen – nämlich von der literarischen Sprache her."

Dass die künstlerische Sprache es überhaupt erlaubt, einen leichteren Zugang zum Phänomen der Sprache zu finden, davon scheint Merleau-Ponty grundsätzlich überzeugt zu sein. Gerade im künstlerischen Sprachgebrauch lässt sich demnach anschaulich machen, „dass die Sprache niemals

---

[204] *Le roman et la métaphysique* (1945), in: SNS; 34. Merleau-Ponty spricht später (PM; 67) von „derselben Ausdruckstätigkeit" (la même opération expressive) in der Malerei wie in der Literatur.

[205] Mit diesem „zur Hälfte schon geschriebenen Buch" kann nur *Le langage indirect et les voix du silence* gemeint sein, bzw. das Buchfragment, das Lefort 1969 unter dem Titel *La prose du monde* herausgegeben hat.

das bloße Kleid eines Gedankens ist, der sich selbst in voller Klarheit besitzen würde" (Inédit; 22). Dies liegt wiederum darin begründet, dass der künstlerische Ausdruck als solcher weder als Kuriosität noch als *Phantasiegebilde der Introspektion* am Rande der Philosophie oder der Sprachwissenschaft zu gelten hat – gerade weil das Phänomen des *Ausdrucks* sowohl im *objektiven Sprachstudium* als auch in der literarischen Erfahrung beheimatet ist. In dieser Weise sind, wie Merleau-Ponty betont (PM; 23), „beide Zugangsweisen konzentrisch".

Seit der Phénoménologie widmet sich Merleau-Ponty wiederholt der Beziehung von *Sprache* und *Denken* bzw. von *Sprache* und *Sinn*. Erst in den sogenannten Schriften des Übergangs räumt er deren Analyse aber einen breiteren Platz ein. So vergleicht er etwa das Verhältnis von Sprache und Denken in Anlehnung an Simone de Beauvoir[206] mit der Beziehung von Körper und Bewusstsein. „Man kann lediglich sagen", schreibt Merleau-Ponty (Cal; 87), „dass die Sprache das Denken umfasst, und nicht, dass die Sprache im Gegenteil durch das Denken bestimmt wird. Das Denken bewohnt die Sprache und sie ist sein Körper." Die Betonung liegt dabei auf der Gleichwertigkeit von Sprache und Denken[207] ebenso wie auf der begrenzten Einflussnahme beider aufeinander. Merleau-Ponty hebt in diesem Zusammenhang (Inédit; 406) außerdem hervor, dass sich der Sinn eines Buches dem Leser nicht durch *Ideen* (III. 1.2.1.1.) erschließt, was eben eine Vormachtstellung des Denkens vor der Sprache bedeuten würde, sondern vielmehr „durch eine systematische und unge-

---

[206] Tatsächlich zieht Merleau-Ponty diese Parallele an drei verschiedenen Textstellen: Neben der genannten Stelle in *La conscience et l'acquisition du langage* (RC1; 22), spricht er sowohl in Li (Signes; 103f.) als auch in PM (158) vom korrelierenden Verhältnis von Sprache und Sinn: « ils nous faut donc dire du langage par rapport au sens ce que Simone de Beauvoir dit du corps par rapport à l'esprit: qu'il n'est ni premier, ni second. »

[207] In seinen Schlussfolgerungen – insbesondere, was die Sprachanalysen letztlich für die Philosophie bedeuten könnten – geht Merleau-Ponty noch einen Schritt weiter (Cal; 87): « Cette *méditation de l'objectif et du subjectif*, de l'intérieur et de l'extérieur que cherche la philosophie, nous pourrions la trouver dans le langage, si nous réussissions à l'approcher d'assez près. » Berücksichtigt man dies (siehe v.a. Hervorhebung), erscheint der Einfluss dieser Notiz, wie die späte Schriften zeigen werden, auf die Ausarbeitung der chiastischen Grundstruktur der ontologischen Phänomenologie Merleau-Pontys offensichtlich zu sein. Die *chiastische* Verflochtenheit von *Sprechen* (langage) und *Denken* (pensée) wird gerade auch im Vorwort zu *Signes* (26) deutlich, wenn er schreibt, dass sich die Ausdruckshandlungen zwischen *denkendem Sprechen* (parole pensante) und *sprechendem Denken* (pensée parlante) abspiele; einer *parole manquée*, die man Sprache nenne und einer *parole sensée*, die man Denken nenne – und ergänzt (ebd.): « Il n'y a pas *la* pensée et *le* langage, chacun des deux ordres à l'examen se dédouble et envoie un rameau dans l'autre. »

wohnte Variation der Sprech- und Erzählweisen bzw. durch bestehende literarische Formen"[208].

Als Schlüsselmotiv für den Einfluss künstlerischer Sprachformen auf die Sprachanalysen Merleau-Pontys kann deshalb jene bereits genannte *Idee des schöpferischen Ausdrucks* verstanden werden. Sie bereitet auf entscheidende Art und Weise den Boden für die Verbindung von Kunst- und Sprachanalyse. „Es ist zulässig", schreibt Merleau-Ponty in diesem Sinne (PM; 123[209]), „die Malerei wie eine Sprache zu behandeln." Damit verweist er ausdrücklich auf die Verwandtschaft der Kunstformen, auf die gemeinsamen Ausdruck*stätigkeiten* von Malerei und Literatur. Was ihre jeweiligen sprachlichen Strukturen (Grammatik, Phonetik) angeht, unterscheidet beide freilich, dass die so genannten *stummen* Ausdrucksformen über keine *begriffs*bildende Sprache verfügen, sich folglich einen *anderen* Erfahrungsraum erschließen[210]. Inwiefern kann eine Idee, wie die des *schöpferischen Ausdrucks*, dazu beitragen, dass die Kunst bzw. die Malerei für die Analyse einer ausgewiesenen Sprache, um die geht es ja in diesem Zusammenhang, nützlich ist?

Merleau-Ponty betont, dass es ihm nicht um Grammatik oder Phonetik gehe, sondern um die Entdeckung der sogenannten *fungierenden oder sprechenden Sprache* (un langage opérant ou parlant): Diese befindet sich „unterhalb der gesprochenen Sprache [frz.: langage parlé], unterhalb ihrer Aussagen und ihres Lärms, die sorgsam den bereits bestehenden Bedeutungen zugeordnet sind" (PM; 123). Die *sprechende Sprache* (langage parlant) führt dort ein *taubes Leben* und kann nur *lateral* oder *indirekt* bedeuten, was strenggenommen eine primordiale Sprachebene bezeichnet. Während die *gesprochene Sprache* (langage parlé) vor der Bedeutung, die sie hervorbringt, verschwindet, behauptet sich die *sprechende Sprache* (langage parlant) im Ausdrucksvorgang. Weil sie im Ausdruck selbst zur

---

[208] Entsprechend heißt es (PM; 26): « Il nous faut penser la conscience *sans* les hasards du langage et impossible dans son contraire. »

[209] Vgl. auch: ebd.; 66: Hier schreibt er noch: « Même si, finalement, nous devons renoncer à traiter la peinture comme un langage, – ce qui est un des lieux communs de notre temps, – [...] il faut commencer par reconnaître que le parallèle est un principe légitime. »

[210] In PM macht Merleau-Ponty auf die unterschiedliche Transparenz archäologischer Funde aufmerksam, die sich danach richtet, ob die Forscher es mit Resten eines Schriftzeugnisses oder mit Resten einer Skulptur zu tun haben (144f.): « Des manuscrits déchirés, presque illisible, et réduits à quelques phrases, jettent pour nous des éclairs comme aucune statue en morceaux ne peut le faire parce que la signification est en eux autrement déposée [...], parce que rien n'égale la ductilité de la parole. »

Sprache kommt, korreliert sie mit jener bereits erwähnten gemeinsamen Ausdruckstätigkeit (opération expressive) von Malerei und Literatur[211].

Wenn man, wie Merleau-Ponty es in Anlehnung an Malraux beabsichtigt, die Malerei als *Sprache* behandelt, geht es darum, den „perzeptiven Sinn" der Malerei offenzulegen (ebd.) – einen Sinn, der sich ähnlich wie die *sprechende Sprache* nur indirekt oder mittelbar über das Sichtbare äußert. Was diesen Sinn allerdings zu einem besonderen macht und der Sprachanalyse die Basis gibt, ist nicht die Tatsache, dass er nur mittelbar zugängig ist, sondern dass sich in ihm alte, bereits abgelegte Ausdrucksweisen in aktueller Gestalt zeigen. Dieser Sinn, der natürlich, wie Merleau-Ponty im Folgenden ausführlich zeigt, wesentlicher Bestandteil der literarischen Sprache ist, ist letztlich ein klassisches Nebenprodukt der Sprache – insofern sich jede *lebendige* Sprache beständig verändert, die Vergangenheit mit der Zukunft in Beziehung setzt und dadurch eine nicht unproblematische Bedeutungsvielfalt einzelner Begrifflichkeiten erhält. Der *schöpferische Ausdruck* korreliert in beiden Aspekten mit dem *perzeptiven Sinn*. Wobei nicht übersehen werden darf, dass der perzeptive Sinn, soweit es die literarische Sprache angeht, ebenso untrennbar von der Gestaltung ist wie das Ausgedrückte vom Ausdruck.

Die Nähe der Sprach*analysen* Merleau-Pontys zur Sprach*erfahrung* in der Kunst klingen in nahezu allen Schriften an, die sich explizit wie implizit diesen Analysen widmen. Ausschlaggebend dafür ist sicherlich, dass das Interesse Merleau-Pontys am Phänomen der Sprache vor allen anderen Aspekten dem des Ausdruck und dem der Kommunikation gilt. Entsprechend erweitert er Saussures Unterscheidung zwischen *langue* und *parole* um die Unterscheidung zwischen *langue* (als einer bestimmten Sprache) und *langage*, die die Sprache als Kommunikationsphänomen bezeichnet[212]. Letztere meint einen Zeichengebrauch, der, wie Merleau-Ponty schreibt (EA; 567), die Zeichen noch nicht bestätigten Regeln unterordnet: Die offenen Bedeutungen einer solchen Sprache verlangen es, dass „der Gesprächspartner [...] in dem Maße, wie er versteht, das ihm Bekannte" überschreitet. Diese Beobachtung, die Merleau-Ponty aus der literarischen Sprache übernimmt und auf die Alltagssprache überträgt, bildet die Basis

---

[211] Darüberhinaus korreliert Merleau-Pontys Unterscheidung zwischen *langage parlante* bzw. *langage parlé* mit der bereits vorgestellten Unterscheidung zwischen *usage créateur* bzw. *usage empirique du langage* (Signes; 56). Vgl. auch II. 2. vorliegender Arbeit.

[212] Vor allem die *Vorlesungen an der Sorbonne* (RC1, 1949-1952) sind Zeugnis linguistischer und sprachphilosophischer Studien. Die besondere Beziehung zwischen *Zeichen* und *Bedeutung* wird dabei durch Analysen zu Gestik und Gebärden ergänzt. Der Verwandtschaft der körperlichen Ausdrucksweisen von Schauspieler und Maler widmen sich diese Studien ebenso wie der emblematischen Sprache von Riten.

für seine Verteidigung der Sprach- bzw. Kommunikationsformen, die er unter dem Begriff „Kommunikationsformen poetischen Charakters" (communication de caractère poétique) zusammenfasst (ebd.).

Merleau-Ponty wendet sich damit gegen die weitverbreitete Meinung – er selbst spricht von der „Voreingenommenheit zugunsten der sogenannten objektiven bzw. konstituierten Sprache" – Letzterer einen Vorrang vor jeder anderen Sprachform einzuräumen[213]. Ziel seiner Studien ist es somit nicht, die *objektive* Sprache hervorzukehren, sondern im Gegenteil jene *Ausdruck*stätigkeit (opération expressive) zu erforschen, auf der die „Sprache der Dinge" beruht (ebd.). Jene *Ausdruck*stätigkeit liegt, wie Merleau-Ponty betont, dem kommunikativen Aspekt von Sprache essentiell zugrunde: Mit ihr nehme ich Verbindung mit dem Anderen, mir fremden auf. Sie ist jene *persönliche Komponente* (la composante personelle), die im Sprechakt immer schon vorhanden bzw. gegenwärtig ist (ebd.).

Merleau-Pontys Analyse der Ausdruckstätigkeit, die auf elementarer, nonverbaler Ebene ein *Milieu der Verständigung* schafft, bleibt aber im Wesentlichen auf die Feststellung dieses Milieus reduziert. Zudem problematisiert er das Verhältnis von *perzeptivem Sinn* bzw. *sprachlichem Sinn* erst im Spätwerk, wobei er den *sprachlichen* Sinn bzw. die Thematisierung des *perzeptiven* Sinns selbst als Verhalten im *höheren Sinne* begreift (insofern die Sprache das Schweigen bricht und realisiert, was dem Schweigen verwehrt war). In den Arbeitsnotizen zu *Le visible et l'invisible* verweist Merleau-Ponty auf den ungewissen Übergang vom *Wahrnehmungs*sinn zum *Sprach*sinn – und macht auf die Grenzen seiner Analysen aufmerksam (229):

> „Das schweigende Cogito soll verständlich machen, warum die Sprache nicht unmöglich ist, aber kann nicht verständlich machen, wie sie möglich ist. Bleibt das Problem des Übergangs vom perzeptiven Sinn zum sprachlichen Sinn, vom Verhalten zur Thematisierung."

Die Künstler sind seit jeher mit einem analogen Problem konfrontiert: Über Darstellungsmittel, wie etwa die Zentralperspektive zu verfügen bzw. im Besitz von spezifischem Handwerkswissen zu sein, entscheidet womöglich auch heute noch darüber, ob ein Künstler offiziell Anerkennung bekommt, auch wenn sich das Bild des Künstlers in der Vergangenheit stark verändert hat. In früheren Zeiten war der Besitz spezifischen Handwerkswissens freilich unmittelbar mit der künstlerischen Existenzfrage verbunden und definierte zudem, *was* darstellbar bzw. *wie* etwas

---

[213] Diese Voreingenommenheit meint er etwa bei Jean Piaget ausgemacht zu haben (vgl. RC1, L'expérience d'autrui; 567).

darzustellen ist. Das künstlerische Darstellungsproblem ähnelt nach Merleau-Pontys Recherchen dem der sprachlichen Darstellung zugrundeliegenden Strukturen: Denn tatsächlich lösen handwerkliche Kenntnisse, hierauf verweist Merleau-Ponty ausdrücklich[214], nur scheinbar das Problem der Darstellung – schlimmer noch: Diese seien überhaupt nur erfunden worden, um die Frage, wie etwas darstellbar oder sprachlich thematisierbar sei, zu umgehen. Deshalb gelten künstlerische Regelwerke gewöhnlich nur so lange, bis sie in Frage gestellt werden: Als etwa die Moderne (u.a. Cézanne, die Kubisten) mit einem etablierten (und deshalb zu diesem Zeitpunkt einzig möglichen, weil einzig denkbaren) Regelwerk bricht, stellt sie die Existenzfrage für jeden einzelnen Künstler und damit für die Kunst im Ganzen neu – und erinnert daran, dass jene Frage seit jeher die Geschichte der Kunst bestimmt.

Die Frage, was darstellbar ist, beinhaltet immer auch die Frage, warum manches scheinbar nicht dargestellt werden kann. Cézanne war davon überzeugt, dass man streng genommen *sogar den Geruch malen* kann; dass die Frage, warum etwas nicht darstellbar ist, schon aktive Auseinandersetzung damit ist, wie man etwas zur Darstellung bringen kann; dass die Möglichkeit der Darstellung in der *Un*möglichkeit selbst beruht.

Die Pointe dieser Überlegung Cézannes beruht darauf, dass eine authentische Kunst, eben weil sie um ihre begrenzten Möglichkeiten der Darstellung weiß, Gegenstände, Konzepte sowie Ideen grundsätzlich zur Erscheinung bringt, die ohne sie nicht zum Ausdruck gekommen wären: Erst die Überschreitung *etablierter Regelsysteme* kann als *Neuordnung* im eigentlichen Sinn des Wortes verstanden werden.

Das Funktionieren sprachlicher Kommunikation versucht Merleau-Ponty wiederholt am Verhältnis zwischen *literarischem Text* und jeweiligem Leser zu erklären. Letzterer werde danach beim Lesen mit einem *neuen Sinn*, einem neuen *Bedeutungs*geflecht konfrontiert: „Dank jener Zeichen, über die der Autor und ich uns einig sind", schreibt Merleau-Ponty (PM; 18), „weil wir dieselbe Sprache sprechen, hat er mich eben glauben lassen, wir befänden uns auf dem schon gemeinsamen Feld erworbener und verfügbarer Bedeutungen." Dass dies nicht so ist, entdeckt der Leser erst im nachhinein, wenn er über das neue Bedeutungsgeflecht reflektiert. Dann erkennt er, dass der Autor, wie Merleau-Ponty hervorhebt, sich in der Welt des Lesers ‚eingenistet' und die etablierten Sprachstrukturen entsprechend verändert hat (PM; 183f.). Dieser „geheime Bedeutungswandel" (torsion secrète: OE; 19) der sprachlichen Strukturen hat seinen Ursprung in der *dichterischen* Kommunikation, dem Einfluss der Literaten[215] (über den

---

214 Etwa in PM; 72. Vgl. insbes. OE.
215 Merleau-Ponty verweist an anderer Stelle (RC2, L'usage littéraire du langage; 22f.) darauf, wie weit das im Text Erfüllte vom tatsächlich Intendierten des Literaten

spezifischen literarischen Text) auf den Leser. Merleau-Ponty spricht deshalb auch vom „Verführen durch eine indirekt wirkende Aktivität", das neue Bedeutungen hervorbringt (Inédit; 407).

Die Neuordnung, die eine Bedeutungsveränderung der reformierten Sprachstrukturen mit sich bringt, geht im dichterischen Gebrauch der Sprache Hand in Hand mit der Aneignung des Sprachsystems sowie der Schöpfung eines eigenständigen, individuellen Stils. Auch im alltäglichen Gebrauch der Sprache lässt sich dieses Zusammengehen aus *Aneignung* und *Kreation* entdecken: So ist die *Neu*ordnung, die sich im Spracherwerb eines Menschen vollzieht, kontextabhängig. Die Schöpfung eines Stils setzt einen allgemeinen Stil bzw. dessen originäre Rezeption voraus. Das *erste Wort* eines Menschen gründet im Verständnis grundlegender sprachlicher Strukturen sowie auf dem Wissen, dass dem ausgesprochenen Wort ein bestimmter Platz darin zukommt. Im weiteren Sinne heißt das: Ob das erste Wort das erste Wort eines Künstlers oder das eines Kindes ist, der Beginn jeder Artikulation ist immer Ausdruck und Anzeichen eines *Verständnis-* und eines *Verständigungs*zusammenhanges. Das heißt aber auch, dass nur jene *erste* Artikulation als *erstes Wort* verstanden werden kann, das im Rahmen einer wie auch immer gearteten Auseinandersetzung mit dem zugrundeliegenden sprachlichen System geäußert wird. In diesem engeren Sinne gibt es, wie Merleau-Ponty betont, *kein* erstes Wort, weil es vieler anderer Worte bedarf, die im experimentellen Stadium der Sprachaneignung artikuliert werden: Die *Neu*ordnung setzt als sprachliches Phänomen auch deshalb in allen denkbaren Sprachformen *nicht* mit einem *ersten* Wort ein, das eindeutig auszumachen und von allen späteren Worten zu unterscheiden wäre[216]. Der Erwerb sprachlicher Kenntnisse geschieht durch Erfolgs- und Misserfolgserlebnisse bzw. in steter Auseinandersetzung mit ihnen: Ein solches Sprach*training* begründet erste Sprach*kenntnisse*, die sich im aktiven Sprechen bewähren müssen. Denkt man diese sukzessive Sprach*aneignung* weiter, folgt daraus, dass der Spracherwerb niemals abgeschlossen ist, d.h. dass – aufbauend auf den Besitz eines bestimmten Wörtervorrats und der Kenntnis des Umgangs damit (PP; 204) – eine neue, oder um gewisse Parameter veränderte, Verwendung der sprachlichen Strukturen möglich, wenn nicht sogar wahrscheinlich ist.

---

entfernt ist. Was im Text als *neuer* Sinn in Erscheinung tritt, jene *neuartige Sprache*, „reift", wie Merleau-Ponty betont (ebd., Le problème de la parole; 40), „während vieler Jahre des Nichtstuns im Unbewussten des Literaten heran."

[216] Vgl. PM; 59f.: Dasselbe Phänomen gilt noch expliziter für die Entstehung der Sprache überhaupt. „Das erste Wort", schreibt Merleau-Ponty, „entstammte nicht einem kommunikationsfreien Raum, weil es hervorging aus Verhaltensakten, die schon gemeinsam waren, und weil es Wurzeln schlug in einer sinnlichen Welt, die schon keine Privatwelt mehr war."

Merleau-Pontys Begriff der *Neuordnung* meint nicht zuletzt eben jene immanente Möglichkeit der Sprache, stets verändert werden zu können bzw. das eigene Regelwerk immer wieder *neu* in Frage zu stellen.

1.3. Von der Neuordnung der Welt zum Handlungsraum des Künstlers

Das Theorem der *Neuordnung* bzw. das *lebendige* Einwirken auf ein etabliertes Regelsystem findet, wie die vorangegangenen Kapitel (Neubeginn in der Malerei, Neubeginn in der Sprache) zeigen, sowohl im Bereich der Kunst als auch im Bereich der Sprache Anwendung. Die Gemeinsamkeiten von spezifisch *künstlerischem Ausdruck* und *Sprache* ganz allgemein beschränken sich nicht allein auf sprachliche Mittel, sondern umfassen auch die damit unmittelbar verbundenen Ziele:

Der Künstler im cézannschen Sinne will *die Dinge selbst* zur Darstellung bringen, und Renoirs ‚Blau' ist nicht zuletzt Zeugnis dafür, dass „jedes Fragment der Welt eine allgemeine Weise lehrt, das Seiende auszusagen" (Signes; 70). Wenn uns Wahrnehmung und Sprache, wie Merleau-Ponty immer wieder betont, gleichermaßen *zu den Sachen selbst* führen (PM; 21/22 bzw. Signes; 98/103), gilt dies konsequenterweise auch für das alltägliche Sprechen, das uns zumindest die Illusion vermittelt, „zu den Dingen selbst" vorzustoßen (Signes; 55). Dabei meint dies „Zu..." stets dasselbe, nämlich dem Typus bzw. dem Wesen einer Sache und damit der erscheinenden Welt selbst nahe zu kommen.

Unter dem Modus *Lebendigkeit* erfasst Merleau-Ponty das Kreative der Ausdrucksformen, dessen transzendenter Charakter menschlichen *Leib* wie empirische *Sprache* gleichermaßen überschreitet. Die *lebendige Sprache* gehört folglich in das Feld der *lebendigen Geschichtlichkeit* oder *Geschichtlichkeit des Lebens*. Sie ist jene Lebendigkeit, die den Künstler bei der Arbeit beseelt, „wenn er", wie Merleau-Ponty schreibt, „mit einer einzigen Geste die Tradition, an die er anknüpft mit jener verbindet, die er begründet" (79)[217]. Dementsprechend eröffnet der *lebendige Gebrauch der Sprache* „eine Diskussion, die nicht mit ihr endet" (96); was weiterhin heißt, dass dieses aufs Neue, Zukünftige geöffnete Feld sinnstiftend bzw. bedeutungsentfaltend ist, wobei jener *neue Sinn* in seinem Auftreten stets ein Sinn im Entstehen bleibt und im wahrsten Sinne des Wortes „Verheißung" (promesse d'événements: Signes; 87) ist.

Die Verknüpfung von Tradition (Vergangenheit), Gegenwart und Zukunft, auf die sich die *lebendige Sprache* einlässt, korrespondiert (1) mit Husserls Theorem der *lebendigen Gegenwart* (vgl. III. 1.3.) und kulminiert (2) in der Struktur der *Neuordnung*. Diese ist, indem sie auf ein etab-

---

[217] Zum Zusammenhang von *Geste* (künstlerisch-leiblicher Akt) und *abhebender Form* bzw. *Figuration* (Zeichnung) vgl. insbes. Jean-Luc Nancy, Les muses galilée, Paris 1994.

liertes Regel- und Lebenssystem (Welt) einwirkt, immer schon Reminiszenz an die Tradition und zugleich Ausblick auf jeden möglichen, zukünftigen Bedeutungswandel. Zur Illustration dieses Phänomens greift Merleau-Ponty auf Hegels Unterscheidung zwischen *Poesie* und *Prosa* zurück, und zwar primär im Sinne eines freien Einwirkens auf eine bestehende und begrenzte Ordnungsstruktur: „Die planimetrische Perspektive", schreibt Merleau-Ponty in *La prose du monde* (209),

> „vermittelte uns die Endlichkeit unserer Wahrnehmung, entworfen, abgeflacht und unter dem Blick eines Gottes zur Prosa geworden; dagegen geben uns die Ausdrucksmittel des Kindes, so diese bewusst durch einen Künstler in einer wahren schöpferischen Geste aufgegriffen werden, die heimliche Resonanz, durch die sich unsere Endlichkeit auf das Sein der Welt hin öffnet und sich in Poesie verwandelt."[218]

Während aber Hegel *Poesie* und *Prosa*, *Kunst* und wissenschaftliches bzw. begriffliches *Denken* (SW 14, Ästhetik III; 232) strikt voneinander trennt, behandelt Merleau-Ponty die scheinbaren Gegensätze als zwei Seiten einer Medaille, oder, um das Prinzip des Spätwerks anzuwenden, als *chiastische* Struktur einer *einzigen* Welt, in deren Rahmen sich die lebendige Auseinandersetzung mit der Tradition (Menschheitsgeschichte) immer schon abspielt. Auch deshalb „richtet sich der Rückgriff auf den rohen Ausdruck nicht gegen die Kunst der Museen oder gegen die klassische Kultur" (PM; 204).

Wenn Merleau-Ponty dennoch die Abkehr der modernen Kunst von der „prosaischen Auffassung der Linie", dem „prosaischen Raum" sowie dem „prosaischen Namen" bzw. der „prosaischen Kennzeichnung" (OE; 72-75) beschreibt, betont er die traditionelle Basis moderner Errungenschaften. Die Kritik an der *prosaischen Linie* schließe deshalb „keineswegs jede Linie in der Malerei aus, wie es die Impressionisten vielleicht geglaubt haben. Es geht nur darum, sie freizulegen, ihre konstituierende Kraft wieder aufleben zu lassen" (73f.). Das Moderne oder Gegenwärtige ist in die-

---

[218] Vgl. die offensichtliche Nähe dieses Zitats zu Hegels *Vorlesungen über die Philosophie der Geschichte* (Sämtliche Werke [SW], Bd. 11, Stuttgart 1928; 373) – auch wenn Hegel im Gegensatz zu Merleau-Ponty die Unterscheidung zwischen Poesie und Prosa hier an der griechischen bzw. römischen Kultur festmacht: „Von dem allgemeinen Charakter der Römer [...] können wir sagen, dass gegen jene erst wilde Poesie und Bekehrung alles Endlichen im Orient, gegen die schöne harmonische POESIE und gleichschwebende FREIHEIT DES GEISTES der Griechen, hier bei den Römern die PROSA DES LEBENS eintritt, das Bewusstsein der Endlichkeit für sich, die Abstraktion des Verstandes und die Härte der Persönlichkeit, welche ihre Sprödigkeit selbst nicht in der Familie zu natürlicher Sittlichkeit ausweitet, sondern das gemüt- und geistlose Eins bleibt und in abstrakter Allgemeinheit die Einheit dieser Eins setzt."

sem Sinne *lebendige Auseinandersetzung* mit der Tradition. Die poetische *Neu*ordnung der Welt, die die Kunstphilosophie Merleau-Pontys proklamiert, ist immer auch als grundsätzliche Wiederbelebung der Tradition zu verstehen; der moderne – künstlerische oder alltagssprachliche – Umgang mit etablierten Ausdrucksformen in diesem Sinne als Anerkennung der Klassik, ohne jedoch Huldigung zu sein (PM; 211).

Die *Lebendigkeit* rettet die Moderne zudem vor blinder Rückwärtsgewandtheit sowie vor jeder Form von Einseitigkeit. Indem Tradition, Gegenwart und Zukunft zueinander in Beziehung gesetzt werden, eröffnet sich ein unendliches und vielfältiges Feld an Möglichkeiten: ein Feld potenzieller *Neu*ordnung; ob es das *erste Sprechen* eines Menschen ist oder das wiederholte Aufgreifen ein und desselben Themas, wie im Falle Cézannes (III. 1.2.), oder, wie Merleau-Ponty herausarbeitet, im Falle Husserls. Dessen langwierige und etappenhafte Auseinandersetzung mit der Methode der Reduktion muss demnach als eigentlicher *Beginn des Forschens* verstanden werden, wobei das *Forschen* als solches und im Sinne Husserls „ein fortwährendes Neubeginnen" ist (Signes; 204).

Aber die Reduktion lässt sich auch in einem umgekehrten Sinn für die Illustration der Struktur der Neuordnung nutzbar machen – freilich in einem freien bzw. auf die Funktion der *künstlichen Einstellung* reduzierten Weise; eine Weise, die der Praxis des Künstlers entspricht, der im Geist der Neuordnung „die Kultur von Anfang an auf sich nimmt und sie neu begründet" (vgl. III. 1.1.).

Das *Abstand-Nehmen* zur eigenen kulturellen Basis ist der erste Schritt jeder *Neu*ordnung und jedes *Neu*beginns. Dies drückt sich, wie das zweite Hauptkapitel zeigen wird, nirgendwo deutlicher aus als im Bestreben Merleau-Pontys, Ende der 50er Jahre die früheren phänomenologischen Studien *unter neuen Vorzeichen* wiederaufzunehmen; wie es der Gedanke der *ontologischen Neuorientierung* im Spätwerk offenbart. Tatsächlich schließt sich hier der Kreis: Denn das Theorem der Neuordnung beruht konzeptionell auf dem Strukturbegriff, der seit dem Frühwerk (*La structure du comportement*, 1942) als Verbindung von Idee und Existenz[219] vorliegt. Nach diesem Modell erfordert ein „rein strukturales Denken", wie Waldenfels im Vorwort (SV; S. XVI) schreibt, „daß die Relationen zwischen den verschiedenen Ordnungen selbst noch als strukturelle, nicht als substanzielle Differenzen gedacht werden". Entsprechend setzt sich das *bedeutsame Ganze*, wie Merleau-Ponty die Ordnung der Welt nennt, aus Teilstrukturen, Super- und Infrastrukturen zusammen, die miteinander verflochten bzw. verzahnt eben jenes komplexe Ganze prägen, und die

---

[219] Vgl. Tilliette/Métraux (Speck, 1991; 199): Als eine „Verbindung von Idee und Existenz" sei die Struktur eine „der Natur und dem Gedanken nach fundamentale Wirklichkeit". Über den spezifischen und differenzierten Strukturbegriff Merleau-Pontys (198ff.).

für sich genommen dem Bewusstsein immer als *bedeutsames Ganzes* erscheinen (S. XIX/242).

Wenn die *Prosa* bzw. Hegels Prosaisches jene eingespielte Ordnung der Dinge in der Welt meint, eben dieses bedeutsame Ganze, die Erscheinung der Welt selbst (PP; 74), so kann man eine Neu- bzw. Umordnung, die nach Merleau-Ponty vorbildhaft in der Kunst geschieht, als Neuordnung bestimmter *Teil*strukturen des Ganzen verstehen. In diesem Sinne bleiben einzelne Strukturen erhalten, andere verändern sich oder werden aufgegeben. Der Vorgang, der sich auf unterschiedlichen Ebenen des Strukturmodells *Welt* abspielt, beeinflusst auf diesem Wege zugleich das eigentlich bedeutsame Ganze, die *Ordnung der Welt*.

Indem, das sei noch ergänzend hinzugefügt, *Bedeutung* und *Einzelstruktur* sowie *Ausgedrücktes* und *Ausdruck* untrennbar sind, erfährt mit dem strukturalen Wandel auch die ‚inkarnierte' Bedeutung eine entsprechende Veränderung. Die Möglichkeit der Einflussnahme ist bei Merleau-Ponty tatsächlich derart weit gedacht, dass die Kunst modellhaft *vorentwirft* und exemplifiziert, was schließlich in jedem aktiven Wirken *in* dieser Ordnung, dem Sprechen etwa, realisiert werden kann.

2. Der Philosoph und der Künstler

„Was ich Ihnen wiederzugeben versuche, ist weit rätselhafter; es ist mit den Wurzeln des Seins selbst verflochten – an der ungreifbaren Quelle der Empfindungen"[220], soll Cézanne einst gegenüber dem Schriftsteller Joachim Gasquet,[221] Sohn seines Kindheitsfreundes Henri Gasquet, erklärt haben. Merleau-Ponty stellte dieses Zitat an den Anfang seines späten Essays *L'œil et l'esprit*, den er 1960 fertigstellte.

In diesen Zeilen klingt an, welches Thema das Spätwerk Merleau-Pontys beherrscht: Die Frage danach, wie das *Sein* selbst methodisch erfahrbar gemacht werden könne. Gleichzeitig stehen diese Zeilen stellvertretend für die Verbundenheit von *philosophischem* und *künstlerischem* Bestreben im Werk des Phänomenologen, dem Sein durch die spezifischen Mittel von Philosophie bzw. Kunst zur Erscheinung zu verhelfen. Merleau-Ponty wird in der Folge als vermittelnder Denker der „réflexion" vorgestellt.

Diese Tendenz, dem Sein durch die spezifischen Mittel von Philosophie bzw. Kunst zur Erscheinung zu verhelfen, findet sich bereits in den

---

[220] « Ce que j'essaie de vous traduire est plus mystérieux, s'enchevêtre aux racines mêmes de l'être, à la source impalpable des sensations. » (OE; 7).

[221] Gasquet, Was er mir gesagt hat, in: Doran, 1982; 133-198. Von 1896 bis 1904 führte er zahlreiche Gespräche mit Cézanne. 1921 wurden Aufzeichnungen dieser Gespräche unter dem Titel *Was er mir erzählt hat* veröffentlicht. Vgl. auch unten III. 2.2.2.

frühen Schriften Merleau-Pontys, erfährt aber vor allem im Spätwerk für die Entwicklung der sogenannten *Intra-ontologie*[222], die ich im Folgenden als Projekt der Erneuerung, im Sinne einer ontologischen Neuroorientierung der Philosophie auch als *neue Philosophie* bezeichnen werde, entscheidende Impulse. Entsprechend ist seine grundsätzliche Kritik an der Phänomenologie husserlscher Prägung zu verstehen. Aus Sicht des eigenen Spätwerks heraus lehnt Merleau-Ponty den *deskriptiven* Charakter der Phänomenologie zugunsten einer *interrogativen* Methode ab: Die eigentliche, neue Philosophie habe ihre Aufgabe in der Befragung (interrogation) und nicht in der Beschreibung dessen, was ist (Vis; 139f.). „Die Notwendigkeit einer Rückkehr zur Ontologie", wie Merleau-Ponty in den Arbeitsnotizen zur *Le visible et l'invisible* (219) schreibt, liegt unter anderem darin begründet.

2.1. Das Konzept einer ‚neuen' Philosophie im Spätwerk Merleau-Pontys

Als Synonym jener neuen Methode, die Merleau-Ponty in *Le visible et l'invisible* als *indirekte Ontologie* (233) einführt, steht sie stellvertretend für den Hiatus zwischen Früh- und Spätwerk, genauer für jene methodische Entwicklung von der *Phänomenologie* des Frühwerks zur *Ontologie* des Spätwerks: Mit dem Entwurf einer Ontologie setzt sich Merleau-Ponty zunächst von Husserls Phänomenologie ab. Gleichzeitig beschreibt die *neue Philosophie* eine veränderte aber fortwährende Auseinandersetzung mit Husserl und dessen späten Schriften (Ideen II/Krisis). Man kann deshalb davon sprechen, dass sich das Spätwerk Merleau-Pontys aus einem doppelten Bestreben bestimmt: aus der Auseinandersetzung mit dem eigenen Werk einerseits, sowie aus der ‚Wiederentdeckung' bzw. Neubewertung systematischer Fragen im Anschluß an Husserl.

Die Wiederaufnahme von Teilstudien aus dem eigenen Frühwerk (SC, PP) soll vollständig aus ontologischer Perspektive heraus geschehen, schreibt Merleau-Ponty in den Arbeitsnotizen zu *Le visible et l'invisible* (Vis; 222). Die *Ontologisierung* seiner eigenen phänomenologischen Studien geht Hand in Hand mit der Kritik, die er aus der Sicht der husserlschen Spätschriften (v.a. Krisis) am frühen Husserl äußert. Deshalb hat Landgrebe (1967; 171) recht, wenn er über die kritische Auseinander-

---

[222] Wie das *Sein* selbst methodisch erfahrbar gemacht werden kann, kann als Leitfrage der späten Schriften Merleau-Pontys verstanden werden, sowie als Impetus einer, in Abkehr zur deskriptiven Methode husserlscher Phänomenologie entworfenen, Methode der *philosophischen Befragung* (interrogation philosophique), die Merleau-Ponty – in Abgrenzung zur klassischen Ontologie bzw. Metaphysik – als „Intraontologie" (Vis; 280), „Endo-ontologie" (ebd.) bzw. als „Innen-Ontologie" (ontologie du dedans; 290) bezeichnet. Siehe auch den Eintrag „Intraontologie" in: Dupond (2008, S. 123-126).

setzung Merleau-Pontys mit der Phänomenologie schreibt, dass sie keine Kritik ‚von außen her' sei, sondern „sozusagen eine Kritik an Husserl mit Husserl" (ebd.). Die Frage, die sich in diesem Zusammenhang von selbst stellt, nämlich ob Merleau-Pontys Spätphilosophie tatsächlich eine ontologische *Kehre* oder nicht vielmehr eher eine Wieder*aufnahme* oder *Weiterführung* der Phänomenologie unter veränderten Vorzeichen bedeutet, soll in einem späteren Kapitel zur Diskussion gestellt werden.

Zunächst steht das Konzept der ‚neuen' Philosophie im Mittelpunkt der Untersuchung, das (1) eine Ontologie meint, die (2) notwendig als *indirekte* Methode begriffen werden muss. Und zwar deshalb, weil die indirekte Vorgehensweise unabdingbar für das eigentliche Ziel ist, (3) einen tieferen Zugang zum Sein zu bekommen.

Mit diesem Bestreben geht, wie im folgenden Kapitel zu sehen sein wird, die Entdeckung bzw. Erkundung des sogenannten „wilden Seins" (être sauvage: Vis; 139) einher. Merleau-Pontys Ansätze zu einer *Ontologie der Natur*[223], die in gewisser Weise als Fortsetzung der Analysen zur Lebenswelt Husserls gelten können, sind Ergebnis der proklamierten *indirekten* Methode. In den Arbeitsnotizen (233) schreibt er, dass seine indirekte Methode „die einzige dem Sein gemäße" Methode sei, weil das ‚Sein' allein über das ‚Seiende' erreicht werden könne, „in der Abweichung vom Seienden und seinen Ordnungen"[224]: In aller Deutlichkeit wendet sich Merleau-Ponty gegen eine *direkte* Ontologie und gegen Heidegger, der „stets einen direkten Ausdruck des Fundamentalen gesucht" (RC2; 156) habe. Die Etablierung der indirekten Methode in *Le visible et l'invisible* stellt einen deutlichen Bruch mit den Schriften des Frühwerks dar, in denen sich Merleau-Ponty noch für eine direkte Klärung philosophischer Sachverhalte ausspricht[225]: In der *Phénoménologie* zweifelt er nicht daran, dass die Menschen einen direkten Zugang zur Welt besitzen: Was Bewusstsein in Wort und Begriff bedeutet, wissen wir, weil wir „die

---

223 Vgl. Merleau-Ponty, La Nature, Notes, Cours du Collège de France, (hrsg.v. Dominique Séglard) Paris 1996. Und vgl. auch: Good, 1970; 238/239.

224 Vgl. Waldenfels, Maurice Merleau-Ponty, in: Giuliani, Merleau-Ponty und die Kulturwissenschaften, München 2000; 26: Merleau-Ponty nehme, so Waldenfels, an dieser Stelle „deutlich Abstand von Heideggers Seinsdenken, dem er sich in vielerlei Hinsicht verbunden" wisse: „Daß wir vom Sein her denken und sprechen heißt nicht, daß letzten Endes das Sein selber spricht. Auch das, was den Raum des Sichtbaren und Sagbaren übersteigt und sprengt, zeigt sich in seinem Entzug in Form einer „Urpräsentation des Nichturpräsentierbaren", wie es in wiederholter Anspielung auf Husserl heißt. Mit ihrem Rückbezug auf das, was sich zeigt, bleibt diese indirekte Ontologie eine phänomenologische Ontologie" (27). Vgl. auch III. 2.1.3.

225 Ders., Einleitung zur deutschen Übersetzung von *La structure du comportement* (Die Struktur des Verhaltens, Berlin 1976; 3/Fußnote).

Erfahrung von uns selbst, von dem Bewusstsein, das wir selber sind" (PP; p. X), besitzen.

Die Beschränktheit der *direkten* Methode wird für Merleau-Ponty erstmals am Dilemma der phänomenologischen Reduktion offenkundig, niemals vollständig zu sein (p.VIII). Demnach verhindere die Körperlichkeit des Menschen die Erfahrung des primordialen Seins (p. VIII): „Wären wir absoluter Geist, die Reduktion wäre unproblematisch."

Andererseits weiß Merleau-Ponty bereits in *La structure du comportement* (1942) von den Vorzügen eines *indirekten* Verfahrens. Zumindest zieht er es jeglicher Schein-Direktheit vor (SC; p. X). Untersucht man zudem das Werk des Übergangs auf Charakteristika indirekter Verfahren, gerät das diakritische Zeichensystem Saussures notwendigerweise in den Blick: Der Stellenwert, der dem *bedeutungs*bildenden Wechselspiel der Phoneme bzw. Worte in den linguistischen Studien Merleau-Pontys zukommt, ist bekannt (II. 2.2). Das Theorem des ‚Zwischen' kann deshalb als erster Schritt zur Etablierung der *indirekten* Methode im Spätwerk gelten, die in den späten Schriften nur das Ziel kennt, dem Sein über dessen *Existenz*- bzw. *Erscheinungs*formen über das Seiende nahe zu kommen. So begreift Merleau-Ponty die neue Philosophie auch als Philosophie der „*Öffnung auf das Sein*" (Vis; 135).

2.1.1. Über das ‚Sein'

Diesem Sein nachzuspüren, gilt das Hauptaugenmerk des Spätwerks. Ausgehend von der Prämisse, dass das Sein immer schon da ist (l'Être déjà là) – und zwar nicht im Sinne eines Objekts Thema subjektiver Reflexion ist, sondern als *vorgängiges* Sein, das autochthon[226] vor jeglicher Einflussnahme des Menschen existiert und seinen Grund in sich selber hat[227]. Bereits in der *Phénoménologie* ist Merleau-Ponty im Sinne Husserls davon überzeugt, dass „die Welt vor aller Analyse ist" (PP; p. IV).

Um dieses „Être déjà là, précritique" (Vis; 255f.) sprachlich genauer zu fassen, führt Merleau-Ponty eine ganze Reihe synonymer Bezeichnungen ein: Das sogenannte *wilde* oder *vertikale Sein* (l'être brut[228], sauvage,

---

[226] In der *Phénoménologie* schreibt Merleau-Ponty (503): « Il y a un sens autochtone du monde qui se constitue dans le commerce avec lui de notre existence incarnée ».

[227] Vgl. NC; 107: « *Sein* comme φυσις: une présence qui […] se manifeste « von selbst » au sens de Husserl. » Und ferner (ebd.): « Chez Heidegger, l'être est son propre possible, i.e. il y a une auto-création continuée ».

[228] Hier mag Jean Dubuffets *art brut* anklingen (vgl. Waldenfels, Vorwort zur Prosa der Welt, 1984; 10), aber auch A. Malrauxs *expression brute*, die Merleau-Ponty in *Le langage indirect et les voix du silence* (Signes; 64) zitiert. Merleau-Ponty erwähnt das *wilde Sein* (l'être brut) erstmals in *Les aventures de la dialectique* (1955).

vertical) meint – analog zur Primordialität – ein naturhaftes, unzivilisiertes Sein, das jeglicher Kultur (damit sind auch die Wissenschaften sowie die Philosophie gemeint) erst den Boden bereitet. In diesem Sinne ist es dem Wesen nach ein *stummes, schweigendes* Sein, weil es jenseits der philosophischen Sprache liegt (Kwant, 1966; 187). Besonders in diesem Aspekt zeigt sich die Schwierigkeit, vor der Merleau-Ponty steht, wenn er das Vorhaben der Spätschrift folgendermaßen auf den Punkt bringt: „Unentbehrlich ist es, das vertikale oder wilde Sein als jenes vorgeistige Milieu zu beschreiben, ohne das nichts denkbar ist, auch nicht der Geist" (Vis; 257).

Mit der sogenannten *Intra-Ontologie* (Intra-ontologie: Vis; 280; ontologie du dedans; 290), legt Merleau-Ponty nur scheinbar ein monadologisches Seinskonzept vor: Wenn er in der Auseinandersetzung mit Jean-Paul Sartre die Tiefenstruktur der eigenen Ontologie betont, geht es ihm um die *Komplexität* und *Strukturiertheit* des Seins[229], was bereits im Begriff des *vertikalen* Seins anklingt. Gleichzeitig wendet sich Merleau-Ponty mit dem Konzept der Intra-ontologie gegen das *kausale* Denken, dessen Blick auf die Welt, wie er schreibt (280), ein äußerer ist und der Blickrichtung eines ‚Kosmotheoros' entspricht. Allein die Idee der Transzendenz vermag nach Merleau-Ponty (ebd.) das *kausale* Denken zu ersetzen – und zwar im Sinne einer Welt*innensicht*, das heißt einer Sicht auf die Welt, die in ihr selbst, durch den ihr innewohnenden Menschen geschieht[230]. Wie illustrativ diese Feststellung für die Beschreibung des ‚Seins' selbst ist, zeigt folgendes Zitat (116):

> „[W]as die Bezeichnung Sein verdient ist nicht der Horizont eines « reinen » Seins, sondern das System der Perspektiven, die dort einführen, dass das Sein als solches [frz. : l'être intégral] sich nicht vor mir befindet, sondern an der Kreuzung meiner Blicke und dort, wo sich meine Blicke mit dem der anderen kreuzen, an der Schnittstelle meiner Handlungen und dort, wo sich mein Tun mit dem der anderen überschneidet".

---

[229] Merleau-Ponty schreibt (Vis ; 290): « Sartre parle d'un monde qui est, non pas vertical, mais en soi, c'est-à-dire plat ». Zudem wendet sich Merleau-Ponty gegen das Konzept eines *linearen* Seins zugunsten das eines *strukturierten* Seins (291).

[230] Unverkennbar ist die Nähe dieser Terminologie zu Heideggers Beschreibung des *inner-umweltlichen* Seienden bzw. der Definition des *innerweltlichen*, im Sinne eines *innerräumlichen* Seins des Seienden wie des Daseins (GA, Bd. 2, Sein und Zeit; 89/136). „Das Dasein ist nicht unter den Dingen auch vorhanden", schreibt Heidegger in *Grundprobleme der Phänomenologie* (GA, Bd. 24; 234), „nur mit dem Unterschied, daß es sie erfaßt, sondern es existiert in der Weise des *In-der-Welt-Seins*, welche *Grundbestimmung seiner Existenz* die *Voraussetzung* ist, *um überhaupt etwas erfassen zu können*."

Die Körperlichkeit des Menschen wird im Spätwerk konsequenter noch als in der *Phénoménologie* zur Bedingung der Möglichkeit der Seinserfahrung. Dieser Wandel mag sich ganz allmählich vollzogen haben. Zugleich ist es wahrscheinlich, dass Merleau-Pontys Lektüre Henri Bergsons bzw. Louis Lavelles zur Vorbereitung auf die Antrittsvorlesung am 15. Januar 1953 am *Collège de France* (mit dem Titel *Éloge de la philosophie*) entscheidend dazu beitrug. „Um die Sachen selbst zu erreichen," zitiert er Bergson (EP; 22f.), „braucht der Philosoph nicht aus sich selbst auszubrechen, da er in seinem Innesein durch diese aufgesucht und verfolgt wird". Noch weiter geht ein Zitat Lavelles (15f.): „In uns – in uns allein – können wir an das Innere des Seins rühren, denn einzig da finden wir ein Sein mit Innerlichem, das eigentlich nichts anderes als eben dieses Innere ist."

Merleau-Pontys Augenmerk mag hierbei neben der grundlegenden Beziehung zwischen dem *Sein* und dem *Philosophen* vor allem der Frage gegolten haben, wie das Sein für den Philosophen erfahrbar sei. Für ihn stand fest, dass diese Beziehung nicht *frontaler*, sondern *ko*existenter Natur sein musste – im Sinne einer „Komplizenschaft" (EP; 23). „Wenn philosophieren heißt," schreibt Merleau-Ponty ebenda, „den ersten Sinn des Seins zu entdecken, philosophiert man folglich nicht außerhalb der menschlichen Situation."

Merleau-Pontys *Suche* nach dem Sein korrespondiert mit der Befragung der sogenannten *stummen* bzw. *schweigenden* Welt. Anders als etwa im Werk des Übergangs geht es ihm weniger um deren sprachliche Übersetzung als vorrangig um die philosophische Erfahrbarkeit, d.h. die Übersetzung in spezifisch *philosophische* Termini. Entsprechend bekommt das Phänomen als das, was erscheint und sinnlich erfahrbar ist, in der Ontologie des Spätwerks eine herausragende Bedeutung[231]. Besonders deutlich wird dies an dem Begriffspaar *le visible – l'invisible* (Das Sichtbare, das Unsichtbare), das Merleau-Ponty erstmals im späten Hauptwerk[232] einführt: Während das *Sichtbare* das sinnlich Erfahrbare, das im eigentlichen Sinne ,Greifbare' meint, etabliert Merleau-Ponty mit dem *Unsichtbaren* eine andere Erfahrungs- bzw. Wahrnehmungsordnung[233]. Damit löst er sich zwar begrifflich von Husserl, nimmt dessen phänomenologische Analyse aber unter neuen Vorzeichen wieder auf. Das Theorem des *Unsichtbaren* deckt sich zumindest im Ansatz mit dem Gedanken der *nicht-*

---

[231] François Heidsieck, L'ontologie de Merleau-Ponty, Paris 1971; 103.
[232] Gemeint ist jene Schrift, die Merleau-Ponty 1959 ursprünglich unter dem Arbeitstitel *L'origine de la vérité* beginnt. Lefort hat das fragmentarisch gebliebene Werk samt Arbeitsnotizen 1964 aus dem Nachlass unter dem Titel *Le visible et l'invisible* herausgegeben.
[233] Johnson weist zu Recht darauf hin, dass das „Unsichtbare" nicht als bloß „Nicht-Sichtbares" misszuverstehen ist (Johnson, 1993; 52).

sinnlichen Wesenheiten (= ideale Gegenstände), die Husserl[234] durch die Analyse der Phänomene, an denen sich *Empirisch-Reales* (Sinnliches) zeigt, zu entdecken hofft. Insofern dem Sinnlichen, laut Husserl, *Nicht-Sinnliches* zugrunde liegt, kann der Übergang – sowohl bei Husserl als auch bei Merleau-Ponty – vom Sinnlichen/Sichtbaren zum Nicht-Sinnlichen/Unsichtbaren als ein Übergang zu einer anderen, gegebenenfalls neuen Ordnung[235] verstanden werden. „Was wir Sichtbares nennen", schreibt Merleau-Ponty (Vis; 180), „ist, wie wir sagen, eine Qualität, die eine Textur in sich trägt, die Oberfläche einer Tiefe, ein Schnitt durch ein massives Sein, ein Körnchen oder Teilchen, getragen von einer Woge des Seins." Das Unsichtbare wiederum „(...) ist da, ohne Objekt zu sein; es ist reine Transzendenz, ohne ontische Maske" (282f.).

Diese Zuordnungen, die die ontologische Differenz zwischen Sichtbarem und Unsichtbarem ‚verbildlichen' (Herkert, 1987; 116), lassen sich in drei Hauptcharakteristika einteilen: Sie unterscheiden sich demnach strukturell, dimensional und hinsichtlich ihrer Profundität. Gleichzeitig versteht Merleau-Ponty diese Differenzen als kategoriale Verknüpfung von sichtbarem Sein und unsichtbarem Hintergrund. Am Beispiel der Zuordnung Sinnliches/Idee wird deutlich, wie sehr die unsichtbare Struktur des Ontischen das *Logische* ist (Herkert, 116f.): Die Idee, die einem Musikstück oder der Literatur zugrunde liege, ist kein *faktisch* Unsichtbares, das irgendwann sichtbar werde, wenn der Schleier, der es verdeckte, gelüftet würde. „Hier gibt es im Gegenteil", so Merleau-Ponty (Vis; 196), „kein unabgeschirmtes Sehen [frz.: vision sans écran]: Die Ideen, von denen wir sprechen, würden von uns nicht besser erkannt werden, wenn wir keinen Körper und kein Empfindungsvermögen hätten; sie wären doch für uns unzugänglich". Es bedarf grundsätzlich des Sinnlichen bzw. des Seienden, um die tiefer liegenden Strukturen bzw. Dimensionen, die Merleau-Ponty in Anlehnung an Husserl als ‚Ideen' bezeichnet, aufzuspüren – wenn auch niemals im Sinne einer unverhüllten Wahrnehmung oder vollständigen Erfahrung (Vis; 175/197): Das Unsichtbare ist zwar *logische* Struktur und *rationale* Tiefe des Sichtbaren, bedarf aber der „differentiellen Lücken" des Ontischen, um überhaupt zu sein (Herkert, 116).

---

[234] Vgl. Husserls Modell der eidetischen Reduktion (u.a. oben II. 2.1.), sowie dessen grundsätzliche Unterscheidung zwischen einer *Sphäre reiner Sinnlichkeit* und einer *Sphäre des (kategorialen) Verstandes* (LU) – anknüpfend an Kants Unterscheidung zwischen *Sinnes-* und *Verstandes*welt (vgl. auch: Philon von Alexandreia: κοσμος αισθησος – κοσμος νομος bzw. Augustinus: *mundus sensibilis – mundus intelligibilis*).

[235] Nicht umsonst bezeichnet Merleau-Ponty (Vis; 224) das Sein (im Sinne Heideggers) als *vor*sprachlichen Logos (λογος ενδιαθετος), der nach dem sprachlichen Logos (λογος προφορικος) rufe; als λογος, der sich in jedem wahrnehmbaren Ding *stillschweigend* artikuliere (261) und im wahrsten Sinne des Wortes nach sprachlichem Ausdruck verlange.

Mit *le visible/l'invisible* überwindet Merleau-Ponty schließlich auch den Dualismus, der etwa in Sartres[236] Rede vom *Sein* (Etre) und *Nichts* (Néant) angelegt ist und mit dem sich Merleau-Ponty immer wieder kritisch auseinander setzt[237]. Sichtbares und Unsichtbares schließen sich, wie bereits deutlich wurde, nicht gegenseitig aus, sondern sind vielmehr zwei Seiten einer Medaille, die einander bedingen und begrenzen. Merleau-Ponty bezeichnet diese Form der *Koexistenz* in Anlehnung an Paul Valéry als *Chiasma*[238]. Er übernimmt, mehr noch als den Begriff, den Gedanken, den Valéry[239] anhand sich kreuzender Blicke exemplifiziert: die Verbindung zweier grundsätzlich entgegengesetzter Faktoren, Gesichtspunkte, Dimensionen – in einer Weise, die sie strukturell erhält und zugleich in neuer Form zueinander in Beziehung setzt. In den Arbeitsnotizen zum Spätwerk schreibt Merleau-Ponty (Vis; 317/16 novembre 1960): Allein durch das Modell des Chiasmas

> „gibt es einen Übergang vom « An-sich » oder Für-andere. Tatsächlich gibt es weder mich noch den anderen in einem positiven Sinne, als positive Subjekte. Sie sind zwei andere, zwei Öffnungen, zwei Schauplätze, auf denen sich etwas abspielen wird – und beide gehören zur gleichen Welt, zum Schauplatz des Seins."

---

[236] Merleau-Ponty grenzt sich von dessen Begrifflichkeiten bewusst ab. Im Vorwort zu *Signes* (1960; 30) schreibt er: « Plutôt que de l'être et du néant, il vaudrait mieux parler du visible et de l'invisible, en répétant qu'ils ne sont pas contradictoires. »

[237] Vgl. Vis; 95: Hier unterscheidet Merleau-Ponty einen *engeren* bzw. einen *weiteren* Begriff (l'Être au sens restreint/l'Être au sens large). Während ersterer das Nichts (das keines bedarf, um sich abzugrenzen) absolut ausschließe, enthalte letzterer das Nichts (um vollständig Sein werden zu können). Diese beiden Seinsbegriffe (Merleau-Ponty nennt sie Bewegungen) fallen aber nicht zusammen, sondern *kreuzen* einander. Marcel Gauchets Überlegungen (in: Arc, 1971; 30) zum Seins-Begriff Merleau-Pontys schließen in gewisser Weise daran an: Heideggers Frage, „warum das Sein ist und vielmehr nicht Nichts", beantworte Merleau-Ponty nach Gauchet mit: „weil das Etwas mit dem Nichts k o m m u n i z i e r e" (ebd.).

[238] Er tut dies erstmals in *L'homme et l'adversité* (1951/Signes; 294). In *Philosophie et non-philosophie depuis Hegel*, einer Vorlesung von 1961 (als Nachschrift und in deutscher Übersetzung in Vorlesungen I; 239), schreibt er, dass ihm „das Wort ,Chiasma' durch eine Stelle in Valérys Tel quel suggeriert worden" sei. Als Modell des Hegelschen Absoluten verweist hier das „nicht reduzierbare und unaufhebbare Chiasma" (ebd.) zunächst auf die Gleichrangigkeit der beiden Bedeutungen des Absoluten, (a) *Immanenz* (An-sich-Sein) und (b) *Offenheit* (Für-uns-Sein). Jede chiastische Beziehung – etwa zwischen Sichtbarem und Unsichtbaren – ist gemäß dem Aristotelischen Potenzbegriff – eine, wie Merleau-Ponty es ausdrückt „stets bevorstehende und niemals realisierte Reversibilität" (Vis; 194). Herkert (1987; 126) merkt an, dass die Analyse der leiblichen Doppelempfindung ergeben habe, dass die Umkehrbarkeit immer ,unvollständig' bleibe: „es bleibt ein Sprung, ein Abstand. Die Symmetrie, die im Begriff der Reversibilität impliziert ist, ist grundsätzlich eine gebrochene Symmetrie."

[239] Valéry, Tel quels, Choses tues, VI; Paris, 37f.

Der Aspekt des *Kreuzens* bzw. der *Verflechtung* (entrelacs) ist bereits offenkundig in der Form des griechischen Buchstabens *chi* (χ)[240]. Indem Merleau-Ponty auch den Aspekt der *Umkehrbarkeit* (réversibilité) hervorhebt, verweist er noch deutlicher auf die Gleichrangigkeit bzw. Gleichwertigkeit beider Dimensionen. Das wichtigste Ergebnis des *chiastischen* Strukturmodells ist die Überwindung der dualistischen Form[241]. Paul Good hat das bereits 1970 auf die Formel gebracht (250): „Umkehrbar ist etwas nur an ihm selbst, insofern die verschiedenen Seiten bereits ein Ganzes bilden, so dass der Anteil der anderen nicht streng unterschieden werden kann."

Für das Spätwerk stellt das *Chiasma* nicht nur einen Schlüsselbegriff dar, sondern lässt sich als bestimmendes Modell in vielerlei Hinsicht wiederentdecken, etwa auf der Wahrnehmungs- und Sprachebene, zwischen Sehen und Denken, Ding und Idee, Natur und Geist. Das *chiastische* Modell findet sich zudem in einer Beobachtung, die Merleau-Ponty in der ontologischen Weiterführung seiner Leibphilosophie (II. 1.) macht: Das menschliche Weltverhältnis ist danach *elementares Leibverhältnis*. Der menschliche Körper ist *Ermöglichung* und *Begrenzung* des *Sehens* zugleich, was soviel heißt, dass der Körper den menschlichen *Blick auf die Welt* im Sinne eines Erfahrungs- bzw. Bezugssystems ermöglicht sowie gleichzeitig auch immer schon einschränkt (PP). Dazu gesellt sich in den späten Schriften ein *äußeres* Verhältnis, das den Blick *auf* den Menschen *in* der Welt richtet: Der Mensch ist nicht nur *sehend*, d.h. für jegliche Sinneswahrnehmungen empfänglich, sondern zugleich (für andere) *sichtbar*, d.h. selbst ein wahrnehmbarer sinnlicher Reiz; und damit gewissermaßen den Dingen und der Welt – zumindest was den körperlichen Aspekt betrifft – gleichgestellt (OE; Vis). Diese Beobachtung, gleichzeitig immer schon *Subjekt* wie *Objekt* zu sein, sehend und sichtbar, berührend und berührbar, gibt Anlaß zu einer neuartigen strukturalen Definition dessen, was Merleau-Ponty, wenn er dafür im Frühwerk einen Begriff gehabt hätte, am ehesten als *Weltkörper* bezeichnet hätte. Die ‚philosophie du *corps*' des Frühwerks wird durch die ontologische Neuorientierung in den späten Schriften zur ‚philosophie de la *chair*' (NC; 202 bzw. Madison, 1973; 183).

Mit chair (dt.: Fleisch) meint Merleau-Ponty ein *gemeinsames Gewebe* (tissu commun) der Welt, aus dem *Sein* und *Seiendes* gewissermaßen ‚gemacht' sind bzw. „worin sie aufgehen" (Vis; 257). *Chair* bietet durch seine spezifische Beschaffenheit einen möglichen Lösungsansatz für ein

---

[240] Vgl. dazu v.a. Herkert, 1987; 124ff. (3.3.3. Die Einheitsdifferenz: das Chi).

[241] Vorrangig geht es Merleau-Ponty freilich um die Überwindung des kartesischen Dualismus von *res extensa* (l'étendue) bzw. *res cogitans* (la pensée): « la distinction immédiate et dualiste du visible et de l'invisible, celle de l'étendue et de la pensée étant récusées, […] parce qu'elles sont l'une pour l'autre l'envers et l'endroit, et à jamais l'une derrière l'autre » (Vis; 200).

zentrales Thema im Werk Merleau-Pontys, der Beziehung zwischen Subjektivem und Objektivem: Ende der 50er Jahre entwickelt er die Grundstruktur des chiastischen Modells in der Auseinandersetzung mit Husserls
Ideen II (Hua IV; 146). Die im menschlichen Körper aufgehende Unterscheidung von Subjekt und Objekt (Signes, PO; 211) veranschaulicht er
an einem Beispiel: Über das Verhältnis eines Menschen, der über den Tastsinn nicht nur einen Gegenstand ‚begreift‘, sondern sich selbst als *Berühr-*
ten erfährt, schreibt Merleau-Ponty (210): „Die Beziehung kehrt sich um;
die berührte Hand wird berührend, und ich bin verpflichtet zu sagen, dass
das Berühren hierbei mit dem Körper zusammenfällt, dass der Körper
‚empfindendes Ding‘, ‚subjektives Objekt‘ ist"[242].

Diese Beobachtung überträgt Merleau-Ponty mit der Dimension der
chair auf die Welt: Die Unterscheidung[243] zwischen subjektiver *chair du*
corps und objektiver *Fleisch-Leiblichkeit*, der *chair du monde* (Vis; 302)
wird im chiastischen Modell zusammengeführt: „Als natürlicher Mensch
befinden wir uns in uns wie in den Dingen, in uns und im anderen – befinden wir uns an einem Punkt wo wir durch eine Art Chiasma zu anderen
werden ebenso wie wir Welt werden." (212) Merleau-Ponty beschreibt *la*
chair[244] nicht umsonst als einen neuartigen, in der Philosophie einmaligen
und bisher unbekannten Begriff (Vis; 193f.):

> „Als formendes Milieu von Objekt und Subjekt ist es kein Atom
> des Seins, nicht hartes Ansich, das an einen einzelnen Ort und an
> einen einmaligen Moment gebunden ist: [...] Chair lässt sich nicht
> von den Substanzen, Körper und Geist, aus denken, weil chair
> sonst eine Einheit von Gegensätzen wäre, sondern [...] als Ele-
> ment, als konkretes Emblem einer allgemeinen Seinsweise."

---

[242] Beide Begriffe übernimmt Merleau-Ponty von Husserl (Hua IV, Ideen II; 119).

[243] Mit dieser Unterscheidung korrespondiert die zwischen *Sinnlichem* (sensible) und
Empfindenden (sentant). Daran anschließend wird zudem verständlich, warum das
„Fleisch-leibliche des Körpers" (Vis; 304) über das „Fleisch-leibliche der Welt" (im
Sinne eines intelligiblen Apriori/vgl. Jean Greisch, AF, 1999; 75) als *Eigenleib* be-
griffen werden kann (zum *Eigenleib* vgl. oben II. 1.1.).

[244] Entsprechend schwierig gestaltet sich die Übersetzung: Merleau-Ponty erwähnt
diesen Begriff erstmals in *Le Philosophe et son ombre* (1959/Signes; 211), als er
Husserls *leibhaftig* ins Französische überträgt (*en personne* oder eben *en chair*). Von
dieser Bedeutung aus muss *chair* gedacht werden, wenn auch nur im Sinne einer
Richtungsanweisung. Im Deutschen wird *chair* gewöhnlich mit *Fleisch* übersetzt,
„um", wie Waldenfels in der Übersetzung von *Le Visible et l'invisible* schreibt (SU,
1986; 193/ Fußnote), „den elementaren, textuellen, potenzhaften Charakter dieses
‚Milieus‘ zu wahren und eine anthropologisch verengte Auffassung fernzuhalten".
Davon will Merleau-Ponty bekanntlich ausdrücklich nichts wissen (Vis; 179): «
Quand nous parlons de la chair du visible, nous n'entendons pas faire de
l'anthropologie ». Darüberhinaus gibt es keine Anzeichen dafür, das Merleau-
Pontys Einführung des chair-Begriffs in irgendeiner Weise religiös motiviert war
(vgl. Bermes, 1998; 148f.).

Somit wäre es schlechthin falsch, anzunehmen, dass *chair* dem *Sein* (Être) entspricht[245]. Offensichtlich zeigt es aber – auf phänomenaler Ebene – das Sein selbst an, ist also *emblematische* Struktur des Seins. In diesem Sinne lässt sich annehmen, dass *Être* und *chair* zwei *Blattseiten* eines eigenen Chiasmas sind. *Chair* ist, weil es „Prototyp des Seins" (Vis; 171) ist, dessen Muster, Modell oder Schnittfläche, und bringt – wie die Töne eine musikalische Idee – als Sichtbarkeit (la Visibilité) und allgemeine Sinnlichkeit (le Sensible généraux)[246] die *Seinsidee* bzw. das *Sein* zum Vorschein.

Chair entzieht sich, wie Merleau-Ponty ausdrücklich betont, der Einteilung in klassische Begriffe wie Materie, Geist oder Substanz, steht aber in unmittelbarer Nähe des vorsokratischen *Element*-Begriffs[247]. Ähnlich wie die Elemente Wasser, Erde, Feuer und Luft keine Dinge bezeichnen, sondern vielmehr *Quellen aller Dinge* (Madison, 1973; 191[248]) sind, muss *chair* dimensional-*ontisch* verstanden werden.

Es scheint mindestens zwei Argumente dafür zu geben, warum Merleau-Ponty den Begriff *chair* im Spätwerk einführt:

Einerseits gelingt es ihm auf diese Weise, konkurrierende Verhältnisse durch die integrative Funktion des chiastischen Grundmodells in *ko*existierende Verhältnisse umzukehren; sowie andererseits die spezifische Erfahrung des Eigenleibs über den Begriff des *Fleisch-Leiblichen* (chair) auf

---

[245] Bei einer solchen Annahme, wie sie etwa Herkert (1987; 141) und auch Madison (1973; 191ff.) vertreten, müsste vor allem darüber diskutiert werden, warum Merleau-Ponty selbst darauf verzichtete (zumindest in den veröffentlichten Schriften), *chair* und *Sein* derart zueinander in Beziehung zu setzen.

[246] *Chair* ist die sichtbare Oberfläche des Seins: « l'être vu »; « *éminemment percepi*, et c'est par elle qu'on peut comprendre le *percipere* » (Vis; 304). Und *chair* ist das Sinnliche in einem doppelten Sinne: « de ce qu'on sent et de ce qui sent » (Vis; 313). Vgl. dazu Renaud Barbaras, De l'être du phénomène, Sur l'ontologie de Merleau-Ponty, Grenoble 1991; 196ff./229ff..

[247] Vis; 184: « La chair n'est pas matière, n'est pas esprit, n'est pas substance. Il faudrait, pour la désigner, le vieux terme d'« élément », au sens où on l'employait pour parler de l'eau, de l'air, de la terre et du feu, c'est-à-dire au sens d'une chose générale, à mi-chemin de l'individu spatio-temporel et de l'idée, sorte de principe incarné qui importe un style d'être partout où il s'en trouve une parcelle. La chair est en ce sens un « élément » de l'Être. »

[248] Madison bezieht sich hier vermutlich auf das Fragment *Über die Natur* von Empedokles. Hier heißt es (23.10): „so ist auch (10) die Quelle aller sterblichen Dinge, wenigsten der unzähligen, die uns deutlich geworden sind, keine anderen als *dies (die Elemente)*." (Hervorhebungen gemäß der Übersetzung von Herman Diels, Die Fragmente der Vorsokratiker, Griechisch und Deutsch, Erster Band, Berlin ²1906, S. 182/Zeile 30f.).

die Welterfahrung im allgemeinen auszudehnen[249] – d.h. die ontologische Verortung des Menschen in der Welt bzw. im Sein als Ausgangspunkt einer umfassenden Seinsanalyse zu begreifen. Des Weiteren eröffnet sich ihm dadurch, wie etwa Waldenfels[250] meint, die gesuchte sogenannte *dritte Dimension*[251] – freilich nicht auf Anhieb, sondern durch die Ausarbeitung dieses Begriffs in *Le visible et l'invisible* bzw. in *L'œil et l'esprit*: Die dritte Dimension habe demnach bereits im Frühwerk in den Begriffen *Gestalt* und *Struktur* als Vorentwurf vorgelegen und in den 50er Jahren schließlich die Form einer *symbolischen Zwischenwelt* angenommen (Waldenfels, 2000; 17/ 21). Im Spätwerk suchte Merleau-Ponty die *dritte* Dimension „nicht mehr in einem Vorbereich, sondern in einem Zwischenbereich" (ders., 1985; 68).

Tatsächlich erhält der Aspekt des *Zwischen* seit den sprachphilosophischen Schriften (Li, RC1, PM), *maßgeblich* durch das diakritische Zeichenmodell Saussures, zunehmend Bedeutung für das philosophische Gesamtkonzept Merleau-Pontys – das gilt auch für das Spätwerk. Die Suche nach der *dritten* Dimension mag entsprechend in jenem ‚Zwischenbereich' erste Ergebnisse zur Folge gehabt oder Möglichkeiten offen gelegt haben. Freilich scheint damit nicht mehr als eine Tendenz im Spätwerk angezeigt zu sein. Denn gerade der Begriff *chair* umfasst als weitere strukturale Bestimmung eben auch den so genannten *Vorbereich*, der, so Waldenfels, „immer noch so etwas wäre wie die Vorhut des Bewusstseins" (ebd.).

---

[249] In diesem Sinne schreibt Kwant (1966; 163): "the flesh constitutes the unity and the cohesion of our body. The unity which embraces all the things of the world and also our body is conceived by Merleau-Ponty as a kind of prolongation of our body".

[250] Waldenfels (Giuliani, 2000; 17) bezieht sich dabei auf einen ‚Rechenschaftsbericht' von 1952, in dem Merleau-Ponty diese *dritte Dimension* erstmals erwähne: „einer Dimension diesseits von Subjekt und Objekt, von Aktivität und Passivität, in der philosophischen Reflexion und positives Wissen sich begegnen können". Jenen ‚Rechenschaftsbericht', den Geraets (1971; 37) und Lefort (PM; p. XI) als *Titres und Travaux* bezeichnen, identifiziert Malraux (Vorlesungen I., 257f.) als ‚Exposé', das ungefähr zeitgleich zur so genannten *Schrift für die Kandidatur am Collège de France* (= Inédit) entstanden sein müsse. Vgl. auch: Herkert, 1987; 118. Merleau-Ponty erwähnt eine *dritte Dimension* zudem in der Auseinandersetzung mit Husserl (PO; 205): Seit den Ideen II habe die Reflexion bei Husserl demnach „die Aufgabe, eine dritte Dimension zu enthüllen, wo diese Unterscheidung [zwischen Subjektivem und Objektivem] problematisch wird."

[251] In *Vis* (49) schreibt Merleau-Ponty, dass der Philosoph die im so genannten *Wahrnehmungsglauben* (la foi perceptive) angelegte Unterscheidung zwischen *mein Sehen ist bei dem Ding selbst* bzw. *mein Sehen ist in mir*, einzig in der Reflexion überwinden kann: « il faut qu'il réfléchisse. Or, aussitôt qu'il le fait, par-delà le monde même et par-delà ce qui n'est qu'< en nous >, par-delà l'être en soi et l'être pour nous, une troisième dimension semble s'ouvrir, où leur discordance s'abolit. »

Die Rede von einem *wilden* oder *rohen Sein* (être brut/sauvage)[252], die Merleau-Ponty zur Definition von *chair* bemüht, als auch das Modell des Chiasmas bekräftigen das bestehende Interesse Merleau-Pontys an einem Vorbereich. Nur von hier aus lässt sich das Konzept des Fleischleiblichen (chair) in seiner Tragweite für die Philosophie des Spätwerks begreifen, dessen Hauptschrift in einer noch zu leistenden *Definition* der Philosophie ihr essentielles Ziel sah (Vis; 221): „als Wissenschaft der Vor-Wissenschaft, als Ausdruck dessen, was vor dem Ausdruck ist *und sie von Grund auf stützt*". Die *Theorie des Fleisches*, wie Good (1970; 250) das Spätwerk Merleau-Pontys auf den Punkt bringt, kann deshalb durchaus als ein „Versuch" gelesen werden, „den Bereich des *prä*reflexiven, des *vor*objektiven Bewusstseinslebens zu fassen" (ebd.).

Merleau-Pontys späte Ontologie ist – was den Seinsbegriff selbst betrifft – nicht derart kontrovers wie die das Sein enthüllende Methode oder sein Verständnis davon, wie sich dem *Sein* (Être) philosophisch zu nähern sei. Unübersehbar ist der Einfluss Heideggers auf den definitorischen Rahmen des Seins. Dennoch bleibt der Seinsbegriff unklar, nicht bis ins Letzte bestimmbar; und zwar vorrangig deswegen, weil sich Merleau-Ponty einer umfassenden Seinsanalyse niemals stellte, was auch die späten Fragmente intensiver Heidegger-Lektüre nicht wettzumachen vermögen.

Die Studien über das *Sein* beschränken sich im Wesentlichen auf eine sukzessive, über mehrere Schriften, wenn nicht über das Gesamtwerk, verteilte Analyse, die sich aus scheinbar willkürlichen Abgrenzungs- oder Annäherungstendenzen gegenüber den Seinsbegriffen anderer Philosophen kristallisiert – eine Herangehensweise, die überhaupt als Grundzug seiner philosophischen Methode gelten kann. Im Spätwerk glaubt Merleau-Ponty in der sogenannten *amorphen Wahrnehmungswelt* (le monde perceptif « amorphe ») das *Sein* im Sinne Heideggers wieder zu erkennen[253]; bzw. an anderer Stelle, im eigenen Bestreben, das Sein von innen

---

[252] Vgl. dazu auch Spiegelberg, 1982; 576ff.

[253] Demnach ist die so genannte amorphe Wahrnehmungswelt, von der Merleau-Ponty im Bezug auf die Malerei (Vis; 233f, Januar 1959) spricht, (a) eine *beständige Quelle* (ressource perpétuelle), um die Malerei stets neu zu beginnen. Sie selbst (b) enthalte zwar keinerlei Ausdrucksweise, fordere aber alle insgesamt heraus. Mit dem *Sein* Heideggers *im Grunde* identisch sei sie, weil, wie Merleau-Ponty Proust zitierend schreibt, das Sein „so erscheint, als enthielte es alles, was je gesagt werden könnte, und überließe es dennoch uns, es zu schaffen [...]: es ist der λογος ενδιαθετος, der nach dem λογος προφορικος verlangt". Das Faszinierende am Seinbegriff Heideggers lag für Merleau-Ponty in der Verbindung von *Sein* und *Offenheit*, darin, d.h. dass das Sein als *etwas Offenes* gilt, zu dem wir Zugang haben (NC; 102); dass „die Philosophie ihren Anfang in einem ‚Es gibt' [nimmt], in einem Geöffnet-Sein auf ‚Etwas', ‚das, was nicht Nichts ist'" (Vorlesungen I; Möglichkeit der Philosophie; 116). Merleau-Pontys Selbstverständnis der eigenen Phi-

heraus – im Sinne einer *ontologie du dedans* (Vis; 290) – zu enthüllen, den Seinsbegriff Sartres (268). Anknüpfend an Heideggers *Grundfrage der Metaphysik*, warum überhaupt Sein und nicht vielmehr Nichts ist, schlägt sich Merleau-Ponty auf die Seite des Positivismus[254]. Um mit Heidegger zu sprechen:

> „Das reine Sein und das reine Nichts ist also dasselbe." Dieser Satz Hegels (Wissenschaft der Logik I. Buch, WW III, S. 74) besteht zu Recht. Sein und Nichts gehören zusammen, aber nicht weil sie beide – vom Hegelschen Begriff des Denkens gesehen – in ihrer Unbestimmtheit und Unmittelbarkeit übereinkommen, sondern weil das Sein selbst im Wesen endlich ist und sich nur in der Transzendenz des in das Nichts hinausgehaltenen Daseins offenbart."[255]

Man kann darüber spekulieren, ob die umfassende Analyse des *Seins* ein nächster Arbeitsschritt Merleau-Pontys gewesen wäre, was insbesondere die späten Vorlesungsfragmente bzw. Lektürenotizen aus den Jahren 1958 und 1959 (NC; 91-117) nahelegen. Es wäre zumindest ein notwendiger Schritt gewesen, auch wenn Merleau-Pontys Interesse vorrangig nicht in einer Analyse des Seins bestand, sondern vor allem darin, das Verhältnis von Mensch und Welt, *Dasein* und *Sein* offen zu legen. Gerade das Sein bleibt aber auch deshalb ein ungelöstes Rätsel, weil jener Begriff, für den es, wie Merleau-Ponty in Anlehnung an Heidegger (NC; 111) schreibt, keinen vergleichbaren *sprachlichen* Ausdruck gibt, (1) methodisch überhaupt erst erfahrbar gemacht werden muss. Dies setzt wiederum (2) die Entwicklung eines geeigneten methodischen Entwurfs voraus.

Grundsätzlich stellt sich das Problem, wie eine Methode erfolgversprechend sein kann, wenn ihr das, was sie erfahrbar machen soll, nämlich das Sein, weitgehend unbekannt ist. Merleau-Pontys proklamierte *indirekte Methode* hat bereits hier unerwartete Aussichten auf Erfolg. So scheint gerade der Entwurf der „*surréflexion*" (dt. *Über*reflexion), die Merleau-Ponty als *über* oder *jenseits* aller Reflexion stehende Operation bestimmt, erste – wenn auch nur konstitutive – Hinweise auf den *Seins*begriff zu geben. Etwa, dass das Sein überhaupt methodisch erfahrbar gemacht werden kann, wie etwa die künstlerische Praxis auf anderem Gebiet beweist. So-

---

losophie spiegelt diesen Aspekt wieder, nicht zuletzt dann, wenn er die neue Philosophie als „Öffnung auf das Sein" (Vis; 135) begreift.

[254] Vgl. Vorlesungen I; Möglichkeit der Philosophie; 115f. bzw. NC; 103: « Donc, d'accord avec Bergson, contre négativisme. [...] D'accord avec Sartre pour [un] droit relatif de la négation (n'est pas [la] simple absence de fait du positif) - mais non pour [la] définition de l'être qui « est ce qu'il est ». Pour Heidegger, l'Être est « ce qui n'est pas rien » ».

[255] Heidegger, Was ist Metaphysik?, in: GA, Bd. 9; 120.

wie, dass die Enthüllung des Seins eine spezifische Methode verlangt, die als letzte Konsequenz eine Veränderung des Philosophiebegriffs zur Folge hat, mit dessen Definition sich Merleau-Ponty von seinen wichtigsten philosophischen Lehrern Husserl und Heidegger weiter als je zuvor entfernt[256].

2.1.2. Husserl und Heidegger

Vor allem Husserl und Bergson[257] prägten das Frühwerk Merleau-Pontys auf vielfältige und fundamentale Art und Weise. Bereichert wurde dieses Fundament schon früh um Studien zu Heideggers ontologischer Auseinandersetzung mit den eigenen phänomenologischen Wurzeln. Unter dem Aspekt der *Zeitlichkeit* widmete sich Merleau-Ponty etwa ausführlich der *tiefen Verwandtschaft*[258] zwischen dem Subjektivismus Husserls und der heideggerschen Analytik des Daseins. Die phänomenologische Reduktion verstand Merleau-Ponty deshalb auch als wesentliches Fundament der Existenzphilosophie Heideggers, besonders im Hinblick auf dessen Konzeption des *In-der-Welt-Seins* (PP; p. IX)[259].

Husserl beschreibt die eigene philosophische Position in den *Cartesianischen Meditationen* als *transzendentalen Idealismus* (Hua I; 118) und bestimmt später die *transzendentale Subjektivität* bzw. das *reine Be-*

---

[256] Wenn man davon ausgeht, dass sich Merleau-Ponty ähnlich wie Sartre u.a. an Husserl und Heidegger abgearbeitet hat, und seine Philosophie einschließlich des Spätwerks ein stetes ‚Sich-Verhalten' ist (sich darin aber nicht erschöpft), verweist jene Entfernung, die sich bereits Ende der 40er Jahre und spätestens Anfang der 50er Jahre abzeichnet, insbesondere auf *neue* bzw. auf *neue-alte* Einflüsse hin, die sich Merleau-Ponty nur anders oder konsequenter zunutze macht.

[257] Merleau-Pontys Bergson-Rezeption stellt in der Forschungsliteratur immer noch eine Schwachstelle dar (Métraux, in: Vorlesungen I). Bergsons *Matière et Mémoire, Essai sur la relation du corps à l'esprit* (1896) gilt als eine der einflussreichsten Schriften für das Werk Merleau-Pontys: Demnach sah er darin „eine echte phänomenologische Bearbeitung eines jener Grundprobleme, die ihn in *Structure du comportement* und *Phénoménologie de la perception* beschäftigt haben" (Métraux, in: Vorlesungen I; 263). Einerseits bestimmte – vor allem vor 1933 – die Bergson-Lektüre die Husserl-Rezeption Merleau-Pontys (Geraets, 1971; 6), andererseits befruchteten sich Bergson- und Husserl-Lektüre, etwa, was den Begriff der *Intuition* angeht, auch gegenseitig (Jean-Marie Tréguier, Merleau-Ponty et le ‚bergsonisme', in: RM, n° 3, 1997; 417).

[258] Ricœur, Jenseits von Husserl und Heidegger, in: Métraux/Waldenfels, 1986; 61.

[259] Wenn Spiegelberg (1982; 538) schreibt, dass Merleau-Ponty zwischen Husserl und Heideggers Philosophie keine grundlegenden Unterschiede glaubte feststellen zu können, dann beruht dies vor allem auf der Existenz solcher und ähnlicher Bemerkungen. Ebenfalls im Vorwort zur *Phénoménologie* (p. I) zitiert Merleau-Ponty Heideggers Eingeständnis, *Sein und Zeit* wäre aus einem *Hinweis Husserls* hervorgegangen und sei „nichts anderes als die Auslegung des ‚natürlichen Weltbegriffs' bzw. der ‚Lebenswelt'".

wusstsein als *absolutes Sein*, das, unabhängig von der realen Welt, die *Wahrnehmungswelt* in ihren Einzelteilen bzw. als Ganzes konstituiere (Hua III; 1, Ideen I; 151). Seine phänomenologischen Analysen (u.a. Ideen II; Krisis) profilieren die *reale Welt* gegenüber dem *reinen Bewusstsein*: Husserl entdeckt den menschlichen *Körper* als *Orientierungszentrum* oder *Nullpunkt* der Weltkonstitution. Die Leibphilosophie Merleau-Pontys ist, wie bereits zu sehen war (II. 1.), durch diese späten Studien stark beeinflusst worden. Gleichzeitig ging ihm Husserl aber auch hier nicht weit genug. Vielversprechender erschien ihm Heideggers Rede vom *In-der-Welt-Sein*, mit dem dieser *Mensch* und *Bewusstsein* in der Welt verortet (SZ; 54): Nach Heidegger ist der Mensch bzw. das *Dasein* seit jeher *in der Welt*, und schon deshalb kein (reines) Bewusstsein im Sinne Husserls, das von außen her Gegenstände konstituiert. Dasein ist zwingenderweise *In-der-Welt-Sein*, weil der Mensch nicht anders als in der Welt sein kann. Dieser Zustand verweist nach Heidegger auf einen vertrauten Zusammenhang zwischen dem Menschen und den Dingen (in der Welt), sowie, grundsätzlicher noch, auf eine definitorische Verflechtung von *Dasein* und *Sein*[260].

Die Heidegger-Lektüre prägt Merleau-Pontys Leibphilosophie, die den Körper als Kontaktpunkt zwischen *Individuum* und *Welt* versteht, entscheidend mit: Merleau-Ponty übernimmt in der Folge, wenn auch in der Bedeutung modifiziert, Heideggers Bezeichnung des In-der-Welt-Seins bzw. entwirft einen eigenen Begriff in unmittelbarer Nähe zu dem Heideggers: Statt „être-*dans*-le-monde", wie die französische Übersetzung korrekterweise lauten müsste, spricht Merleau-Ponty von „être-*au*-monde", was im Deutschen wiederum – gewöhnlich in Abgrenzung zu Heidegger – mit „Zur-Welt-Sein" übersetzt wird[261].

---

[260] „Die kreuzweise Durchstreichung wehrt", wie Heidegger in den Wegmarken (GA, Bd. 9; Zur Seinsfrage (1955); 410f.) über die Definition von Sein schreibt, „zunächst nur ab, nämlich die fast unausrottbare Gewöhnung, das » Sein « wie ein für sich stehendes und dann auf den Menschen erst bisweilen zukommendes Gegenüber vorzustellen [...]. Dieser Vorstellung gemäß hat es dann den Anschein, als sei der Mensch vom » Sein « ausgenommen. Indes ist er nicht nur nicht ausgenommen, d.h. nicht nur ins » Sein « einbegriffen, sondern » Sein « ist, das Menschenwesen brauchend, darauf angewiesen, den Anschein des Für-sich preiszugeben, weshalb es auch anderen Wesens ist, als die Vorstellung eines Inbegriffs wahrhaben möchte, der die Subjekt-Objekt-Beziehung umgreift." Entsprechend bringt dies Merleau-Ponty – sich auf *Sein und Zeit* beziehend – auf die Formel: « le Dasein *fait partie de la définition de l'Être, et l'Être de la définition du* Dasein » (NC; 104).

[261] Vgl. dazu *Leibphilosophie* (II. 1.) und Boehm (in: PhW; 7/Fußnote d): Boehm weist mit dieser Übersetzung darauf hin, dass Merleau-Ponty am ehesten Heideggers *Aufgehen in der Welt* meint, das Heidegger selbst aber als einen alltäglichen, primären Modus des In-der-Welt-Seins von diesem streng unterschied (vgl. auch Good, 1971; 252). Eine Parallele zu Merleau-Pontys Transformation findet sich bei Marcel. Auch er übertrug Heideggers *In-der-Welt-Sein* mit *être-au-monde* (vgl.

Wiederholt nimmt Merleau-Ponty in seinem Werk Bezug auf Heideggers dialektisches Modell von *Verborgenheit* und *Un-Verborgenheit*. So dient gerade der Begriff der Un-Verborgenheit dazu, die besondere Seinsweise des *Unsichtbaren* gegenüber einem denkbaren *faktischen Unsichtbaren*, das „wie ein Gegenstand hinter einem anderen verborgen ist" (Vis; 198), zu illustrieren[262]. Überhaupt erweist sich das heideggersche Modell grundsätzlich als mögliche Kontrollinstanz, auf deren Folie sich das chiastische Verhältnis von Sichtbarem und Unsichtbaren hinsichtlich Stimmigkeit und Varianz überprüfen ließe[263].

Zusammenfassend lässt sich sagen, dass die Begriffswelten Husserls wie Heideggers gleichermaßen für Merleau-Ponty oftmals Gelegenheit boten, komplexe gedankliche Phänomene neu oder überhaupt zu benennen bzw. sich mit bereits etablierten sprachlichen Definitionen lebendig auseinander zu setzen[264]. Ende der 50er Jahre greift Merleau-Ponty schließlich Heideggers Wort von Husserls *Ungedachtem* auf und beginnt aus dieser Überlegung heraus seine Hinwendung zur *Ontologie* (Signes, PO; 202). Die späten Schriften, insbesondere *Le visible et l'invisible*, stehen stärker noch als das Frühwerk unter dem Einfluss einer intensiven Heidegger-Lektüre. Darin mag begründet sein, warum die Seinsfrage in den späten Schriften Merleau-Pontys derart radikal angelegt ist. Auch wenn er diese anders als Heidegger nicht als Grundfrage jeder Philosophie begreift, die der Frage nach dem Seienden notwendig vorausgehe[265]. Zudem unterscheidet sich seine methodische Herangehensweise, die *indirekte* Ontologie, wissentlich von der Philosophie Heideggers[266]. Merleau-

---

Marito Sato, The incarnation of consciousness and the carnalization of the world in Merleau-Ponty's Philosophy, in: AH, Vol. LVIII, 1998; 8).

[262] NC; 99: « on dira non que la vérité est donnée, mais qu'elle n'est *pas cachée: αληθεια, Unverborgene.* Cette non-dissimulation n'est pas évidence (*Sichtbarkeit*) – maintient [la] distance – sous-entend un au-delà de ce que nous voyons, un Être, i.e. une *Verborgenheit* dans le devoilement. »

[263] Gleiches gilt für das Begriffspaar *Vorhandenheit-Unvorhandenheit:* Schlechthinnige Vorhandenheit meint nach Heidegger (GA, Bd. 21; 193) *Entdecktheit* oder *reine Gegenwart* (= höchster Modus der Anwesenheit). Die Anwesenheit ist in diesem Sinne zudem fundamentale Bestimmung von *Sein* (ebd./178).

[264] „Obschon Husserl für Merleau-Pontys philosophische Anfänge maßgeblich war," schreiben Tilliette/Métraux (Speck, 1991; 182), „so darf dieser [...] indirekte Einfluß nicht überschätzt werden. Die Übernahme bestimmter Ausdrücke und Begriffe ist vielleicht wichtiger als diejenige von Gedanken. [...] Merleau-Ponty wiederholt wenig aus Husserls Schriften, läßt sich dafür aber um so intensiver durch sie anregen. Er sucht nach Abschnitten und Formulierungen, die sein eigenes Denken in Bewegung setzen vermögen."

[265] Vgl. dazu Sartre, Merleau-Ponty vivant, in: Les temps modernes, 17, 196-62; 367: « L'Être est l'unique souci du philosophe allemand; en dépit d'un vocabulaire parfait commun, l'homme reste le souci principal de Merleau ».

[266] Herausgearbeitet hat dies etwa de Saint Aubert (2006).

Pontys Radikalität besteht folglich vor allem darin, sich der Ontologie und damit Heidegger – in Abgrenzung zur Phänomenologie[267] und Husserl – überhaupt zugewendet sowie das Spätwerk unter das Postulat der philosophischen *Enthüllung des Seins* gestellt zu haben. Insofern kann man durchaus davon sprechen, dass das Verhältnis zwischen Merleau-Ponty und Heidegger stets eher ein „zweideutiges Verhältnis" (Good, 1970; 251) war. Und zwar vor allem deshalb, weil Merleau-Ponty, während er sich in den späten Schriften Heidegger zuwendet, gleichzeitig jene Naturphilosophie für sich entdeckt, die Husserl im Spätwerk unter dem *Lebenswelt*-Begriff herausarbeitet (II. 1.2.). Sichtbar wird das Interesse Merleau-Pontys an den Studien Husserls[268] etwa durch *la Terre* (dt.: Erde), einen Begriff, den Merleau-Ponty Ende der 50er Jahre einführt: *La Terre* bezeichnet danach den „Boden oder Ursprung unseres Denkens wie unseres Lebens" und ist „Matrix unserer Zeit und unseres Raumes" (Signes; 227). Mit *Terre* veranschaulicht Merleau-Ponty darüber hinaus vor allem jene Tendenz im Spätwerk Husserls, „die Kehrseite der Dinge zu enthüllen, die wir nicht konstituiert haben" (ebd.). Die *Erde* ist demnach eines jener „Seiende[n], unterhalb unserer Idealisierungen und Objektivierungen, die diese heimlich nähren und in denen man kaum Noemata erkennen kann" (ebd.). Mit diesem besonderen Milieu, im Sinne eines unbewussten *vor*weltlichen Feldes, das den Kontakt zwischen Subjekt und Welt begründet und immer wieder möglich macht (Madison; 186/224ff.), vereint Merleau-Ponty *la chair* und *la nature*, beides zentrale Begriffe seiner späten Philosophie.

2.1.3. Phänomenologie oder Ontologie?

Die zahlreichen Einflüsse Husserls wie Heideggers auf das Werk Merleau-Pontys, etwa durch die Übernahme oder Bearbeitung jener Begriffskontexte, sind in der Forschung unbestritten. Unterschiedlicher Meinung ist man aber hinsichtlich der im Spätwerk lediglich als Entwurf vorliegenden eigenen philosophischen Methode Merleau-Pontys. Die mittlerweile veröffentlichten, qualitativ sehr unterschiedlichen Fragmente aus dem Nach-

---

[267] Wie in der Forschung (Pilz, 1973; 32) vermutet wird, führt Merleau-Pontys Radikalität dazu, dass die konkreten phänomenologischen Analysen mit der im Spätwerk entworfenen ontologischen Grundthese unvereinbar sind.

[268] Unverkennbar ist Merleau-Pontys Interesse am Phänomen *Natur* – unterstützt durch die Studien Husserls –, wie die gleichnamige Vorlesungsreihe zeigt, die mittlerweile in Form von Nachschriften als Sammelband vorliegt (La nature, Notes, Cours du Collège de France; Paris 1996; dt.: Die Natur. Aufzeichnungen von Vorlesungen am Collège de France 1956-60, hrsg. v. Dominique Séglard, München 2000).

lass[269], den Vorlesungszusammenfassungen bzw. -nachschriften (durch Studierende) lassen es letztlich ungeklärt, ob Merleau-Ponty mit den späten Schriften eine Ontologie oder eine Phänomenologie entwerfen wollte[270]. Früh war man etwa wegen entsprechender Aussagen Merleau-Pontys der Meinung, er hätte mit *Le visible et l'invisible* ein metaphysisches Projekt begonnen[271], mit dem die phänomenologischen Studien der 1940er Jahre überholt waren. Man meinte, daran zeige sich, dass er sich gänzlich von der Phänomenologie Husserls abgewendet habe.

Da sich Merleau-Ponty bereits im Frühwerk (PP) intensiv mit Heideggers In-der-Welt-Sein auseinandersetzt, und Heideggers Seinsfrage das Spätwerk prägt (vgl. oben), unterscheidet M.C. Dillon die sogenannte *implizite Ontologie* des Frühwerks von der *expliziten Ontologie* des Spätwerks[272]: Demnach erläutere die späte Ontologie die bereits in der *Phénoménologie* angelegte Ontologie (ebd.; 154). Weil Merleau-Ponty die *Phänomene* zum *ontologischen Primat* mache, spricht Dillon zudem von einer „genuin phänomenologischen Ontologie" (156).

Gleichzeitig entstand in der Forschung eine andere Auffassung, die auf der Nähe der leibphilosophischen Studien Merleau-Pontys zu Husserls Phänomenologie des Leibes beruht[273]: Jacques Taminiaux[274] ist der Meinung, dass die enge Beziehung zu Heideggers Denken letztlich der einzige Hinweis auf eine mögliche Wende in der Entwicklung einer eigenen philosophischen Methode sei. Gerade weil Merleau-Ponty die Themen seiner frühen Schriften auch im Spätwerk diskutiere und sich dabei erneut im Wesentlichen auf Texte Husserls stütze, gäbe es aber für eine derart deutliche philosophische Neuorientierung oder gar für einen ‚Vatermord' (ebd.; 87) keinen Beweis. Somit könne man das Spätwerk (Vis) als Wiederaufnahme der frühen Studien (PP) verstehen[275]. So habe

---

[269] Wie problematisch die Aussagekraft des fragmentarischen Spätwerks ist (Vis), beschreibt u.a. Edie (in: MW, Vol. 17/1984; 310)

[270] Tatsächlich schwingt bei dieser Frage grundsätzlich die Überlegung mit, ob sich Merleau-Ponty letzten Endes stärker an Husserls Phänomenologie der Lebenswelt oder an Heideggers so genannter Fundamentalontologie orientiert habe.

[271] Vgl. Kwant (1966; 194f.). Zur Angemessenheit von Kwants Metaphysik-Begriff vgl. Pilz (1973; 106f.).

[272] Dillon, Merleau-Ponty's Ontology, Bloomington/Indianapolis 1988; 85.

[273] Vgl. Landgrebe (1967; u.a. 168/179).

[274] Taminiaux, La phénoménologie dans le dernier ouvrage de Merleau-Ponty, in: ders., Le regard et l'excédent, Den Haag 1977; 86.

[275] Vgl. auch Tilliette/Métraux (Speck, 1991; 219): Merleau-Pontys „ontologisches Vorhaben, das Aufwerfen neuer Fragen unter dem Vorzeichen der Ontologie war, darüber besteht kein Zweifel, durch sein Hauptwerk von 1945 [PP; Anm. L.H.] vorbereitet […]. Für denjenigen, der das Gesamtwerk des Philosophen einigermaßen überblickt, also einen geschichtlichen Abstand zu wahren versteht, sind die

Merleau-Ponty einen der späten Schlüsselbegriffe, die *Umkehrbarkeit* (la réversiblilité), durch Husserls späte Studien über den menschlichen Leib (Ideen II) entwickelt. Nicht zu leugnen sei freilich, dass die von Husserl entlehnten Begriffe im Spätwerk ontologisiert worden seien, und dass damit grundsätzlich die darin angelegte Bedeutung überschritten worden wäre[276].

Aus derselben Überlegung heraus stellt Spiegelberg (1982; 579) zur Diskussion, ob die neue Ontologie Merleau-Pontys eventuell weiterhin phänomenologische Züge enthalte. Tatsächlich stehe gerade das erste Kapitel des Spätwerks (Vis), das sich der *philosophischen Befragung* widmet, dafür, dass Merleau-Ponty möglicherweise selbst noch unentschieden war, wohin ihn die Ausarbeitung dieser Schrift führen würde. Gleichzeitig spreche vieles dafür, dass er den phänomenologischen Zugang im Spätwerk radikalisieren sowie die ontologischen Annahmen innerhalb der Phänomenologie selbst erläutern hatte wollen (ebd.).

Merleau-Pontys später Entwurf einer neuen Philosophie ist ohne Zweifel durch ihr ontologisches Ziel bestimmt. Sie soll, wie er im Vorwort zu *Signes* (20) schreibt, eine Philosophie sein, „die sich nicht den Leidenschaften, der Politik oder dem Leben widmet und sie in der Phantasie umarbeitet, sondern die gerade jenes Sein enthüllt, das wir bewohnen"[277]. Demnach erschöpfen sich die späten Schriften keineswegs in einer *Ontologie der Lebenswelt*. Noch im Januar 1959 besteht das Vorhaben Merleau-Pontys u.a. darin, neben dem Entwurf einer Ontologie, die *Philosophie* schlechthin zu definieren (Vis; 221). Diese Notiz lässt vermuten, dass sich sein philosophischer Entwurf nicht im ersten Schritt, der Ontologisierung seiner phänomenologischen Studien, reduzierte, sondern eine weiterreichende Frage beantworten wollte: die der philosophischen Methode.

Die Differenzierung zwischen dem Entwurf von *Ontologie* bzw. *Philosophie* spricht zudem dafür, dass das Konzept der Philosophie grundsätzlich nicht identisch mit dem der Ontologie sein kann, d.h. dass Letztere möglicherweise lediglich als ein Teil einer noch zu definierenden und dem späten Denken Merleau-Pontys zugrundeliegenden Methodik zu verstehen ist.

---

frühen Schriften voll von Vorwegnahmen, Ansätzen, Fragestellungen, von denen einige bis in die Zeit vor seinem Tode hinein überlebt und sich dort fruchtbar und anregend ausgewirkt haben."

[276] Entsprechende Aussagen finden sich in Vis (237) bzw. bei Barbaras (1991; 91).

[277] Neu ist dieses philosophische Konzept vor allem kraft der ihr zugrundeliegenden Wissenschaftskritik. Merleau-Ponty bezeichnet die Philosophie die *unterhalb* der Wissenschaften suche, auch als „Wiedererinnerung jenes Seins, um das sich die Wissenschaft nicht schere" (frz.: remémoration de cet être-là, dont la science ne s'occupe pas: Signes; 30).

Die Frage, ob sich Merleau-Ponty letztlich für eine Ontologie bzw. eine Phänomenologie entschieden hätte, kann nur spekulativ beantwortet werden. Ein Indiz dafür, dass er – Heidegger wie Husserl überschreitend – im Sinne eines ‚dritten' Weges zur Phänomenologie zurückgefunden hätte[278], ist etwa das bis in die späten Schriften hinein gültige Philosophieverständnis Merleau-Pontys selbst. In *Sur la phénoménologie du langage*, Anfang der fünfziger Jahren, schreibt er: „In gewisser Weise ist die Phänomenologie alles oder nichts" (Signes; 118). Und selbst noch 1960[279] gebraucht er *Phänomenologie* und *Philosophie* durchgehend synonym. Seine späten Analysen zum Sein und zur Lebenswelt rechnet Merleau-Ponty genauso wie das eigene Frühwerk der *Phänomenologie* zu.

2.2. Die Verbundenheit von Philosophie und Kunst

Die Frage danach, wie das Sein philosophisch erfahrbar gemacht werden kann, muss als eine Leitfrage der späten Schriften Merleau-Pontys verstanden werden. Die besondere Herausforderung dieses Unternehmens besteht darin, jenes Dilemma aufzulösen, das im sprachlichen Charakter der Philosophie begründet liegt, d.h. in der Erkenntnis, dass diese Mittel, eben weil sie sprachlicher Natur sind, nicht an das Phänomen, das zu untersuchen ist, heranreichen können: „Der Philosoph spricht, aber das ist seine Schwäche, eine unbeschreibbare Schwäche: Er müsste schweigen, eins mit dieser Stille sein [frz.: coïncider en silence], und im Sein auf eine Philosophie stoßen, die dort bereits vorliegt", schreibt Merleau-Ponty in der Hauptschrift des Spätwerks (Vis; 166). Anders als Ludwig Wittgenstein nimmt Merleau-Ponty nicht an, dass „der Sinn der Welt außerhalb ihrer liegen muss"[280]. Gleichwohl gehen Merleau-Ponty wie Wittgenstein davon aus, dass das Sein sich zwar zeige, aber *unsagbar* sei. Merleau-

---

[278] Vgl. Waldenfels, 1983; 202ff., sowie Marc Richir (Der Sinn der Phänomenologie in » Das Sichtbare und das Unsichtbare «, in: Métraux/Waldenfels, 1986; 87): Selbst bei ‚oberflächlicher Lektüre' zeige sich, „daß das Spätwerk von Merleau-Ponty sich in die Verlängerung des Husserlschen und sogar in die Ränder des Heideggerschen Werkes einschreibt. Für aneignungsfreudige Leser entsteht daraus der Mythos eines zumindest latenten Heideggerianismus; insofern erscheint es dringlich zu zeigen, daß der Sinn von Merleau-Pontys Phänomenologie strenggenommen weder der Husserlsche noch der Heideggersche ist, daß er sich vielmehr durch eine Neuartigkeit auszeichnet, die jede Rede von einer Inaktualität der Phänomenologie Lüge straft."

[279] Vgl. Spiegelberg, 1982; 516: Merleau-Ponty verstand sich auch noch im Mai 1960 (Vis; 305-06) vorrangig als Phänomenologe und der phänomenologischen Tradition zugehörig, weil dort seine philosophischen Wurzeln lägen. Nicht zuletzt deshalb nimmt Kwant (1966; 226/227) an, Merleau-Ponty habe seine Meinung bis zum Tod nicht mehr geändert.

[280] Wittgenstein, Tractatus logico-philosophicus, in: Werkausgabe Bd. 1, Frankfurt/M [11]1997; 6.41.

Pontys Bestreben unterscheidet sich, wie noch zu sehen sein wird (III. 2. 3.), gerade in den Konsequenzen, die aus dieser Einsicht folgen: Während Wittgensteins berühmte Schlusssätze des Tractatus dem Leser die Überwindung der eigenen Sätze nahe legt[281], wagt sich Merleau-Ponty in den späten Schriften und Vorlesungen (Vis, OE, NC) an ein Unternehmen, das an der philosophischen Methode selbst ansetzt.

Ziel vorliegender Analyse ist es, die Grundlagen dieses methodischen Entwurfs aus den verschiedenen Fragmenten des Spätwerks herauszuarbeiten sowie dessen eigentlichen Ursprung in der Kunst, d.h. im eigentümlichen Verhältnis des Künstlers zur Welt aufzuzeigen – denn gerade das primär *perzeptive* Verhältnis des Künstlers zur Welt scheint für die methodischen Überlegungen Merleau-Pontys großen, wenn nicht entschiedenen Einfluss gehabt zu haben und kann schon deshalb wesentlich zum Verständnis des methodischen Entwurfs beitragen. Was diese Entdeckung aber gewissermaßen überhaupt erst auf fruchtbaren Boden stellt, war die frühe Erkenntnis Merleau-Pontys, dass es zwischen den Möglichkeiten bzw. Aufgaben von *Kunst* und *Philosophie* deutliche Parallelen gibt. Bereits im Vorwort zur *Phénoménologie* heißt es (p. XV): „Die phänomenologische Welt ist nicht Auslegung eines vorgängigen Seins, sondern Gründung des Seins; die Philosophie ist nicht der Spiegel einer vorgängigen Wahrheit, sondern gleich der Kunst die Verwirklichung einer Wahrheit." Dabei unterscheidet Merleau-Ponty vordergründig zunächst nicht zwischen Literatur oder Malerei. Beides sind gleichwertige Eckpunkte seines Kunstverständnisses: „Kunst und Philosophie *gemeinsam* haben eben [...] Kontakt zum Sein, genauso wie sie Schöpfungen sind" (Vis; 251/[sans date, probablement juin 1959])[282]. Die Möglichkeit der Philosophie mit dem Sein in Kontakt zu stehen, hat, wie Merleau-Ponty schreibt, seinen Grund darin, dass sie wie die Literatur durch Worte Dinge zum Vorschein bringt: „Sie richtet sich nicht auf der Kehrseite des Sichtbaren ein: sie ist auf beiden Seiten präsent" (Vis; 319/Novembre 1960). *Schöpfung* ist die Philosophie in einem *radikalen Sinn*, indem sie das Sein in die Welt *wiedereingliedert* (251): „Schöpfung, die gleichzeitig Entsprechung [frz.: adéquation] ist, einzige Art und Weise, eine Entsprechung zu erhalten."[283]

---

281 Ebd.; 6.54: „Meine Sätze erläutern dadurch, daß sie der, welcher mich versteht, am Ende als unsinnig erkennt, wenn er durch sie – auf ihnen – über sie hinausgestiegen ist. (Er muß sozusagen die Leiter wegwerfen, nachdem er auf ihr hinaufgestiegen ist.) Er muss die Sätze überwinden, dann sieht er die Welt richtig." 7: „Wovon man nicht sprechen kann, darüber muß man schweigen."

282 Stephen K. Levine (Merleau-Ponty's Philosophy of Art, in: MW, Vol.2/no 3/ August 1969; 441) sieht etwa in diesem einzigartigen Kontakt der *Kunst* zum *Sein* den Grund, warum sich Merleau-Ponty derart intensiv mit der Kunst (insbesondere mit der Malerei) beschäftigt hat.

283 Dass die Verwendung des Begriffs der *Entsprechung* in diesem Zusammenhang verwirrend ist, darauf hat etwa Kwant (1966; 201) hingewiesen, sowie darauf, dass

Berücksichtigt man darüber hinaus die Tatsache, dass das Sein dasjenige ist, „was Schöpfungen von uns verlangt, damit wir es erfahren können" (ebd.), wird offensichtlich, dass Kunst ebenso wie Philosophie, weil beide diese Voraussetzung erfüllen, über eine besondere, vielleicht sogar einzigartige Beziehung zum Sein verfügen.

Nach Merleau-Ponty vereint nicht allein der Schöpfungsgedanke die Philosophie mit der Kunst. Ausschlaggebend für eine solche Analogie könnte jenes Vermögen sein, das sich am ehesten als *Zu-Sagen-Wissen* bezeichnen lässt: „Im Grunde der Dinge", schreibt Merleau-Ponty (Vis; 306/Mai 1960), „ist es so, dass uns das Sinnliche nichts gibt, was sich sagen ließe, wenn man nicht Philosoph oder Schriftsteller ist, aber das hängt nicht damit zusammen, dass es ein unsagbares Selbst wäre, sondern damit, dass man nichts zu *sagen* weiß."[284] Künstler wie Philosoph besitzen demnach einen Zugang zum Sein, der sich auch über strukturell philosophische Probleme, wie das der Unangemessenheit sprachlicher Mittel, hinwegzusetzen vermag. Der Auslotung des *Nichtwissens* widmet sich vor allem die Philosophie – gerade deshalb könne man nach Merleau-Ponty eigentlich aber auch nie von der Philosophie als *Lösung* sprechen (138). Kunst wie Philosophie vereint nicht nur die Befragung oder Annäherung an die stumme bzw. schweigende Welt, sondern – gerade weil sie sich mit dieser auseinandersetzen – auch das *Scheitern*.

Der Vorteil der hier entworfenen künstlerischen bzw. philosophischen Methode liegt eben, darauf will Merleau-Ponty hinaus, im Erkennen der Grenzen jeder Reflexion; was, bis in letzte Konsequenz weitergedacht, allein das erreichbar macht, was sich nach klassischer, d.h. wissenschaftlicher Methode, als unerreichbar herausgestellt hat, nämlich das *Sein* selbst.

2.2.1. Die Kunst als *Vorbild* der Philosophie

Die Frage danach, wie das Sein selbst – in Anlehnung oder im Rekurs auf die Methode der Künstler – philosophisch erfahrbar gemacht werden kann, stellt Merleau-Ponty nirgendwo in seinem Werk explizit. Sie lässt sich aber aus seiner Herangehensweise an andere philosophische Fragestellungen ableiten bzw. durch die starke Präsenz ästhetischer Notizen im Gesamtwerk des Philosophen als Leitfrage entwerfen. Entsprechendes gilt

---

Merleau-Ponty diesen Begriff sonst streng vermieden hat (ebd.): Weil ein *adäquates Wissen* des Seins schlechthin unmöglich sei, so Kwant, müsse die eigentliche Betonung dieses Begriffs auf dem Aspekt der *Wahrheit* liegen (vgl. auch ebd.; 213).

[284] Thomas Fritz (Eine Philosophie inkarnierter Vernunft, Studie zur Entfaltung von Merleau-Ponty, Würzburg 2000; 69) erklärt sich die eigentümliche Verbundenheit von Philosophie und Kunst folgendermaßen: „Die Philosophie findet in der Malerei eine Entsprechung, wie viel sie zum Ausdruck bringen will, was je schon sein muss, was immer schon da sein muss, damit überhaupt etwas ausgedrückt werden kann und ausgedrückt werden will."

für die Situation in der Forschungsliteratur: Meist wurde diese Fragestellung, wenn überhaupt in dieser Konsequenz, nur am Rande allgemeiner Studien zum Werk Merleau-Pontys bzw. im Zusammenhang mit der Erörterung seines ästhetischen ‚Programms' thematisiert[285]. Dies soll nun, mit einem Umweg über den Forschungsstand, der in den Gesamtzusammenhang dieser Erörterung gestellt werden soll, nachgeholt werden: Gerade weil Merleau-Ponty die Parallelen zwischen Philosophie und Kunst immer wieder betont hat, stellt Wiesing (1997; 228) die Frage, „ob die [moderne, abstrakte; L.H.] Malerei zu einer Vollzugsform der Phänomenologie mit anderen Mitteln werden kann". Tatsächlich scheint der Vergleich zwischen abstrakter Kunst und phänomenologischer Reduktion plausibel, weil er meint, dass das abstrakte Bild seinem Wesen nach Möglichkeiten beschreibt, wie die Wirklichkeit *dargestellt und erfahren* werden kann (234) – was sich zudem, wie bereits zu sehen war, mit dem philosophischen Konzept Merleau-Pontys deckt. Wiesings Frage hebt allerdings allein darauf ab, „ob sich auch die Malerei phänomenologische Überlegungen zueigen macht, d.h. in ihren Werken reflektieren kann" (ebd.). Dass die Kunst in ganz anderer Weise *Vollzugsform* der Phänomenologie bzw. der Philosophie sein könnte, insofern sie für die Philosophie methodisch nutzbar gemacht wird, übersieht Wiesing dabei.

Auch wenn mittlerweile eine Vielzahl an Forschungsbeiträgen die verwandtschaftliche Beziehung zwischen Kunst und Philosophie im Werk Merleau-Pontys thematisieren (u.a. Bonan 1997; Carbone 2001), geht deren bloße Feststellung in den seltensten Fällen über in eine grundsätzlichere Analyse. Die wenigsten Autoren machten sich bisher über die Bedeutung dieser *Koexistenz* von Kunst und Philosophie für die späte Philosophie bzw. für das Gesamtwerk Merleau-Pontys Gedanken, noch nahmen sie dies zum Anlass, die Tiefe jener Beziehung auszuloten. Eine frühe Ausnahme ist Tilliette, der in einem Vortrag von 1969 nicht nur auf die enge Verflechtung von Philosophie und Kunst im Werk Merleau-Pontys hinwies, sondern vorausschauend zum Schluss kam, dass Merleau-Ponty mit dieser Haltung möglicherweise – „zusammen mit den tiefgründigen Kommentaren Heideggers sowie den erstaunlichen Nachforschungen Gaston Bachelards" – eine „vollkommen neue Dimension in der tausendjährigen Debatte über die Kunst bzw. die Philosophie eröffnen" könnte[286].

Auch Dominique Rey spricht von einer gemeinsamen, ästhetischen wie ontologischen Inspiration Merleau-Pontys, sowie von einer Ästhetik,

---

[285] Ausnahmen sind Winklers Dissertation von 1994, sowie Bonans Einführung in das ästhetische Denken Merleau-Pontys von 1997.

[286] Tilliette, L'esthétique de Merleau-Ponty in: Rivista di Estetica, 14. Jg., Torino 1969; 105 (Conférence prononcée à l'université de Turin (Institut de Philosophie), le 21 janvier 1969).

die als *Propädeutik* einer Ontologie gelten könne[287]: Schließlich illustriere die Wahrnehmung des Künstlers nicht nur das Gesamtwerk Merleau-Pontys, sondern seine „Philosophie der Malerei" könne überhaupt zu einem besseren Verständnis aktueller Probleme (z.B. der Situation des Menschen in der Welt) beitragen (ebd.; 28). Weil die Malerei an die originäre Erfahrung anknüpfe, sei die Wahrnehmung des Künstlers nicht zuletzt *exemplarisch* für die Wahrnehmung des Philosophen[288].

Dass die Betonung im Werk Merleau-Pontys im Gegensatz zu anderen Kunst- bzw. Ausdrucksformen auf der der Malerei liegt, begründet Kwant (1966; 208) damit, dass Merleau-Ponty in ihr mit dem Kontakt zum *stummen* Sein das gefunden habe, was er in seiner Philosophie beabsichtige herauszuarbeiten. Thomas Fritz differenziert dies weiter, wenn er über die Favorisierung der Malerei bei Merleau-Ponty schreibt (2000; 65), „dass die vorbegriffliche Sinnbildung, die er allgemein über den Rekurs auf Kunst als mimetisches Verstehen zu erfassen sucht, sich in der Malerei besonders leicht deutlich machen lässt." Fritz bezeichnet die Malerei als eine Art ‚anschaulicher Ontologie', die für Merleau-Ponty deshalb Vorbild der Philosophie sei, weil sie (67) „das Unsichtbare des Sichtbaren, seine ‚Sichtbarkeit' [enthülle], ohne es wie ein zweites Sichtbares vor Augen führen zu können und zu müssen."

Nach Pierre Kaufmann[289] klinge in Merleau-Pontys Formulierung „Das Gemälde ist eine ‚Welt' im Gegensatz zur einzigen und ‚reale' Welt" (Vis; 277), bereits an, dass jene Welt, die der stummen Sprache der Malerei enstamme, die Welt *selbst* hervorbringe: Aus ihrer radikalsten Konstitution, dem philosophischen Diskurs lege sie dann die Ähnlichkeit von künstlerischem Vorhaben und dem Vorhaben des Philosophen offen. „Unser Ziel wird es entsprechend sein," schreibt Kaufmann, „der Annäherung zu folgen, bis zu jenem Punkt, wo sich der Wunsch des Philosophen und der des Malers zu ein und demselben Ausdruck des Wunsches zu sehen [frz.: désir du voir] zu vereinen scheinen" (ebd.).

Rey (1978; 160ff.) und Stephen K. Levine[290] betonen darüber hinaus die hohe Relevanz der Leibphilosophie Merleau-Pontys für dessen Entwurf einer eigenen Kunstphilosophie: Demnach ist gerade der Körper des Künstlers Sinnbild oder bestes Beispiel des chiastischen Modells, der *Verflechtung* von Subjektivem und Objektivem, *Dasein* und *Sein*. Weil die

---

[287] Rey, La perception du peintre et le problème de l'être, Essai sur l'esthétique et l'ontologie de Maurice Merleau-Ponty, (Diss.) Fribourg/Schweiz 1978; S. V/VI.

[288] Rey, L'expérience esthétique et l'ontologie de Maurice Merleau-Ponty, in: Freiburger Zeitschrift für Philosophie und Theologie, Bd. 22, Heft 1-2, Freiburg/Schweiz 1975; 362.

[289] Pierre Kaufmann, De la vision picturale au désir de peindre, in: Critique, Tome XX, n° 211, 1964; 1048.

[290] Levine, in: MW, Vol.2, no 3, August 1969; 442ff.

*Kunst*maler eine „implizite Wissenschaft des Leibes" praktizieren, sind sie nach Tilliette und Métraux (Speck, 1991; 208) „stille Begleiter Merleau-Pontys auf dem Wege der philosophischen Besinnung". Die Bedeutung des Künstlers ist u.a. auch deshalb für das Werk Merleau-Pontys weit größer, als etwa Thilo von der Bosche meint, wenn er davon spricht, dass „das Rätsel des Leibes [...] durch die Künste illustriert"[291] werde. Dass dies tatsächlich so ist, kann nicht allein der Konzeption des Künstler-Körpers in *L'œil et l'esprit* zugeschrieben werden, sondern zudem, wenn auch auf einer ganz anderen Ebene – dem Einfluss Marcel Prousts und Paul Cézannes auf das Gesamtwerk des Philosophen (vgl. auch Carbone 2001).

2. 2. 2. Merleau-Ponty und die *Figur des Künstlers*

Es lässt sich von einer doppelten Bedeutung der Kunst bzw. des Künstlers im Gesamtwerk Merleau-Pontys sprechen. Bereits in den frühesten Schriften zeigt sich das primär ‚persönliche' Interesse Merleau-Pontys, das vor allem der Person des Künstlers selbst gilt (II. 3.). Entsprechend thematisieren späte wie frühe Schriften nahezu ausschließlich die Perspektive des *Künstlers*, selten dagegen die des *Kunstbetrachters* bzw. des *Rezipienten von Kunst*. Einer der Hauptgründe mag darin liegen, dass er den Künstler spätestens seit Ende der 50er Jahre als Konterpart zum Philosophen – im Sinne eines ‚Gleichen-Ungleichen' – entwirft, dessen spezifische (künstlerische) Methodologie zeichne ihn aus[292]. Dieses besondere Verhältnis zwischen Philosoph und Künstler ist auch in der Textstruktur des Gesamtwerks erkennbar: Bereits in der *Phénoménologie* ergänzt Merleau-Ponty die phänomenologischen Studien um kunsttheoretische Anmerkungen[293] bzw. um künstlerische *Erfahrung*swerte. Nicht nur in Einzelfällen dienen diese ihm zur Illustration bzw. Erläuterung wichtiger philosophischer Termini. Keinesfalls kann freilich von einem einheitlichen Einfluss der Künstler (grundsätzlicher Natur) auf das Werk Merleau-Pontys, oder von einer uniformen Behandlung der zitierten kunsttheoretischen oder literarischen Texte ausgegangen werden. Sehr exemplarisch hat Merleau-Ponty die methodisch-systematische Verwandtschaft von vermeintlichen ‚Ausnahmekünstlern' oder ‚Künstler-Typen' wie Marcel

---

[291] van den Bossche, in: AH, Vol. LXVII, 2000; 349f.

[292] Angelegt ist dieser Entwurf freilich bereits in den frühen Schriften, etwa in *Le doute de Cézanne* bzw. in *Le roman et la métaphysique*. Beide Schriften erschienen im Dezember bzw. März 1945 bzw. in SNS (1948).

[293] Ein Beispiel aus dem Spätwerk (NC; 199): Hier denkt er Claudels *Présence et Prophétie* mit Bergsons *Matière et Mémoire*: « La cohésion du temps n'est pas celle d'une chaîne qui va de Matière à Mémoire: le passé existe pour moi parce que j'ai vu, i.e. par sa chair et par ma chair, et en tant qu'il est, non fondu avec mon présent, mais justement incompossible avec lui. Cohésion par l'incompossibilité – « Le temps est devenu l'Extase » (Présence et Prophétie, p. 305). »

Proust, Paul Valéry und vor allem Paul Cézanne mit den eigenen philosophischen Vorbildern (vor allem Husserl) gesehen. Dies zeigt sich nicht
nur quantitativ, das heißt an der schieren Zahl der Zitate bzw. indirekter
Referenzen, sondern auch qualitativ, was die Bedeutung des künstlerischen Schaffensprozesses namentlich für die Prägung seines eigenen
Spätwerks betrifft. Insbesondere Cézanne und Proust stehen in diesem
Sinne stellvertretend für Merleau-Pontys umfangreiche und vielseitige Beschäftigung mit der Malerei, das heißt den bildenden Künsten einerseits
bzw. der Literatur, das heißt dem prosaischen im Gegensatz etwa zum
wissenschaftlichen Schreiben andererseits.

2. 2. 2. 1. Marcel Proust und die Literatur

A la recherche du temps perdu (dt.: Auf der Suche nach der verlorenen
Zeit) gehört sicherlich zu den am häufigsten zitierten literarischen Schriften im Werk Merleau-Pontys[294]. Entscheidend dafür dürfte sein, dass sich
insbesondere die späte Philosophie Merleau-Pontys in der gedanklichen
Welt Prousts so profund wie in der keines anderen erläutert: „Keiner",
schreibt Merleau-Ponty etwa in *Le visible et l'invisible* (195), „ist weiter-
gekommen als Proust in der Bestimmung der Beziehung zwischen
Sichtbarem und Unsichtbarem, in der Beschreibung einer Idee, die nicht
das Gegenteil des Sinnlichen ist, sondern deren Futter oder Tiefe." Die
Exklusivität, die Merleau-Ponty in diesem Zusammenhang betont, mag
darin begründet liegen, dass er durch die Romanwelt Prousts die Bedeut-
samkeit und Einflussnahme der Literatur auf die Philosophie schlechthin
erfahren hat bzw. in seiner Ansicht darüber bestätigt wurde. Der daraus
resultierende Anspruch an die Literatur jedenfalls ist keine Erkenntnis des
Spätwerks, sondern bereits seit Mitte der 40er Jahre vorhanden: In *Le roman et la métaphysique* widmet sich Merleau-Ponty diesem Thema ausdrücklich (SNS; 46): „Lange Zeit vermutete man zwischen der Philosophie und der Literatur nicht nur technische Unterschiede, was die Ausdrucksweise betrifft, sondern auch einen Unterschied im Gegenstand."
Die Moderne beginnt nach Merleau-Ponty mit dem Ende des 19.
Jahrhunderts (48):

> „Alles ändert sich, seitdem eine phänomenologische oder existen-
> tielle Philosophie sich zum Ziel setzt, nicht die Welt zu erklären
> oder in ihr die « Bedingungen der Möglichkeit » zu entdecken, son-

---

[294] Freilich lässt sich in der Zitierweise der *Recherche* keinerlei Systematik erkennen,
genauso wenig übrigens wie in der anderer literarischer Werke. Das heißt, dass
Merleau-Ponty jene Zitierpraxis beibehielt, die er auch hinsichtlich der Behandlung
kunsttheoretischer Schriften bzw. künstlerischer Prosa ausübte. Zur Auseinandersetzung mit dem Werk Prousts vgl. insbesondere Carbone (2001).

dern eine Erfahrung der Welt zu beschreiben, einen Kontakt mit der Welt, die jedem Denken über sie vorangeht."

Seitdem könne, wie er schreibt (48f.), „das Ziel der Literatur von dem der Philosophie nicht mehr getrennt werden." Die Entwicklung von einer *moralischen* hin zu einer *metaphysischen* Literatur, die Merleau-Ponty etwa in *L'invitée* (dt.: Sie kam und blieb) von Simone de Beauvoir realisiert sieht, sei aber nur deshalb möglich, weil die Literatur – im Gegensatz zu anderen Kunstformen – mit der Philosophie durch die Möglichkeiten, aber auch die Begrenztheiten sprachlicher Ausdrucksformen verbunden sei.

In den späten Vorlesungen am *Collège de France* (NC, 1958-61) widmet sich Merleau-Ponty den Werken moderner Schriftsteller (Claude Simon, Paul Claudel und Marcel Proust) erstmals ausführlicher, weil er in deren Schriften, wie Lefort im Vorwort schreibt, seinen eigenen Kurs wiedererkenne (NC; 20): „Die Vertrautheit mit dem Werk Prousts ist so alt und beständig, dass man mit gutem Recht fragen kann, ob er daraus nicht einen ebenso großen Teil seiner Inspiration gezogen hat wie aus der Vertrautheit mit jenen Philosophen, in deren Fußstapfen er getreten ist."

Was allerdings den Entwurf bzw. die Ausarbeitung philosophischer Termini betrifft, kommt Proust neben Valéry und Claudel nur eine Nebenrolle zu. In den Notizen zu den späten Vorlesungen greift Merleau-Ponty Claudels *Zusammenhalt des Seins* (cohésion de l'être) auf, das sich weniger *über* den Menschen, im Sinne eines „Être supérieur", d.h. eines weiter oben befindlichen Seins, als *unter* ihnen ausbreite (NC; 198f.): „Zusammenhalt des Menschen mit seiner Raum-Zeitlichkeit oder Zusammenhalt des Menschen mit jedem anderen Menschen", worunter Merleau-Ponty – nach dem Prinzip der Simultanität – eine „fleischlich-leibliche Koexistenz" (coexistence charnelle) versteht (200). Während sich Merleau-Pontys Spätphilosophie als Gesamtunternehmen durch diese und andere Textstellen literarischer Gestalt ausbildet bzw. an begrifflicher Tiefe gewinnt, bleibt der Ursprung des Hauptbegriffs, *la chair*, im Dunkeln. Möglicherweise ist auch Letzterer literarischen bzw. kunsttheoretischen Ursprungs (vgl. *chiasme*). Freilich bleibt dieser Verdacht hoch spekulativ, und zwar hauptsächlich deshalb, weil es im Werk Merleau-Pontys keinerlei Hinweis auf die Begriffsentwicklung von *chair* gibt. Gleichzeitig liegt es nahe, den Ursprung von *la chair* etwa in Valérys *Tel Quel* zu suchen, d.h. in dessen spezifisch ästhetischer Behandlung dieses Begriffs: Valéry spricht davon, dass der Künstler (1941/1943; 12) „eine Vielzahl an Wünschen, Intentionen und Verhältnissen in materieller Form versammelt, anhäuft und zusammenstellt, die aus allen möglichen Orten des Geistes und des Seins stammen. Bald denkt er", schreibt Valéry weiter, „an sein Modell, an die Mischungen, die Ölfarben und Farbtöne; bald an das Fleisch [frz.: chair] selbst und bald an die verschlingende Leinwand."

Den Ursprung von *chair* gerade bei Valéry zu suchen, erscheint nicht nur deshalb plausibel, weil Merleau-Ponty aus dessen Werk auch den des *Chiasmas* entlehnt, sondern weil Merleau-Ponty zudem den Begriff des *Fleischlichen* aus einem Mischungs- bzw. *Vermischungsverhältnis* entwickelt. In den späten Vorlesungen (NC) spricht er von einem *Magma*, dessen strukturelle Beschaffenheit sowohl den Menschen mit der Welt, als auch *Geist* und *Körper* zu einer psycho-physischen Einheit *verschmelze* (NC; 211): „Die Menschen, die Zeit und der Raum sind aus ein und demselben Magma gemacht."

2. 2. 2. 2. Paul Cézanne und die Malerei

Geht es um die Einflussnahme der Kunst ganz allgemein auf die philosophische Entwicklung Merleau-Pontys, lässt sich die vorangegangene Analyse ohne weiteres im Bereich der Malerei fortführen. Schon früh glaubte Merleau-Ponty in Cézannes Bestreben *die Sachen* über spezifisch malerische Mittel zu erreichen, die phänomenologische Maxime Husserls zu entdecken (III. 1.2.). Auch wenn ihm diese Beobachtung primär methodisch interessiert zu haben scheint, ist sein ‚Faible' für die Künstlerpersönlichkeit Cézannes nicht zu übersehen. Das zeigt sich insbesondere in der idealisierten Gestalt des *Künstler*-Prototyps, dessen existentiellem Weltverhältnis sich verstärkt die späten Schriften Merleau-Pontys (OE, NC) widmen. Dass Merleau-Ponty nahezu verwandtschaftliche Bezüge zwischen Künstler und Philosoph entdeckt, liegt nicht zuletzt daran, dass gerade die Kunsttheorie Cézannes[295] einen hohen Grad an Reflexivität aufweist; d.h. im Besonderen durch die Frage angeleitet ist, was Kunst allgemein, bzw. die Person des Künstlers im Speziellen zu leisten vermag. Außerdem erschöpft sie sich keineswegs in einer simplen, ästhetischen Betrachtung der Natur bzw. künstlerischer Lebensverhältnisse (vgl. Kaelin; 308). Daneben ist die Reflexion über Möglichkeiten und Grenzen der Philosophie ein wichtiges, wenn nicht gar *das* zentrale Thema im Werk Merleau-Pontys, und zwar seit den Frühschriften (Madison, 1973; 161). Dies sind sicherlich wesentliche Gründe, warum sich Merleau-Ponty mit keinem anderen Künstler derart eingehend und umfangreich beschäftigt

---

[295] Die hauptsächlich durch Briefe Cézannes, vor allem aber durch ganz unterschiedlich zu beurteilenden Schilderungen von Zeitgenossen, überliefert ist: Besondere Beachtung verdient unter diesem Aspekt vor allem Merleau-Pontys Umgang mit den Erinnerungen Gasquets (vgl. auch III. 1.2.2.1.): Die Authentizität der Schriften ist in der Forschung freilich umstritten. Vgl. auch Fußnote in der Einleitung vorliegender Arbeit.

hat wie mit Cézanne[296]. Ein frühes Zeichen seines Interesses ist der Essay *Le doute de Cézanne*, worin er sich nicht nur mit der Biographie des Künstlers auseinandersetzt, sondern vor allem auch mit dessen künstlerischem Anspruch. Bereits hier benennt er die gemeinsame Aufgabe von Philosoph und Künstler, die nicht nur die Gabe zur Schöpfung teilen, sondern zudem die Komplexität bzw. Verbundenheit der menschlichen Welt aufzudecken vermögen (SNS; 33): „Ein Maler wie Cézanne, ein Künstler, ein Philosoph, müssen eine Idee nicht nur erschaffen und zum Ausdruck verhelfen, sondern kommen außerdem nicht umhin jene Erfahrungen wachrufen, die die Ideen im Bewusstsein anderer [frz.: dans les autres consciences] verwurzeln." Vor allem die späten Schriften (Vis, NC, OE) gründen auf diesem frühen Fundament und machen es für den Entwurf einer neuen Philosophie grundsätzlich nutzbar: Ein untrügliches Zeichen dafür ist die Tatsache, dass Merleau-Ponty den späten Essay *L'œil et l'esprit* am Arbeitsplatz Cézannes in Tholonet vollendet hat, „in einer Landschaft, die", wie Lefort im Vorwort zum späten Essay Merleau-Pontys (p. I) schreibt, „für immer den Blick Cézannes in sich trägt".

2.2.3. Die Beschaffenheit des Künstlerkörpers

Die eigentümliche Gestalt des Künstler*körpers* verbindet Kunst und Philosophie, Künstler und Philosophen miteinander: Die mit dem Frühwerk vorliegende Leibphilosophie Merleau-Pontys, dient in den späten Schriften als Basis für die existentiell-ontologische Ausarbeitung des menschlichen Weltverhältnisses, das Merleau-Ponty als *Zur-Welt-Sein* bestimmt. In der *strukturellen* Beschaffenheit des Künstlerkörpers (Leib) findet der ontologische Entwurf der „Philosophie des Fleisches" (NC; 202) seine Entsprechung. Deshalb bezeichnet Merleau-Ponty den Künstler – im Sinne des chiastischen Grundmodells – als *zweiblättriges Wesen* und bestimmt ihn als jemanden, der die Welt bewohnt und gleichzeitig malend, schreibend oder in anderer Weise gestaltend mit dieser *interagiert* (vgl. OE).

Damit ist der Künstler ausgewiesenermaßen Prototyp der „Metamorphose von Sehendem und Sichtbarem" (OE; 34). Mit dem, was sich *in der Welt* zeigt, weiß er darüber hinaus wie kein Zweiter umzugehen[297]: Im

---

[296] Mercury geht in seiner Bewertung im Hinblick auf den Stellenwert Cézannes für die Philosophie Merleau-Pontys noch einen Schritt weiter (2005; 39): « Cézanne est une présence constante dans la pensée de Merleau-Ponty comme si sa philosophie n'avait pu se constituer sans lui. »

[297] Die sehend-sichtbare Existenz der Künstler findet etwa im *Selbst*portrait seinen Ausdruck – Merleau-Ponty (OE; 34): « Les peintres ont souvent rêvé sur les miroirs parce que, sous ce « truc mécanique » [...], ils reconnaissaient la métamorphose du voyant et du visible [...]. Voilà pourquoi aussi ils ont souvent aimé [...] à se figurer eux-mêmes en train de peindre, ajoutant à ce qu'ils voyaient alors ce que les choses voyaient d'eux, comme pour attester qu'il y a une vision totale ou abso-

Sichtbarmachen ordnet er sich der Welt zu, so dass er Sichtbares unter Sichtbarem ist. Seine Inkarniertheit ist der Schlüssel zur Welt (69): „Das Sehen des Malers, ist nicht mehr ein Blick auf ein Äußeres, eine bloß physikalisch-optische Beziehung zur Welt. Die Welt liegt nicht mehr durch bloße Vorstellung vor ihm. Vielmehr ist es der Maler, der in den Dingen geboren wird wie durch Konzentration und einem Zu-sich-Kommen des Sichtbaren." Hier klingt an, worum es Merleau-Ponty beim Aspekt des *inkarnierten Seins* im Besonderen geht – nämlich um die Teilhabe des Menschen an einem *fleischlich-leiblichen Gewebe* (tissue charnel), einer gemeinsamen Welt, wobei die Teilhabe als eine von Gleichen an Gleichem zu verstehen ist.

Die Verbundenheit von Philosophie und Kunst ist im Werk Merleau-Pontys vielfach fokussiert auf das schöpferisch-schaffende Dasein von Philosoph und Künstler[298]. Beide vereint eine Erfahrung, die man auch als „unaufhebbare Bezogenheit auf die Dinge" (Maier; 95) bezeichnen könnte. Diese unaufhebbare Intentionalität, die auf dem existential-ontischen *fleischlich-leiblichen Gewebe* der Welt gründet, lässt nach Sergio Benvenuto einen Blick auf eine *Welt vor jedem Blick* zu: „Diese Welt lässt sich betrachten, wie die Oberfläche eines unbekannten Planeten: die unheimliche Schönheit dessen, was noch nie betrachtet wurde."[299] Durch diese exklusive Erfahrungsform sind Künstler und Philosoph nicht nur (1) die *ersten* Menschen, die einen Zugang zur primordialen Welt besitzen, sondern sind (2) beide gleichermaßen mit dem Problem der *Darstellbarkeit* konfrontiert, weil die primordiale Erfahrung eines quasi-originären Ausdrucks bedarf.

Mit dem Gedanken, dass die Intentionalität des Philosophen wie des Künstlers zur Welt *unaufhebbar* ist, d.h. beständig und zugleich immer schon da, korrespondiert einerseits das gemeinsame Bestreben von Philosophie und Kunst, das Merleau-Ponty unter dem Aspekt des Neubeginns (III. 1.2.1.) zusammenfasst. Das angestrebte und gleichzeitig niemals erreichte Ziel, dem Sein zum Ausdruck zu verhelfen, ist andererseits aber auch ein Dilemma, das Merleau-Ponty nicht nur auf der Ebene der Kreati-

lue, hors de laquelle rien ne demeure, et qui se referme sur eux-mêmes. » Im Spiegel wird die existentielle Doppelgestalt des Künstlers zu einem *endlosen Modell* von Sehendem und Sichtbarem (vgl. auch Vis; 309: « La chair *est le phénomène de miroir et le miroir est extension de mon rapport à mon corps.* » etc.).

[298] Stéphane Ménasé lotet diese vermeintliche Gemeinsamkeit zwischen Philosoph und Künstler am Beispiel moderner Kunst im Anschluss an Merleau-Ponty umfangreich aus (Ménasé, 2003). Vgl. auch Jonathan Gilmore, *Between Philosophy and Art*, in: Taylor Carman/Mark B. N. Hansen (Hrsg.), The *Cambridge Companion to Merleau-Ponty*, Cambridge 2005; S. 291-317.

[299] Benvenuto, Der Blick des Blinden, Cézanne, der Kubismus und das Abenteuer der Moderne, in: Lettre international, II. Vj./Sommer 2001, Heft 53; 97.

ven (Philosoph/Künstler)[300], sondern auch – im Sinne eines *Interpretationsdilemmas* – auf der Ebene der Rezipienten (Leser/Betrachter) kennt. Spezifisches Signum jenes *unaufhebbaren Bezogenseins* ist die Erfahrung des *Angesprochen-Werdens* durch das Sein (OE): Das schöpferisch-schaffende Dasein von Künstler und Philosoph gründet auf der Tatsache, dass sie sich inspiriert fühlen, dass *etwas* sie zum Befragen zu ermuntern scheint. Der Erfahrung der Inspriration geht in diesem Sinne die Erfahrung der *Expiration* voraus, etwas das Merleau-Ponty auch als das „Atmen des Seins" bezeichnet (OE; 31f.):

> „Es gibt tatsächlich eine Inspiration und eine Expiration [frz.: expiration] des Seins, Atmen im Sein, Handlung und Leidenschaft, die so wenig voneinander zu unterscheiden sind, dass man nicht mehr weiß, wer sieht und wer gesehen wird, wer malt und wer gemalt wird."

Dass sich das Sein artikuliert, sich gewissermaßen ‚von selbst' realisiert, drückt sich, wie Merleau-Ponty aus den Erfahrungsberichten verschiedener Künstler zu wissen glaubt[301], gerade darin aus, dass sich insbesondere die Maler „von den Dingen beobachtet fühlen" (Vis; 183). Was wiederum soviel heißen könnte, dass das *sich selbst anzeigende* Sein den kreativen Akt beeinflusst bzw. sich gegen den *freien* Willen des Künstlers durchzusetzen weiß (OE; 86): „Auf dem unvordenklichen Grunde des Sichtbaren hat sich etwas bewegt, hat sich entzündet, das nun seinen Körper überkommt, und alles, was er malt, ist eine Antwort auf diese Anregung, seine Hand nur das Instrument eines fernen Willens."[302]

---

[300] Vgl. Vis; 232: „Der Übergang der Philosophie zum Absoluten, zum transzendentalen Feld, zum wilden bzw. ‚vertikalen' Sein geschieht zwangsläufig Schritt für Schritt und ist unvollständig." Oder auch EP; 26: « Il est parfaitement vrai que chaque philosophe, chaque peintre considère ce que les autres appellent son œuvre comme la plus simple èbauche d'une œuvre qui reste toujours à faire. »

[301] Eine Referenz für das Spezifische des Malprozesses findet sich etwa im Werk Cy Twomblys, auf den Merleau-Ponty freilich selbst nicht verweist. Cy Twombly hat den Malprozess als „compulsive action of becoming" beschrieben (1957): "Each line now is the actual experience with its own innate history. It does not illustrate– it is the sensation of its own realization." (Cy Twombly, Documenti di una nuova figuaione: Toti Scialoja, Gastone Novelli, Pierre Alechinsky, Achille Perilli, Cy Twombly, In: L'Esperienza Moderna, 2 (1957); 32. Zit. nach Achim Hochdörfer, „Blues goes out B comes in" Cy Twomblys Narration der Unbestimmtheit In: Cy Twombly, States of Mind, Malerei, Skulptur, Fotografie, Zeichnung, München (Schirmer/Mosel) 2009; 12-36 – hier: S. 31).

[302] In Vis (198f.) exemplifiziert Merleau-Ponty diese Beobachtungen an einem Beispiel aus der Musik: « Les idées musicales ou sensibles, précisément parce qu'elles sont négativité ou absence circonscrite, nous les possédons pas, elles nous possèdent. Ce n'est plus l'exécutant qui produit ou reproduit la sonate : il se sent, et les autres le sent, au service de la sonate, c'est elle qui chante à travers lui.... ».

Glaubt man den sehr weit gehenden Aussagen Merleau-Pontys, begreift sich der Künstler im konkreten kreativen Akt nicht als eigentlich Handelnder, sondern als derjenige, der das, was er hört oder sieht, zu hören oder zu sehen bekommt, im Werk umsetzt: Demnach werde die *Expiration* vor allem dann zum Problemfall, wenn sich der Künstler ihr widersetze, und dem, was sich in der Welt zeige, nicht entspräche. Inwiefern dieses besondere *Weltverhältnis* des Künstlers, das Merleau-Ponty im Spätwerk entwickelt und möglicherweise gerade auch für den Philosophen Gültigkeit beansprucht, ist Thema des abschließenden Kapitels.

2.3. Die philosophische Operation der ‚Überreflexion' (surréflexion)

Die Basis jenes späten Entwurfs, in den die philosophischen Vorarbeiten münden, ist eine radikale Wissenschaftskritik, die Merleau-Ponty bereits in frühesten Schriften (III. 1.1.) thematisiert. Seine Kritik umfasst klassische Wissenschaften wie Philosophie gleichermaßen, solange diese, wie er schreibt, „die Dinge manipuliert und darauf verzichtet, sie zu bewohnen" (OE; 9). Das Bestreben, die Krise, in der sich gerade auch die Philosophie befinde (NC; 39), zu überwinden, prägt in vielerlei Hinsicht sein Werk: So gründet der Impetus zurück zu den Sachen zu gehen, als dessen Ergebnis Merleau-Ponty die eigene Phänomenologie versteht, auf einer grundsätzlichen Kritik der Wissenschaften, die nach Merleau-Ponty immer weniger die Welt und den ursprünglichen Wirklichkeitscharakter berühren.

Die gängige Methode der Wissenschaften qualifiziert er als ein *pensée de survol* (dt.: Denken im Überflug: OE; 12) ab[303], ein Denken, das gewissermaßen aus dem Vogelflug – in Entfernung von den Dingen und der Wahrnehmungswelt – diese zu ihren Objekten macht. Jenes Denken soll, metaphorisch gesprochen, *auf den Boden* gebracht werden (ebd.), um die Dinge, mit denen wissenschaftlich umgegangen wird, wirklich zu ‚berühren'[304]. Die Entfernung der zeitgenössischen Philosophie von den zwischenmenschlichen Beziehungen (NC; 40) bzw. von der Beziehung zwischen Mensch und Natur (42) soll durch eine neue Philosophie aufgehoben werden. In der Leibphilosophie Merleau-Pontys scheint diese bereits angelegt zu sein: Weil das *verleiblichte* Subjekt die Welt bewohnt, kann es

---

[303] Vorbild einer Wissenschaft, die „unsere Zugehörigkeit zur Welt ersetzt durch ein Überfliegen der Welt [frz.: un survol du monde]" (Vis; 59), sei die so genannte *kartesische Geistigkeit* (spiritualité cartésienne: ebd.).

[304] Merleau-Ponty wendet sich (im Spätwerk) wiederholt gegen eine Philosophie im Überflug; und zwar vor allem deshalb, weil die *eigentliche* Philosophie auf der *Treue zum tatsächlichen Erlebten* aufbaue. Ihre Grundlage sei das *Erleben* selbst (vgl. Vorlesungen I, Philosophie und Nicht-Philosophie; 237 bzw. 238): „Mit anderen Worten, die Philosophie geht von unserer realen Verwurzelung in der Welt aus."

überhaupt nicht in die Position des *Überflugs* geraten (Nagataki, AH, 1998; 23): weil es die Welt, in der das Subjekt agiert und sieht, bewohnt bzw. ihr *inne* ist. Entsprechend urteilt Merleau-Ponty über die eigene Spätphilosophie (Signes; 30): „Die Philosophie, die dieses Chiasma von Sichtbarem und Unsichtbarem enthüllt, ist das vollkommene Gegenteil eines Überflugs." Das neue Denken, das sich daran anschließt, ist – dem Entwurf (NC; 44) nach – eine *Vertiefung* (approfondissement) bzw. eine Wiederentdeckung der Natur als Basis von Kultur und Wissenschaft. Denn, um die Krise der Philosophie zu überwinden, bedarf es des Verständnisses des ‚Ursprungs', der Aufdeckung der primordialen Welt, in der das *Sein als Einheit* (l'indivision de l'Être) Bestand hatte (362), in der *Körper* und *Geist* voneinander nicht zu unterscheiden waren. Das Unternehmen des Spätwerks (Vis; 373) nimmt auch Husserls[305] Bestreben (wieder) auf, die *stumme Erfahrung zur reinen Aussprache ihres eigenen Sinnes* zu bringen, um dessen Realisierung sich Merleau-Ponty bereits im Frühwerk bemühte (PP; S. X).

Das eigentliche, methodologische Problem ergibt sich mit der Setzung des Ziels: Welcher philosophischer Mittel bedarf es, um das neue Denken zu konstituieren bzw. Husserls Bestreben zu realisieren? Sicher ist sich Merleau-Ponty hinsichtlich der Rahmenbedingungen. Die neue Philosophie ist demnach (1.) kein *unmittelbares Lesen der Wesenheiten*, sondern es gilt, (2.) die philosophische Frage (als Befragung der Welt) zu restituieren (NC; 369) – freilich als eine, die sich von ihren Vorgängern, den Philosophien im Überflug (pensées de survol) unterscheiden muss, will sie dem neuen Denken gerecht werden: „Es handelt sich bei der Philosophie weder um eine Reflexion [...] noch um eine Rückkehr zum Unmittelbaren Bergsons", schreibt Merleau-Ponty zwischen 1960 und 1961 (373). Hinweise, wie diese Notiz dem Duktus nach zu verstehen ist, finden sich zu gewissem Grad schon in der *Phénoménologie*. Dort stellt er fest, dass es nicht nur darum gehen könne, zu philosophieren, sondern sich die *Verwandlungen* bewusst zu machen, die die Philosophie in der Welt und in unserer Existenz bewirke (PP; 75). So heißt es über die philosophische Reflexion (76): „Die Reflexion ist nur dann wahrhafte Reflexion, wenn sie sich nicht über sich selbst erhebt, sich als Reflexion-auf-ein-Unreflektiertes versteht und folglich als Wandlung der Struktur unserer Existenz." Reflektieren meint in diesem Sinne – und zwar in unübersehbarer Analogie zum *Sichtbarmachen des Unsichtbaren* – etwas *Unreflektiertes bloßzulegen* (Signes, PO; 204).

Die Vehemenz, mit der sich Merleau-Ponty im Spätwerk gegen das *Unmittelbare* (l'immédiat) Bergsons wendet, korrespondiert mit seinen

---

[305] Vgl. Hua I, CM; 77.

frühen Vorbehalten gegenüber dessen Entwurf einer *meditativen Schau* (ebd.): „Der Irrtum Bergsons bestand darin, anzunehmen, dass das meditierende Subjekt mit dem Objekt, über das es meditierte, verschmelzen könnte, sowie anzunehmen, das Wissen zu erweitern, indem es sich im Sein selbst auflöse". Merleau-Pontys später Entwurf des Sehens *bildet sich im Gegensatz dazu mitten im Sichtbaren aus*, statt in ihm „aufzugehen" (Vis; 173)[306].

Das neue Denken ist zwischen zwei philosophischen Extremen angesiedelt – zwischen dem reflexionsphilosophischen Glauben, sich hinter einem „unangreifbaren cogito" (PP; 75) verschanzen zu können[307], und der *Immanenz* Bergsons: dort, „wo Reflexion und Intuition noch nicht getrennt sind" (Vis; 172). Als Rückgang auf die primordiale Welt ist das neue Denken auch *Rückkehr zu sich selbst wie zu allen Dingen* (NC; 374) und „Einladung das Sichtbare wiederzu-sehen, die Sprache wiederzu-sprechen und das Denken wiederzu-denken" (375).

Besonders relevant für die Ausarbeitung des späten Entwurfs ist der Begriff der *Koexistenz*: In den Arbeitsnotizen zu *Le visible et l'invisible* beschreibt Merleau-Ponty die methodische Basis der Spätschrift (Vis; 242):

> „Alles läuft darauf hinaus: eine Theorie der Wahrnehmung und des Verstehens zu schreiben, die zeigt, dass Verstehen nicht Konstitution in intellektueller Immanenz bedeutet, [sondern] dass Verstehen heißt, etwas durch Koexistenz zu erfassen, lateral, vom Stil her, und von dort schlagartig die Weite dieses Stils und dieses Kulturapparates zu erlangen."

---

[306] In *Éloge de la philosophie* schreibt Merleau-Ponty entspechend (20): « La philosophie, la vraie pensée, [...] sera, Bergson l'a souvent dit, < fusion > avec les choses, ou encore < inscription >, < enregistrement >, < empreinte > des choses en nous ». Andererseits nähert er sich darin – anders als etwa in der Phénoménologie oder in den späten Schriften – dem Intuitionsmodell Bergsons zugleich an (22f.): « La fameuse coïncidence bergsonienne ne signifie donc sûrement pas que le philosophe se perde ou se fonde dans l'être. Il faudrait dire plutôt s'il s'éprouve dépassé par l'être. Il n'a pas besoin de sortir de soi pour atteindre les choses mêmes: il est intérieurement sollicité ou hanté par elles. » Bzw. an anderer Stelle (EP; 25): « Ce qu'on croyait être coïncidence est coexistence. »

[307] In *Le visible et l'invisible* (Réflexion et Interrogation; pp. 17-74) schreibt Merleau-Ponty, dass ihm die *Reflexionsphilosophie* (la philosophie réflexive) letztlich zu weit geht, um sie für das eigenen Projekt heranzuziehen (67): « Ce que nous proposons, ce n'est pas d'arrêter la philosophie réflexive après avoir pris le départ comme elle, – c'est bien impossible, et, à tout prendre, une philosophie de la réflexion totale nous semble aller plus loin, ne serait-ce qu'en cernant ce qui, dans notre expérience, lui résiste – ce que nous proposons c'est de prendre un autre départ. » Vgl. auch ebd.; 67ff.

Mit diesem Entwurf geht es Merleau-Ponty ausdrücklich nicht darum, an die philosophische Methode vor der sogenannten ‚Krise' anzuknüpfen bzw. darum, „etwas Verlorenes wiederzubringen. Was verloren ist, ist für immer verloren" (NC; 374). Auch ist er sich darüber im Klaren, dass er mit dem neuen Denken tatsächlich philosophisches Neuland betritt und betont die Notwendigkeit dieses Schrittes. Das methodologische Konzept der *Überreflexion* (surréflexion) ist wie kein anderes Indiz und Schema dieses neuen Denkens, dessen richtungsweisende Bedeutung für das Gesamtwerk trotz fehlender Ausarbeitung nicht unterschätzt werden darf – was in der Forschung freilich de facto bisher noch der Fall ist.

Philosophieren heißt nach Merleau-Ponty „zu suchen sowie auszugehen davon, dass es Dinge zu sehen und zu sagen gibt" (EP; 45). Damit sind schlechterdings die Koordinaten des Spätwerks benannt: *Sehen* und *Sagen* – gefasst als begriffliches *Denken* – illustrieren das eigentümliche Verhältnis zwischen Kunst und Philosophie. Zudem lässt sich zwischen diesen Eckpunkten am ehesten herausarbeiten, was Merleau-Ponty unter dem *neuen* Denken verstanden wissen will.

2.3.1. Das *Denken* des Künstlers zu dem des Philosophen machen

Bei Cézanne ist das Denken primär ein Vorgang, der den kreativen Akt des Künstlers nicht nur stört, sondern im eigentlichen Sinne *verhindert*. Dieses Denken ist das des Philosophen, aber auch das des Malers, wenn er über sein Verhältnis zur Kunst reflektiert oder darüber, was Kunst an und für sich ist, und was sie vermag. Merleau-Ponty bezeichnet dieses begriffliche Denken, das als je meiniges Denken erfahren wird, als eines, das *von den Dingen entfernt* und erinnert an Prousts Swann und den Zeichensinn der Noten (Vis; 197): „In dem Moment, in dem er diese Zeichen und diesen [ihren] Sinn denkt, hat er die ‚kleine Phrase' selbst nicht mehr".

Cézanne kennt vermeintlich aber auch noch ein anderes Denken, eines, das der Künstler als Ausdruck der sich im kreativen Akt artikulierenden Welt versteht: „Die Landschaft spiegelt sich, vermenschlicht sich, denkt sich in mir", legt Gasquet (Doran; 137) dem Maler in den Mund. Damit kann nur ein *handwerklicher Realisierungsprozess* gemeint sein, der durch die *Expiration* des Seins (vgl. oben OE) angestiftet oder ausgelöst wurde, und anders als das begriffliche Denken als ein *fremdes* Denken (im Sinne von *denkt sich in mir*) erfahren wird. Das Kunstwerk ist somit Produkt des künstlerischen Denkens, das sich eben nicht auf sprachlich-theoretischer Ebene, sondern im Malakt, d.h. im (er)schaffenden Prozess selbst offenbart[308]. Diese Beobachtung führt geradewegs zu der Frage,

---

[308] Spätestens hier erscheint die Übernahme des Begriffs *Denken* für den künstlerischen Prozess als problematisch – eben weil der vom philosophischen Denken bewusst unterschieden wird. Sinnvoller wäre es, das *philosophische* Denken (a), eben

was Denken eigentlich ist, d.h. wer es initiiert oder verursacht[309]. Denn natürlich lässt sich behaupten, das Denken initiierte sich gewissermaßen immer schon selbst – z.B. als Ergebnis neuraler Reize oder anderer nicht-bewusster Vorgänge im Gehirn. Dennoch scheint mit dieser Feststellung nichts gewonnen zu sein: Das *transzendentale Ich* ist die einzig denkbare Institution, die die verschiedenen Denkprozesse, ob unbewusst oder bewusst, als das *Je Meinige* in sich zusammenführt.

Wenn das Ideal des genuin *philosophischen* Denkens aber als eines beschrieben wird, das sich selbst über diese unwillkürlichen Impulse hinwegzusetzen oder sie überhaupt als solche zu thematisieren weiß, unterscheidet es sich von einem bloß ‚künstlerischen Denken', das auf diese Impulse nur ‚reagiert'. Zwischen diesen beiden *Denk*formen zu unterscheiden, ist deshalb wichtig und notwendig, weil an dieser Überlegung der Entwurf der *Über*reflexion im eigentlichen Sinne ansetzt: an der Frage, was eine *philosophische Befragung* (interrogation philosophique) leisten muss, um das Sein zu *enthüllen*. Damit ist zugleich das Vakuum zwischen philosophischem und künstlerischem Denken (im Malakt) bestimmt, das Merleau-Ponty auf eine ihm eigene Weise zu überwinden strebt (OE; 60): „Diese Philosophie, die noch zu schaffen ist, beseelt den Maler [bereits] – doch nicht etwa, wenn er Ansichten über die Welt äußert, sondern in jenem Augenblick, wenn sein Sehen zur Geste wird, wenn er, wie Cézanne sagt, ‚im Malen denkt' [frz.: penser en peinture]."

Die ‚interrogation philosophique' könne demnach kein Fragen im klassischen Sinne meinen, sondern müsse dem *Sein* selbst entstammen. Dies sei wiederum nur deshalb möglich, „weil derjenige, der fragt, wahrhaft der Welt angehört, die er befragt, Falte in jenem Stoff ist, genauso wie mein Körper Teil des Sichtbaren, das er sieht" (NC; 370). Dieses besondere Weltverhältnis erklärt auch, warum sich die *philosophische* Frage, wie Merleau-Ponty schreibt (371), „durch uns artikuliert, durch das Überkreuzen [frz.: recroisement] von Sichtbarem und Unsichtbarem".

---

weil es ein (b) gegenstandsbezogenes und begriffliches Denken meint, vom *künstlerischen* Denken auch begrifflich abzugrenzen und etwa die Unterscheidung (b) künstlerisches Denken bzw. (a) noematische Reflexion (vgl. Wagner, 1959; u.a. 44) einzuführen. Merleau-Ponty verzichtet allerdings darauf. Er arbeitet nicht nur mit Cézannes Begriff des *Denkens* (cette <pensée> muette de la peinture: OE; 91), sondern bezeichnet – wie noch zu sehen sein wird – das künstlerische Denken selbst als eine Art *Reflexion*. Dass Merleau-Ponty derart vorgeht, kann, dies möchte ich zumindest nicht unerwähnt sein lassen, freilich auch dem fragmentarischen Charakter der Spätschriften zugeschrieben werden, d.h. der Tatsache, dass diese Überlegungen in einer ersten unbearbeiteten Form vorliegen.

[309] So befasste sich Merleau-Ponty auch mit dem *Irrtum des freien Willens*, wie er es nannte (PP; 498f.): „Was uns hier täuscht, ist unsere Neigung, die Freiheit in einer willentlichen Erwägung zu suchen."

Zusammenfassend lässt sich folgern, die neue Philosophie ist eine *Intra-* bzw. *Innen-Ontologie* (ontologie du dedans) (vgl. insbes. III. 2.1.), weil sie (1) dem Sein selbst entstammt. Der Philosoph spricht nicht *über* das Sein, das sich außerhalb seiner selbst befindet, sondern (2) das Sein artikuliert sich *durch* ihn hindurch bzw. *in* seiner Philosophie. Daraus schließt Merleau-Ponty, (3) dass sich die Philosophie 'neuen Typs' notwendigerweise selbst zum Thema hat, und zwar (4) im Sinne eines unverfälschten, *vorgängigen* Weltverhältnisses, spreche sie doch „wie die Bäume Knospen austreiben, wie die Zeit voranschreite" (frz.: elle parle comme les arbres poussent, comme le temps passe: NC; 373) – im Wissen ihrer *Inkarniertheit* und der damit verbundenen *Innen*perspektive auf die Dinge und das Sein.

Merleau-Ponty nennt diesen *Welt*bezug der Philosophie das „Wissen vom Ineinander" (le savoir de l'Ineinander: NC; 366)[310], das im Sinne des chiastischen Modells die Dinge mit der Philosophie genauso vereine, wie mich mit jedem anderen Menschen: Die Überreflexion exemplifiziere die *Selbst*-Artikulation des Seins (das so genannte *Atmen im Sein*, vgl. OE). Zudem gründe sie auf der Überlegung, dass Kunst wie Philosophie *Schöpfungen* seien, die allein die *Erfahrung* des Seins (Vis; 251) möglich machten, sowie auf der Überzeugung, dass der menschliche Körper gewissermaßen *Resonanzkörper des Seins* sei. Nach Merleau-Ponty verhindert die klassische Philosophie diesen *ursprünglichen* Kontakt zum Sein, indem sie darauf verzichte, „die Dinge selbst sich äußern" (Vis; 167) zu lassen. Außerdem missbrauche sie die Sprache als rein beschreibendes Medium (ebd.).

Die essentiellen Bestimmungen der Überreflexion aufzudecken, gestaltet sich nicht zuletzt deshalb als äußerst schwierig, weil Merleau-Ponty nicht näher unterschieden hat, inwiefern sie sich vom *Reflexions-* auf der einen bzw. *Intuition*smodell auf der anderen Seite abgrenzt. Man kann bestenfalls davon sprechen, dass die propädeutischen Notizen des Spätwerks mögliche bzw. wahrscheinliche Dimensionen der *surréflexion* abstecken (NC; 356f.). Die wenigen Hinweise Merleau-Pontys verlangen einen hohen interpretatorischen Einsatz: Notizen aus dem Frühwerk legen es nahe, die Überreflexion als eine philosophische Methode zu lesen, in der *Empfindung* und *Denken* nicht getrennt sind; als eine Methode, die ihren ideellen Ursprung im künstlerischen Denken hat[311], wie Merleau-Ponty

---

[310] Zur Bedeutung der Studien Paul Schilders als empirisches Fundament des „Ineinander" (hier vorrangig als „Ineinander der Körperschemata" – vgl. de Saint Aubert 2010 v.a. S. 144ff.).

[311] Entscheidende Komponenten dieser Beobachtung hat etwa Winkler (1994) herausgearbeitet, und die Kunst als *mögliche Fundierung des Denkens* bei Merleau-Ponty bezeichnet. Das künstlerische Agieren bestimmte er als *künstlerische Reflexion* (ebd.; 106), „als eine Form der Erkenntnis, die nicht subjektivistisch ist" bzw. als

die „Reflexion höherer Stufe" (Pilz; 103) in *Le visible et l'invisible* einführt (61): Sie müsse die Welt „befragen", kurz „in den Wald von Bezügen
eintreten, den unsere Befragung in ihr erzeugt"; schließlich bedeute dies,
„dass sie [die Welt] sagen macht, [...] was *diese* in ihrer Verschwiegenheit
sagen will." Merleau-Ponty war sich, wie folgende Notiz vermuten lässt,
bewusst, dass er mit dieser neuen Philosophie das angestammte philosophische Terrain überschreiten würde. Er wusste freilich nicht, wie weit
(61f.):

> „Wir wissen weder, was diese Ordnung und diese Stimmigkeit der
> Welt genau ausmacht, der wir uns damit ausliefern, noch wissen
> wir, worin dieses Unternehmen mündet, noch, ob es überhaupt
> möglich ist. Aber wir haben nur die Wahl zwischen ihr und einem
> Dogmatismus der Reflexion, von dem wir gerade einmal wissen,
> wohin er führt, weil mit ihm die Philosophie in dem Augenblick
> aufhört, wo sie einsetzt, und er uns aus diesem Grunde das eigene
> Dunkel nicht verständlich macht."

Mit der Entscheidung für die Methode der *surréflexion* schloss Merleau-
Ponty folglich nicht aus, dass sein Unternehmen ebenso scheitern könnte
wie Bergsons „Rückgang auf die unmittelbaren Bewusstseinsgegebenhei-
ten" (PP; 70)[312]. Unklar bleibt aber, ob ihm in aller Deutlichkeit bewusst
war, wie sehr der Entwurf der *surréflexion* in die Nähe der eigenen Kunstphilosophie gerückt war. Vieles spricht dafür, dass sich diese Nähe – gewissermaßen aus der Entwicklung, die seine Philosophie in den späten
Schriften genommen hatte – mehr oder weniger logisch folgte, d.h. in dieser Entwicklung bereits angelegt war. Gleichzeitig spiegelt sein Werk vielfach den Versuch wider, die Erfahrungen der Künstler bzw. die eigenen
kunsttheoretischen Überlegungen für umfassendere philosophische Analysen nutzbar zu machen[313]: „Mehr als je zuvor lehnte Merleau", wie Sar-

---

„ein das Wahrnehmen begleitendes Nachdenken, das sich am Wahrnehmungsge-
schehen selbst entzündet" (108).

[312] Dieser Rückgang wurde, wie Merleau-Ponty über den *Essai sur les données
immédiates de la conscience* (1889) in der *Phénoménologie* schreibt (70), „zu einem
hoffnungslosen Unternehmen, weil der philosophische Blick dadurch zu sein
strebte, was er grundsätzlich außerstande war zu sehen".

[313] Etwa wenn Merleau-Ponty in den Schriften des Übergangs davon spricht, die Sprache mit anderen Ausdrucksweisen, insbesondere mit den so genannten *stummen
Künsten* zu vergleichen (PM; 65). Oder auch, wenn er in der Konzeption einer späten Vorlesung schreibt (NC; 166): « Ordre à suivre: prendre contact avec nos questions sur [des] échantillons de pensée fondamentale (art, littérature); confronter
ces questions avec [la] pensée cartesienne (Descartes et successeurs) – voir si elles
y paraissent, ou y sont masquées, ou n'y sont pas du tout et pourquoi; de là, revenir
au présent, chercher [la] formulation de notre ontologie, de la philosophie au-
jourd'hui. » (Einfügungen von Ménasé).

tre über die Spätphilosophie seines Freundes schreibt (Situations IV; 271), „den Intellektualismus ab, befragte den Maler und dessen manuelles, wildes Denken." Gerade auch deshalb sieht Sartre im Maler einen *privilegierten Künstler* bzw. den *besten Zeugen* des chiastischen Verhältnisses zwischen *Individuum* und *Welt* (272), das Merleau-Ponty entwirft. Die Kunst genügt folglich in einem doppelten Sinne dem philosophischen Anspruch: Im Gegensatz zur klassischen Philosophie bzw. *noematischen Reflexion*, vermag sie tatsächlich die „reine und sozusagen noch stumme Erfahrung [...] zur reinen Aussprache ihres eigenen Sinnes zu bringen" (Hua I, 77); gleichzeitig exemplifiziert sich an der spezifischen Gestalt des Künstlerkörpers das menschliche *Welt*- bzw. *Seins*verhältnis: Demnach ist die Kunst eine „Philosophie mit anderen Mitteln"[314].

Freilich ist mit dieser Feststellung, die philosophische Suche nach dem Sein, es zu enthüllen und zur Erfahrung zu bringen, nicht abgeschlossen, sondern in einem umgekehrten Schluss gilt es, den scheinbaren Vorteil künstlerischer Praxis für die Philosophie nutzbar zu machen und möglicherweise sogar so weit zu gehen, das künstlerische Tun in eine philosophische, in eine philosophie*immanente* Methode zu übertragen: Alles künstlerische Denken mobilisiert einen unbewussten Wahrnehmungsbereich, einen Bereich, an den in gewisser Weise auch das alltägliche Sprechen anknüpft, denn selbst dort lässt sich, wie Merleau-Ponty hervorhebt, die Erfahrung machen, dass man erst, nachdem man etwas ausgesprochen hat, im eigentlichen Sinne weiß, *was* man gesagt hat (PM; 64). Unübersehbar ist die Nähe des künstlerischen Denkens zum sogenannten *intuitiven Verhalten*, wozu etwa auch gewissermaßen *automatisierte* Handlungsprozesse von Turnern oder Musikern zu zählen sind, die einmal antrainierte, hochkomplexe Bewegungsabläufe realisieren können, ohne jede Einzelbewegung bewusst zu begleiten[315]. Das Agieren der Künstler ist frei-

---

[314] Vor allem in den späten Vorlesungsnotizen zeichnet sich eine parallele Entwicklung ab – die Annäherung der *Kunst* an die *Philosophie*, d.h. an die philosophische Reflexion: „Die Malerei ist eine Art Philosophie" (NC; 58), fasst Merleau-Ponty die Ausführungen Paul Klees über den kreativen Akt des Künstlers zusammen, der *ohne es ausdrücklich zu wollen*, Philosoph sei. Die Malerei sei demnach eher eine implizite Philosophie – etwa aufgrund ihres *absoluten* Charakters bzw. weil sie die Natur nicht einfach abbilde, sondern sich umgekehrt durch sie generiere, d.h. zum Ausdruck komme (ebd.).

[315] Die Rede von automatisierten Handlungsabläufen folgt der kognitionspsychologischen Begriffsbildung: Von *kontrollierten* Prozessen (bewusst und rational kontrollierte Aufgabenlösung) unterscheidet die psychologische Forschung seit den 1960er Jahren *automatische* bzw. (übungsbedingt) *automatisierte* Prozesse, weil sie schnell, parallel, ohne Beanspruchung der Arbeitsgedächtniskapazität und ohne subjektive Anstrengung und Kontrolle ablaufen. Dagegen sind *kontrollierte* Prozesse – gemäß dem kognitiven Paradigma der Psychologie – langsam, seriell, anstrengend und kapazitätslimitiert (vgl. Walter Perrig/Werner Wippich/Pasqualina Perrig-Chiello, Unbewusste Informationsverarbeitung, Bern u.a. 1993; 107ff.). Die

lich mehr als das Abspulen automatisierter *Bewegungs-* oder *Denk*muster. Die Betonung der kunsttheoretischen Analysen Merleau-Pontys liegt nicht auf dem Aspekt des intuitiven Handelns, sondern auf dem des Aufnehmens äußerer bzw. innerer Reize. Der Entwurf der Überreflexion ist in diesem Sinne konsequente Fortführung der im Frühwerk bereits angelegten „Rehabilitierung des Sinnlichen" (Signes; 210). Die Wahrnehmungswelt ist in diesem Sinne methodischer Unterbau der Spätphilosophie, und das *Primat der Wahrnehmung*[316] findet darin – nicht nur hinsichtlich der *sinnlichen Genese* der Dinge in der Welt – seine Fortsetzung.

Das methodische Interesse der späten Philosophie Merleau-Pontys beruht auf der Einsicht, dass in der Wahrnehmung wahrnehmender Akt und wahrgenommener Gegenstand nicht wie im *objektiven Denken* getrennt werden können (Good, 1970; 134): Die Lösung aller Rätsel liegt, wie Merleau-Ponty betont, weniger in *Denk*vorgängen, als in der „Erfahrung des Sinnlichen" (Signes; 24). Den Blick des Künstlers, aber auch den des Philosophen versteht er als *Öffnung auf* das *Sein* hin und nicht als *konstituierende Akte des Bewusstseins* (ebd.; 23). Die Aufgabe der neuen Philosophie, des neuen Denkens besteht nicht darin, ein *verbales Substitut* der Welt zu suchen (Vis; 18): „Es sind die Dinge selbst, in der Tiefe ihres Schweigens, die sie zum Ausdruck verhelfen möchte." (ebd.) In diesem Sinne ist sie *ursprüngliches Denken* (pensée fondamentale), ein Denken ohne Grund, das als *Öffnung* zu verstehen ist (Signes; 29).

Dieses spezifische, *sinnliche Denken* ist gemeint, wenn Merleau-Ponty davon spricht, dass die Welt das ist, was wir wahrnehmen, wir aber auf der anderen Seite noch lernen müssen, sie zu *sehen* – nämlich „indem wir so tun, als wüssten wir nichts davon, als hätten wir darüber noch alles zu lernen" (Vis; 18).

Der Rückgang, den Merleau-Ponty in der Spätphilosophie entwirft, ist, auch weil diese sich längst vom Ideal des reinen Denkens emanzipiert hat, weniger eine Methode der Abstraktion bzw. der künstlichen Einstellung, wie sie Husserls phänomenologische Reduktion nahe legen würde[317], als

---

psychologische Forschung hat in den vergangenen Jahrzehnten verschiedene Paradigmenwechsel vollzogen – im Bezug auf nichtbewusste Prozesse vgl. etwa den Sammelband *The new unconscious* (hrsg. v. Ran R. Hassin, James S. Uleman, John A. Bargh), Oxford 2004.

[316] Spätestens mit der gleichnamigen Schrift *Le Primat de da perception et ses conséquences philosophiques*, einem Vortrag vor der Société française de Philosophie vom 23. November 1946 (Paris, 1996), ist dieses Postulat des Frühwerks – auch hinsichtlich möglicher Konsequenzen – für die späten Schriften Merleau-Pontys offensichtlich.

[317] Im Kapitel *La foi perceptive et la réflexion* (Vis; 48-74) argumentiert Merleau-Ponty, indem er sich gegen die Reflexionsphilosophie wendet, ausdrücklich gegen Husserls eidetisches Reduktionsmodell (69f.): « La réflexion se trouve donc dans

ein *Zu-sich-Kommen* des sehenden Subjekts *in* der *Wahrnehmung*welt (monde perçu: Vis; 300). Das Mittel dieser schrittweisen und immer wieder neuen Welterfahrung (III.1) ist die *philosophische Befragung* (interrogation philosophique), deren wichtigstes Merkmal, neben der Selbstreflexion, darin besteht, die *stumme* Welt (monde muet) zu befragen:

> „Sie befragt unsere Erfahrung der Welt, was die Welt ist, bevor sie Ding sei, von dem man spricht und das ihr entstammt; was sie ist, bevor man sie auf eine Gesamtheit griffiger und verfügbarer Bedeutungen reduziert habe; sie richtet diese Frage an unser stummes Leben, wendet sich an dieses Gemisch aus der Welt und uns, das der Reflexion vorangeht, weil die Untersuchung der Bedeutungen selbst uns eine Welt präsentieren, die auf unsere Idealisierungen und unsere Syntax beschränkt ist." (Vis; 138).

Das Befragen jener *stummen* oder besser *schweigenden* Welt geht, wie bereits zu sehen war (III. 2.1.1.1.), unmittelbar mit Merleau-Pontys Suche nach dem Sein einher bzw. dem Bestreben, das Sein zu *enthüllen* und *zum Ausdruck zu bringen*. Diese Enthüllung geschieht in den späten Schriften auf der Ebene der *interrogation philosophique* und damit im Rahmen der neuen Philosophie.

Im Frühwerk sowie im Werk des Übergangs widmet er sich den Analysen der schweigenden Welt (vgl. Theorem des *stummen cogito*) hauptsächlich (a) auf der Ebene der *Sprache*. Das Schweigen versteht er im Sinne eines *ausdrucksvollen Schweigens* (silence parlante) bzw. eines *unausgesprochenen Sagens* (Gregori, 1977; 183). Die frühen Analysen sind zudem Teil einer grundlegenden Analyse der Übertragung bzw. Übersetzung der *stummen* in die *sprechende* Welt (monde parlant)[318].

Im Spätwerk nimmt Merleau-Ponty diese Analysen – beeinflusst durch seine zahlreichen Studien zur Malerei – unter neuen Vorzeichen wieder auf und setzt sie (b) auf der Ebene des *Sehens* fort (II. 3/Tilliette, 1969; 115): Das Schweigen ist dabei als Synonym des *Unsichtbaren* zu verstehen, und das Bemühen, die *stumme Welt zum Ausdruck zu bringen*, hat sein Pendant im *Sichtbarmachen des Unsichtbaren* .

---

l'étrange situation d'exiger et d'exclure à la fois une démarche inverse de constitution. [...] C'est ce que Husserl mettait franchement en lumière quand il disait que toute réduction transcendantale est aussi réduction éidétique ». Vgl. auch PP; 430f.: « Il serait contradictoire d'affirmer à la fois (1) que le monde est constité par moi et que, de cette opération constitutive, je ne puis saisir que le dessin et les structures essentielles ». bzw. Fußnote (ebd.): « (1) Comme le fait par exemple Husserl quand il admet que toute réduction transcendantale est en même temps une réduction eidétique. »

[318] Vgl. Vis; 202: « Il nous faudra suivre de plus près ce passage du monde muet au monde parlant. »

Beide Ebenen, (a) die *Sprache* wie (b) das *Sehen* gleichermaßen, bedienen sich der künstlerischen *Erfahrungs*welten bzw. *Äquivalenzsysteme*: Im Zeichen einer über bzw. jenseits aller Reflexion stehenden *surréflexion* werden jene Äquivalenzsysteme, die Merleau-Ponty als „konzeptlose Präsentationen des universellen Seins" (OE; 71) begreift, für die neue Philosophie methodisch nutzbar gemacht.

2.3.2. Das *Sehen* des Künstlers zu dem des Philosophen machen

Im Sinne einer psycho-physischen Einheit ist das *Sehen*, wie Merleau-Ponty schreibt (OE; 81), „kein bestimmter Modus des Denkens oder eine Selbstgegenwart, sondern mein Mittel, von mir selbst abwesend zu sein, von innen her der Spaltung des Seins beizuwohnen, durch die allein ich meiner selbst inne werde." Das Sehen, der Gesichtssinn bzw. die visuelle Erfahrungs- bzw. Wahrnehmungswelt insgesamt, waren in vielerlei Hinsicht prägend für das Werk Merleau-Pontys. Insofern erstaunt es nicht, dass die Idee der *surréflexion* dem *visuellen* Erfahrungsfeld konzeptionell viel näher steht als dem sprachlichen Erfahrungsfeld; und dass sie für sich genommen tatsächlich eine Reflexionsform meint, die *im Sehen zu sich kommt*. Aufbauend auf dem chiastischen *Überkreuzen zweier Blicke* (Valéry) schreibt Merleau-Ponty unter der Überschrift „*Les regards qui se croisent* = eine Art der Reflexion"[319] in den Arbeitsnotizen (Vis; 246/Mai 1959):

> „Es ist das Fleisch der Dinge selbst, das uns von unserem Fleisch erzählt und dem des Anderen – Mein « Blick » ist einer jener Gegebenheiten des « Sinnlichen », der wilden und primordialen Welt, der die Analyse des Seins und des Nichts, der Existenz als Bewusstsein und der Existenz als Ding herausfordert und einen vollständigen Wiederaufbau der Philosophie verlangt."

Den Gedanken der sich überkreuzenden Blicke diskutiert Merleau-Ponty 1960 auch im Vorwort zu *Signes* und betont dabei die Vorzüge des Sehens vor jeglicher Reflexion, wenn man so will, die Vorzüge des künstlerischen ‚Denkens' vor dem des Philosophen (25):

> „Für die Reflexion gibt es lediglich « zwei Blickwinkel » ohne gemeinsames Maß; zwei *ich denke*, wobei jeder sich als Sieger dieser Prüfung ansehen kann [...]. Dem Sehen gelingt, was die Reflexion niemals verstehen wird: dass der Wettkampf bisweilen ohne Sieger bleibt, und das Denken nunmehr ohne Titular. Ich betrachte ihn. Er sieht, dass ich ihn betrachte. Ich sehe, dass er sieht. Er sieht, dass ich sehe, dass er sieht... Die Analyse ist ohne Ende".

---

[319] Hervorhebung und deutsche Textpassage im französischen Original.

Wenn Merleau-Ponty über Cézanne sagt, dass dieser ein Denken kenne, das nicht das Denken der Reflexionsphilosophie sei und ebenso wenig als das ‚Unmittelbare' Bergsons begriffen werden kann, dann entwirft er in der Folge ein Denken, dass gewissermaßen *am* bzw. *im* Sehen seinen Ursprung nimmt, sich metaphorisch gesprochen ‚entzündet'; ein Denken, das gerade deshalb auch kein *begriffliches* Denken sein kann. Paezold beschreibt diese *Reflexionsform* wie folgt (1990; 65): „Der Akt des Sehens wird sich durchsichtig. Er erfasst seinen eigenen Grund. Das könnte man transzendentales Sehen nennen."

Die ‚kreuzenden Blicke' zweier Menschen (s.a. Schilderungen Paul Valérys) können in dieser Hinsicht als plausibles Beispiel für eine Variante ‚visueller Reflexionsformen' gelten. Der gemeinsame Horizont, den die sich anblickenden Menschen instituieren, kennzeichnet eine ‚neue Ordnung', die „nicht denkend erzeugt wird, sondern am und im Sehen geht einem etwas Neues auf" (Paezold; 66). Analog beschreibt Merleau-Ponty den ‚zu-sich-kommenden' Künstler (OE; 31f.): „Man sagt, dass ein Mensch in dem Moment geboren wird, wo das, was tief im Mutterleib nur ein virtuell Sichtbares war, für uns und für sich selbst sichtbar wird. Das Sehen des Malers ist eine fortwährende Geburt."

Aufbauend auf diesen Beobachtungen lässt sich schließen, dass sich eine wie auch immer geartete ‚Reflexion sinnlicher Wahrnehmung'[320] – bezogen auf den späten Entwurf Merleau-Pontys – (a) am ehesten am vermeintlichen ‚Denken' Cézannes nachgezeichnet werden kann. Vor diesem Hintergrund kann davon ausgegangen werden, (b) dass im Besonderen die Methode der *surréflexion* von einer Übernahme des dezidiert ‚künstlerischen Denkens' in die Philosophie Merleau-Pontys zeugt.

Die Reflexionsform des ‚transzendentalen Sehens' (Paezold, 1990) ist natürlich zugleich auch ein Ergebnis der Wahrnehmungstheorie Merleau-Pontys bzw. deren exklusiver Ausrichtung auf den *Leib* und das *Sehen*: Im Gegensatz zu Husserl hat Merleau-Ponty die ‚fungierende Leiblichkeit' (Landgrebe, 1967; 177f.) bekanntlich als ein der Reflexion nicht Zugängliches, sondern lediglich im ‚lebendigen Vollzug' Erfahrbares (II. 1.) entworfen. Über die Unvereinbarkeit von *Wahrnehmungserfahrung* und gleichzeitiger *Selbstgewissheit* etwas wahrzunehmen, schreibt Merleau-Ponty in der *Phénoménologie* (275):

> „Ich nehme diesen Tisch wahr, auf dem ich schreibe. Das bedeutet u.a., dass mein Wahrnehmungsakt mich in Beschlag nimmt, und zwar derart, dass ich außer Stande bin mich selbst, während ich den Tisch tatsächlich wahrnehme, als ihn Wahrnehmenden zu erfassen.

---

[320] Vgl. Paetzold, 1990; 64: „Die reflexive Einsicht in die Sinneswahrnehmung bedeutet, dass man etwas mit seinen Sinnen wahrnimmt und dass einem zugleich etwas aufgeht über diese Wahrnehmung."

Will ich das aber tun, höre ich, um es so zu sagen, auf, mit meinem Blick im Tisch versunken zu sein, und ich kehre zu mir als Wahrnehmenden zurück".

Die systematische Annäherung von *Sehen* einerseits und *Denken* andererseits[321], die sich in den späten Schriften (OE, NC) als Projekt Merleau-Pontys (OE, NC) offenkundig herauslesen lässt, verweist zugleich auf ein philosophisch gesprochen ‚unscharfes' Verhältnis, und zwar gerade weil zwischen primär *visueller* bzw. primär *reflexiver* Methodik eine neuartige Beziehung aufgemacht wird: Dies geschieht durch die (1) Nutzbarmachung des nonverbalen *künstlerischen Denkens*, sowie durch den (2) Entwurf der so genannten Überreflexion, die zwar antritt, den (noch) *stummen Kontakt zu den Dingen* auszudrücken (Vis; 61), deren Ausbildung hierbei freilich fraglich und somit noch zu klären bleibt.

Merleau-Pontys Analyse des Verhältnisses von *Sehen* und *Denken* ist, das gilt es an dieser Stelle nicht zu vergessen, in erster Hinsicht eine Auseinandersetzung mit Descartes' *Dioptrique* (II. 3.1.3.) bzw. mit dessen Vergleich von *universeller Sprache* oder dem *reinem Denken* mit dem *Sehen*. Dabei interessiert Merleau-Ponty, wie er betont (Vorlesungen; 235), weniger die Frage, ob dieser Vergleich sinnvoll ist, als die Tatsache, dass Descartes diesen Vergleich überhaupt zieht. Zudem kritisiert er dessen Definition des *Sehens* als *Denken, das streng die im Körper gegebenen Zeichen entziffere* (OE; 41). Folglich hält er Descartes' Überlegungen entgegen, dass das Sehen „kein bestimmter Modus des Denkens oder der Selbstgegenwart [sei, sondern] mein Mittel, von mir selbst abwesend zu sein, von innen her der Spaltung des Seins beizuwohnen, durch die allein ich meiner Selbst inne werde" (89). Letztlich begreift Merleau-Ponty das Sehen, gleich eines Gedanken oder einer Meinung, nicht als Eigentum, sondern als „Herstellung eines Bezuges, eines Sich-Öffnens-auf-Etwas" (V; 233). In diesem Sinne will er auch die ‚Malwissenschaft' Leonardo da Vincis verstanden wissen, die eine „verschwiegene Wissenschaft" sei, weil sie nicht mit Worten spreche und auf dem Wissen gründe, dass das *Sehen* eben kein bestimmter Modus des *Denkens* sei (OE; 81f.), sondern „Fern-Sicht, Transzendenz, Kristallisation des Unmöglichen" (Vis; 327).

---

[321] Vgl. Vorlesungen I, Cartesianische und zeitgenössische Philosophie (1961); 235f. – über die Frage nach dem Verhältnis von Sehen und Denken: „eine schwierige Frage übrigens; denn der *intuitus mentis* hat mit dem Sichtbaren oder mit dem *lumière naturelle* nichts gemein."

IV. Fazit und Ausblick

Die Engführung von künstlerischem Sehen und philosophischem Denken gipfelt, wie die vorliegenden Analysen gezeigt haben, in einer kritischen Schau wissenschaftlicher Welterschließung – die gerade auch im Namen der Philosophie geschieht. Die Erörterung der *Überreflexion* (surréflexion), die Merleau-Ponty als neue *Reflexions*form im Spätwerk einführt, offenbart deutliche Parallelen zum *künstlerischen* Denken, einem Denken, das wesentlich auf der Rehabilitierung des Sinnlichen fußt. Mit der Überreflexion greift Merleau-Ponty auf die psycho-physische Gestalt des *Sehens* zurück und entwirft sie auf dieser Folie selbst als Reflexionsform des „transzendentalen Sehens" (s.a. Paezold, 1990). Mit der Annäherung des *Sehens* an das *Denken* bzw. des *Denkens* an das (künstlerische) *Sehen* ist zwar die Richtung der späten Studien Merleau-Pontys vorgegeben, das Potenzial der als *über jede Reflexion hinausgehenden Denkstruktur* der Überreflexion aber keineswegs ausgeschöpft. Valérys chiastisches Modell zweier Blicke, die sich kreuzen, sowie Husserls Theorem des „einfühlenden Denkens" (vgl. II. 1.1.), die Merleau-Ponty als *Chiasma* bzw. *Einfühlung* in sein Werk eingliedert, stehen für die eigentümliche Beziehung von *Individuum* und *Welt* bzw. von *Individuum* und *Anderem*. Sie versinnbildlichen jeweils auf ihre Weise den Duktus einer immer nur angedeuteten und niemals realisierten strukturellen *Reversibilität*. Zweierlei möchte ich abschließend und ausblickend zugleich diskutieren – zunächst, (1) welche Konsequenzen die methodische Engführung von künstlerischem Sehen und philosophischem Denken für das Arbeiten des Philosophen hat, sowie ferner (2) welche Konsequenzen damit für das Arbeiten des Künstlers bzw. das Verhältnis von Philosophie und Kunst verbunden sind.

Über die methodische Engführung von künstlerischem Sehen und philosophischem Denken und mögliche Konsequenzen für das Arbeiten des Philosophen:
     Die *Reflexion sinnlicher Wahrnehmung*, als die Merleau-Ponty seine spezifische philosophische Methode anlegt, scheint zunächst dem sprachlichen Übersetzungsproblem entkommen zu können. Dem *stummen* Sein wird in der Theorie durch ein *non*verbales Denken, das *vor* aller begrifflichen Reflexion steht, entsprochen. Dieses ist, nach der Spätphilosophie Merleau-Pontys, die einzige Möglichkeit, das stumme Sein in einer Weise, die schlechthin nicht beschrieben werden kann, zur Erfahrung zu bringen. Aber ist Merleau-Pontys Projekt des vermittelnden Denkens der „réflexion" tatsächlich einholbar? Wenn es stimmt, dass die Realisierung der Überreflexion nur erfolgreich sein kann, „wenn die Bestimmung des reflektierenden Subjekts als reines Denken und die Bestimmung der Welt

als Noema aufgegeben wird"[322], muss sich der Philosoph die Frage gefallen lassen, ob er im eigentlichen Sinne noch Philosoph ist; ob er über das, was er erfährt, sprechen bzw. kommunizieren kann: Wie die in der Überreflexion gemachte Erfahrung, metaphorisch gesprochen, ,zur Sprache' gebracht werden kann bzw. wie der Philosoph mit einem *sich selbst artikulierenden Sein* sprachlich zu verfahren hat, bleibt, was die Ausarbeitung betrifft, eine deutliche Schwachstelle in den Analysen der neuartigen Reflexionsform.

Es ist offensichtlich, dass Merleau-Ponty mit dem Entwurf der Überreflexion das eigentliche Ziel des Spätwerks, die Klärung der Ausgangsfrage, wie die noch *stumme Erfahrung zur reinen Aussprache ihres eigenen Sinnes* gebracht werden kann, nicht eingelöst, sondern lediglich – in ein noch dazu *non*verbales Reflexionsfeld – verlagert hat. Denn auch wenn die authentische Philosophie nach dem Verständnis Merleau-Pontys von der Tendenz durchdrungen ist, angesichts der stummen Welt nur schweigen zu können[323], konstituiert sich in diesem Modell auch die Absicht, den sinnlichen wie sinnhaften Kontakt zum *Sein*[324] sowie die Vertrautheit des *Individuums* mit der *Welt* sprachlich zum Ausdruck zu bringen.

Die Erwartungen an die *neue* Philosophie, wie ich sie hier bezeichnet habe, waren von vornherein groß – möglicherweise zu groß[325]: Einerseits

---

[322] Pilz, 1971; 103. So ließe sich etwa folgende Aussage Merleau-Pontys lesen (OE; 59): « Il ne s'agit plus de parler de l'espace et de la lumière, mais de faire parler l'espace et la lumière qui sont là. » Tatsächlich war sich Merleau-Ponty, zieht man *Le philosophe et son ombre* (1959) in Betracht, keineswegs sicher, ob mit der Unterscheidung von *Subjekt* und *Objekt* im menschlichen Körper auch zugleich die der *Noesis* und des *Noema* verschwinde (Signes; 211): « Si la distinction du sujet et de l'objet est brouillée dans mon corps (et sans doute celle de la noèse et du noème?), elle l'est aussi dans la chose ».

[323] In einer Vorlesung über die *Möglichkeit der Philosophie* (1959) schreibt Merleau-Ponty (Vorlesungen I; 117): „Nennt man ,Philosophie' die Untersuchung des Seins oder des Ineinander [...], so bleibt zu fragen, ob sie nicht sehr bald zum Schweigen verurteilt wird, – zu einem Schweigen, das Heidegger in Abständen mit seinen kleinen Schriften bricht." Das französische Original dieser Vorlesung (RC2; pp.141-156) trug ursprünglich keinen Titel und wurde erst nachträglich mit *Possibilité de la philosophie* überschrieben.

[324] So beginnt *Le visible et l'invisible* mit folgenden Sätzen: « Nous voyons les choses mêmes, le monde est cela que nous voyons: des formules de ce genre expriment une foi qui est commune à l'homme naturel et au philosophe dès qu'il ouvre les yeux, elles renvoient à une assise profonde d'« opinions » muettes impliquées dans notre vie. »

[325] Vgl. Vis; 172: « S'il est vrai que la philosophie, dès qu'elle se déclare réflexion ou coïncidence, préjuge de ce qu'elle trouvera, il lui faut encore une fois tout reprendre, rejeter les instruments que la réflexion et l'intuition se sont données, s'installer en un lieu où elles ne se distinguent pas encore, dans des expériences qui n'aient pas encore été « travaillées », qui nous offrent tout à la fois, pêle-mêle, et le

wendet sich Merleau-Ponty mit diesem Entwurf sowohl gegen eine Phänomenologie, die sich „mit einer Anschauung reiner Wesenheiten" begnü-
ge (Waldenfels, 1983; 198), als auch gegen das Intuitionsmodell Bergsons
sowie grundsätzlich gegen jegliche Form des Wahrnehmungsglaubens.
Dasselbe gilt andererseits für die kartesische Reflexionsphilosophie bzw.
die in der Abkehr zum Wahrnehmungsglauben entworfene reflexive Wende, die die Welt durch das *Gedacht-Sein* der Welt ersetzt (Vis; 67). Wahrnehmen und sinnliches Vorstellen seien demnach nur noch zwei Arten zu
denken (49): „Vom Sehen und Denken behalte man nur das zurück, was
sie beseelt und sie unbezweifelbar stützt, der reine Gedanke zu sehen und
zu empfinden" (49f.).

Demnach, resümiert Merleau-Ponty, bleibe die Reflexionsphilosophie
im Stadium der *Naivität* stecken (56). Auch wenn sie auf den ersten Blick
immer überzeugend sein werde[326], sei unklar, ob sie die „ursprüngliche
Verbundenheit zwischen mir als Wahrnehmenden und dem, was ich wahrnehme", wirklich verstehe (53) – ganz zu schweigen davon, „ob die Philosophie durch sie zu ihrem Ziel" überhaupt kommen könne (52). Um zu
begreifen, was *sehen*, was *empfinden* ist, sei es demnach unumgänglich,
„jenseits ihrer selbst, einen Bereich, den sie nicht besetzen, zu eröffnen,
und von dem aus sie ihren Sinn und ihrem Wesen nach verständlich werden" (58): Unverkennbar ist die Nähe dieser Forderung zur Leistung der
Phänomenologie, die, wie Merleau-Ponty in *Le philosophe et son ombre*
(1959) hervorhebt, darin bestehe, jene „vortheoretische Schicht aufzudek-
ken" (Signes; 208), in der sämtliche Dualismen aufgehoben seien.
François Lyotard hat das phänomenologische Projekt Merleau-Pontys im
Anschluss an die Kunsttheorie Cézannes sehr kritisch gesehen. In
Discours, Figure und in anderen Schriften[327] bestreitet Lyotard ein mögli-
ches Verständnis des „Ereignisses im visuellen Feld" (événement dans le
champ visuel): „Das, was Cézanne beabsichtigt," heißt es hier (1971; 21),
„ist genau das, was die Phänomenologie zu verstehen hofft; und damit
das, was sie, wie ich glaube, nicht verstehen kann".

Der Zugriff auf jenen vortheoretischen Bereich gestaltet sich, das soll hier
nicht unerwähnt bleiben, nach Merleau-Ponty jedoch aufgrund des spezifisch menschlichen *Welt*verhältnisses sowohl für den Philosophen als auch
für den Künstler cézannescher Prägung (III. 2.2.) gleichermaßen pro-
blemlos: Das primär *subjektive* Weltverhältnis ist, folgt man Merleau-
Pontys Konzept der *Ko*existenz bzw. *Kom*präsenz (II. 1.1.), zudem ein

---

« subjet » et l' « objet », et l'existence et l'essence, et lui donnent donc les moyens
de les redéfinir. » Vgl. die Nähe dieser Zeilen zu ebd.; 58.

[326] Vgl. dazu insbesondere Vis; 47-56.

[327] Vgl. insbesondere Lyotard, *Die Malerei, Anamnese der Sichtbaren* In: Ders.: Das
Elend der Philosophie, hrsg. v. Peter Engelmann, Wien 2004; 85-100.

Weltverhältnis, an dem potenziell alle Menschen teilhaben. Auch deshalb ist die Frage nach der Objektivierbarkeit subjektiver Erfahrungen im philosophischen Modell Merleau-Ponty im Sinne eines Übertragungsproblems nicht existent. Die berechtigte Frage, woran der Philosoph seine subjektive Beurteilung der Erfahrung misst, umgeht Merleau-Ponty, indem er von der Annahme ausgeht, dass der Philosoph die jeweilige Erfahrung nicht verfälsche, d.h. zur menschlichen Erfahrung nichts *hinzutue* (Vorlesungen I; 240): „Die Zutat des Philosophen ist […] die unbedingte Freiheit des Sehens, des freien unbelasteten, unmittelbaren Sehens. Die Philosophie ist die Weigerung, einen bestimmten Sinn den Sachen aufzuerlegen". Weitergeführt heißt dies, von einem grundsätzlich subjektiven aber stets *objektivier*baren Zugang zum Sein etc. auszugehen.

Das phänomenologische Diktum, *die Sachen selbst* zum Ausdruck zu bringen, unterscheidet trotz offensichtlicher Gemeinsamkeiten (vgl. III. 1.4.) und weitreichender künstlerischer Äquivalenzsysteme *künstlerischen* und *philosophischen* Anspruch[328]. Anders als der Künstler, will sich der Philosoph, wie Merleau-Ponty hervorhebt, weder „in der Ordnung des Gesagten oder Geschriebenen einrichten", noch sucht er ein „verbales Substitut der Welt" (Vis; 18): „Es geht nicht mehr darum, vom Raum oder vom Licht zu sprechen, sondern den Raum und das Licht, die da sind, sprechen zu lassen" (OE; 59). Deshalb unterscheidet Merleau-Ponty auch zwischen einem *kritischen, philosophischen, universellen* Gebrauch und einem *künstlerischen* Gebrauch der Sprache. Letztere Sprachform zeige sich insbesondere in der *non*verbalen Sprache der Malerei: Während sie *die Sachen selbst* in Malerei bzw. in ein farbliches Analogon der Welt übertrage, gehe es im philosophischen Sprachgebrauch darum, „die Dinge so wiederzugewinnen, wie sie sind" (Signes; 100). Mit dieser Unterscheidung stärkt Merleau-Ponty das Ideal des *begrifflichen* Denkens, das den Hiatus zwischen *Sein* und *Sprache* zu überwinden vermöge. Freilich führt er nicht näher aus, wie dies erreicht werden kann. Gleichzeitig, und es ist schwer, dies nicht als Widerspruch zu verstehen, weist Merleau-Ponty wiederholt auf das Potenzial künstlerischen Sprachgebrauchs hin (vgl. Prousts Schilderungen von Sichtbarem und Unsichtbarem, Vis; 195f.).

Um *uns unser eigenes Dunkel verständlich* (Vis; 62) zu machen, bedarf es folglich nicht nur einer grundsätzlich veränderten Blickeinstellung auf das *Sein*, sondern einer Methode, die auch *nicht*sprachliche Phänomene zur Erfahrung bringt sowie in Kommunikation überführt. Dass die *Über-*

---

[328] Es ist davon auszugehen, dass Merleau-Ponty hier nicht an Cézanne denkt, sondern an eine grundsätzliche künstlerische Praxis. Die Pointe dieser Unterscheidung mag zudem vor allem darin liegen, die Position des Philosophen gegenüber der des Künstlers ganz allgemein zu stärken oder zumindest abzugrenzen.

reflexion dies als fundamentale Reflexionsform leisten kann[329], versucht Merleau-Ponty in den späten Schriften zu stützen, indem er das Modell der *philosophischen Befragung* (interrogation philosophique) entwirft, die „alles in Frage stellt und sich mit keiner Antwort zufrieden gibt" (NC; 232). Wie alle Fragen[330] geht sie nicht auf das Sein zu: „schon durch ihr Sein als Frage kommt sie häufig mit ihm zusammen, kehrt sie von dort zurück" (Vis; 161).

Den ausgeprägten *selbst*reflexiven Duktus des philosophischen Fragens[331] führt Merleau-Ponty grundsätzlich gegen die klassischen Wissenschaften ins Feld. Auch deshalb sei die Philosophie keine Wissenschaft, die glaube „ihr Objekt überschauen" (Vis; 47) zu können, sondern *Inbegriff* jener Fragen, „bei denen der Fragende durch sein Fragen selbst in Frage gestellt wird" (ebd.). Zusammenfassend heißt dies, die Philosophie stellt im strengsten Sinne des Wortes „keine Fragen und findet keine Antwort, die die Lücken nach und nach schlössen" (142), sondern macht Frage wie Antwort selbst zum Thema ihres Philosophierens (160).

Über die methodische Engführung von künstlerischem Sehen und philosophischem Denken und deren Konsequenzen für das Arbeiten des Künstlers bzw. das Verhältnis von Philosophie und Kunst:
Unverkennbar stellt Merleau-Ponty die „Tätigkeit des Bildens" (Fiedler [2]1991), kurz den spezifischen *Prozess des Herstellens*, in den Mit-

---

[329] « En d'autres termes, nous entrevoyons la nécessité d'une autre opération que la conversion réflexive, plus fondamentale qu'elle », schreibt Merleau-Ponty im Spätwerk (Vis; 61), « d'une sorte de *surréflexion* qui tiendrait compte aussi d'elle-même et des changements qu'elle introduit dans le spectacle, qui donc ne perdrait pas de vue la chose et la perception brutes, et qui enfin ne les effacerait pas, ne couperait pas, par une hypothèse d'inexistence, les liens organiques de la perception et de la chose perçue, et se donnerait au contraire pour tâche de les penser, de réfléchir sur la transcendance du monde comme transcendance, d'en parler non pas selon la loi des significations de mots inhérentes au langage donné, mais par un effort, peut-être difficile, qui les emploie à exprimer, au-delà d'elles-mêmes, notre contact muet avex les choses, quand elles ne sont pas encore des choses dites. »

[330] Vgl. Waldenfels, 1983; 198: „Fragen meint hier kein vorläufiges Anfangsstadium des Denkens, sondern die Denkbewegung selber, die sich auf das einlässt, was Natur, Geschichte, Zeit und Welt uns » zu denken geben «."

[331] Die Frage danach, was ich weiß, bezeichnet Merleau-Ponty als die philosophische Frage schlechthin (NC; 356). Entsprechend schreibt er über die philosophische Befragung (369): « La question philosophique ne demande plus simplement ce que c'est que l'être et ce que c'est que ce monde, et ce que c'est que le savoir du monde et de l'être [...]: nous savons d'avance que la philosophie n'est pas une lecture immédiate des essences, qu'elles apparaissent dans une expérience du monde actuel, de l'être actuel, sur un fond ontologique. L'interrogation philosophique demande la restitution. » Die Philosophie teilt den selbstreflexiven Duktus mit der Kunst (vgl. III. 2.2.2.2.), in deren Mittelpunkt seit jeher das Darstellen bzw. das Sehen selbst steht (vgl. dazu u.a. Fritz, 2000; 67 und Santos, 1998; 79).

telpunkt seiner Analysen, wobei das Sehen bzw. Denken des Künstlers erstmalig *materiell fassbar* werde, indem ein Produkt, das Kunstwerk[332], entsteht. Geistiges und Stoffliches gehen eine Verbindung ein, wobei die Interaktion von Auge, Hand und Geist leitend ist[333], wie Merleau-Pontys dies am Beispiel Henri Matisses ausführt (PM, 62):

> „Denselben Pinsel, der – mit bloßem Auge betrachtet – von einem Strich zum anderen sprang, ihn sah man nun, wie er sich einen gedehnten und feierlichen Augenblick lang besann angesichts eines kurz bevorstehenden Weltanfangs, wie er zu zehn möglichen Handlungen ansetzte, vor der Leinwand einen Versöhnungstanz tanzte, sie mehrmals streifte, bis er sie beinahe berührte, um schließlich, wie ein Blitz, den einzig treffenden Strich zu ziehen."

Die Anschaulichkeit, die Dokumentationen künstlerischer Tätigkeit auszeichnet, ist – einmal auf Film gebannt – zwar jederzeit reproduzierbar[334],

---

[332] Mit ‚Produkt' sei in diesem Kontext sehr allgemein auf das – wie auch immer geartete – Resultat bzw. Materialisat eines künstlerischen Schaffens- bzw. Herstellungsprozesses verwiesen (vgl. auch Fußnote in der Einleitung vorliegender Arbeit). Im Fokus einer weitergehenden Analyse über den spezifischen Produktcharakter (bildender) Kunst sowie zum Verhältnis von Konzeption, Realisierung und Perzeption, die eine eigenständige Behandlung verdient, stünde vor diesem Hintergrund zweierlei: Einerseits die grundsätzliche Frage, inwiefern das Produkt als solches zum Vorschein kommt, d.h. sich ‚materialisiert' und damit als ‚Ding' verfügbar wird, kurz wie sich Realisierungsprozesse zum Perzeptuellen bzw. Konzeptuellen verhalten. Andererseits, inwiefern das Materialisat künstlerischen Arbeitens – gerade auch im Nachgang zu Fragen nach der *Reproduzierbarkeit* von Kunst (Benjamin) bzw. zum *Produktcharakter* des Ästhetischen (Adorno) – überhaupt als singuläres und simples Korrelat künstlerischen Arbeitens gelten kann bzw. einen eigenen Wirkungsraum eröffnet (zur *Autonomie* der Kunstwerke vgl. Adorno 1973). Nicht zuletzt schließen hieran Fragen nach dem Objekt- bzw. Warencharakter von Kunst an, wie etwa die Rede vom Kunstwerk als ‚Gewerk', für das der Künstler gemäß den Regularien des Marktes entlohnt wird.

[333] Vgl. auch hier wieder Fiedler (I; 175): „Gerade der Künstler wird sich bewußt sein, daß die höhere Entwicklung seines geistig-künstlerischen Lebens erst in dem Augenblicke beginnt, in dem sein Vorstellungsdrang die äußeren Organe seines Körpers in Bewegung setzt, in dem zur Tätigkeit des Auges und des Gehirns die Tätigkeit der Hand hinzutritt."

[334] Der Regisseur Henri-Georges Clouzot zeigt in seiner Dokumentation über das Arbeiten Pablo Picassos „Le mystère Picasso" das Entstehen eines Gemäldes aus einer ungewöhnlichen Perspektive: Auf der Rückseite einer transparenten Leinwand zieht ein schwarzer Stift erste Formen, die Ahnung von Blütenblättern, die Konturen eines Fisches, am Ende steht die Gestalt eines Hahnes, mit Kamm und scharfen Krallen. Schließlich gibt Picasso der Zeichnung mit kräftigen Pinselstrichen einen blauen Hintergrund und beginnt in den Körper des Hahns mit Grün, Rot und Schwarz hineinzumalen. Ein schwarzes, fratzenhaftes Gesicht entsteht, das die Konturen der ersten Zeichnung verändert, aber nicht vollständig verdeckt, so dieses in gewisser Weise auf und zugleich jenseits der ursprünglichen Zeichnung

wird freilich in ihrer Singularität nicht greifbar: Weder ist der Prozess als solcher in seinen einzelnen Schritten im Vorfeld antizipierbar, noch im Nachhinein dekonstruierbar; und somit bleibt dasjenige, was im Malakt entsteht, selbst für den Künstler ‚rätselhaft'. Oftmals zeigt sich dies in der Feststellung über das, was beim Malen geschehe, könne nicht berichtet werden, das heißt der Prozess künstlerischen Arbeitens sei streng genommen sprachlich nicht zu reproduzieren[335].

Dass die „Tätigkeit des Bildes" eigenen Gesetzmäßigkeiten gehorcht und ein Spannungsfeld aus kontrollierter Aktivität und inhärenter Dynamik des Gestaltens entstehen lässt, was verschiedentlich auf die Formel vom *Eigenleben des Kunstwerks* gebracht wurde, zeigen etwa die Selbstberichte von Künstlerinnen und Künstlern in der Moderne anschaulich. Jackson Pollock, Vertreter des abstrakten Expressionismus, hat den eigenen Malprozess beispielsweise folgendermaßen beschrieben[336]:

> „My painting is direct. I usually paint on the floor. I enjoy working on a large canvas. I feel more at home, more at ease, in a big area. Having the canvas on the floor, I feel near it, more a part of the painting. This way I can go around it, work from all four sides and be in the painting. Similar to the Indian sand painters of the west. Sometimes I use a brush, but often prefer using a stick, sometimes I pour the paint straight out of the can. I like to use a gripping, fluent paint. [...] The method of painting is a natural growth out of a niche. I want to express my feelings rather than illustrate them. Technique is just a means of arriving at a statement. When I am painting I have a general notion as to what I am about. I can control the flow of the paint. There is no accident – just there is no beginning and no end. Sometimes I loose a painting. But I have no

---

zum Vorschein kommt. (Quelle: Henri-Georges Clouzot, Picasso – Le mystére Picasso, Dokumentarfilm, 75 min, Frankreich [Produktionsjahr 1955] 2009). Ein früheres Filmdokument aus dem Jahr 1949 „Visite à Picasso" des belgischen Regisseurs Paul Haesaerts zeigt den Künstler beim Malen auf einer Glasplatte.

[335] Ein aktuelles Zeugnis bietet u.a. die Dokumentation „Gerhard Richter Painting" der Regisseurin Corinna Belz (2011/2012). Richter wird hier – in einem Interview des SWR aus dem Jahr 1966 folgendermaßen zitiert: „Über Malerei zu reden ist ja nicht nur sehr schwierig, sondern vielleicht sogar sinnlos. Weil man immer nur das in Worte fassen kann, was in Worte zu fassen geht, was mit der Sprache möglich ist. Und damit hat ja eigentlich Malerei nichts zu tun." (Quelle: Corinna Belz, Gerhard Richter Painting, Dokumentarfilm (DVD), 101 min, Deutschland [Produktionsjahr 2011] 2012).

[336] Vgl. Die zehnminütige Dokumentation über den Künstler „Jackson Pollock: Lights, Camera, Paint! (1951)" des Regisseurs Hans Namuth zeigt Pollock im Sommer 1950 beim Arbeiten in der freien Landschaft: Quelle: http://www. openculture.com/2011/08/jackson_pollock_lights_camera_paint.html (20.02.2012).

fear of changes, of destroying the image, because the painting has a life of its own, I try to let it live."

Das filmische Dokument der Regisseurin Sophie Fiennes „Over your cities grass will grow" (2010/12), das Anselm Kiefer bei verschiedenen Arbeitsprozessen in seinem Freiluftatelier zeigt, illustriert im Besonderen, wie groß der Bedarf an der Genese und Reifung spezifischer Formen der theoretischen Aneignung praktisch-lebensweltlicher Interaktionen von Akteur und Artefakt, Geistigem und Stofflichem bis heute ist – und wie sehr sich künstlerische Tätigkeit in der Moderne als Gegenstück wissenschaftlicher Tätigkeit konstituiert[337].

Merleau-Ponty legt das kreative Arbeiten des Künstlers in seinem späten Essay *L'œil et l'esprit* gerade auch vor diesem Hintergrund offen und verdeutlicht, inwiefern künstlerische Tätigkeit sui generis Ausdruck eines spezifischen Weltverhältnisses ist und somit Zeugnis eines Realisierungs- bzw. Übertragungsprozesses des *sichtbar-unsichtbaren Seins* in „die eigene Wirklichkeit"[338] des jeweiligen Werkes, wie dieses auch immer näher bestimmt sein mag[339]. Seine Szientismuskritik eröffnet im Übrigen für

---

[337] Kiefer beschreibt sein eigenes Weltverhältnis darin wie folgt: „Der ganze Fortschritt der Wissenschaft und der Technik sagt mir nur immer wie fehlerhaft ich bin, und dass ich nichts weiß. Wie unmenschlich ich eigentlich bin, wie unmenschlich die Menschen sind." (Quelle: Sophie Fiennes, Over your cities grass will grow, Ein Film über das Werk Anselm Kiefers, Dokumentarfilm (DVD), 105 min, Frankreich / Niederlande / Großbritannien [Produktionsjahr 2010] 2012).

[338] Vgl. Boehm (1988; 57).

[339] Zurückkommend auf die Spielarten zeitgenössischer Kunst sei an dieser Stelle auf das Spannungsverhältnis von Konzeption und Tätigkeit, die auf Objekthaftigkeit abzielt (auch: Realisation), hingewiesen, die Sol de Witt, Vertreter der konzeptuellen Kunst, in den „Paragraphen über konzeptuelle Kunst" (1967) folgendermaßen auf den Punkt gebracht hat (in: Kunsttheorie im 20. Jahrhundert. Künstlerschriften, Kunstkritik, Kunstphilosophie, Manifeste, Statements, Interviews, hrsg. v. Charles Harrison u. Paul Wood, Ostfildern-Ruit 2003, Bd. 2; 1023f.): „Wenn ein Künstler eine konzeptuelle Form von Kunst benutzt, heißt das, daß alle Pläne und Entscheidungen im voraus erledigt werden und die Ausführung eine rein mechanische Angelegenheit ist. Die Idee wird zu einer Maschine, die Kunst macht. [...] Die Ideen müssen nicht komplex sein. Die meisten erfolgreichen Ideen sind lächerlich einfach. Erfolgreiche Ideen haben gewöhnlich den Anschein von Einfachheit, weil sie zwingend erscheinen. Was die Idee angeht, ist der Künstler so frei, daß er sogar sich selbst überraschen kann. Ideen werden intuitiv entdeckt. Wie das Kunstwerk aussieht, ist nicht allzu wichtig. Es muß irgendwie aussehen, wenn es physische Form hat. Egal welche Form es letztlich haben wird, es muß mit einer Idee anfangen. Der Prozeß von Konzeption und Realisation ist das, was den Künstler beschäftigt. Wenn der Künstler der Arbeit erst einmal physische Realität gegeben hat, steht sie der Wahrnehmung aller offen, den Künstler eingeschlossen. (Mit dem Wort »Wahrnehmung« meine ich das Aufnehmen der Sinneseindrücke, das objektive Verstehen der Idee und gleichzeitig eine subjektive Interpretation beider.) Das Kunstwerk kann erst nach seiner Vollendung wahrgenommen werden."

den Analogieschluss von Philosophie und Kunst überhaupt erst Tür und Tor – folglich: was *Philosophie* und empirische *Wissenschaften* trenne, vereine *Philosophie* und *Kunst.* Insbesondere gelte dies im Hinblick auf die Radikalität des Fragens: So bedeute die jeweilige Arbeit eines Künstlers an seinen ‚geliebten Problemen' immer auch, die Arbeitsweisen aller vorheriger Künstler zu übersteigen (OE; 89). Arbeitsprozesse in der Kunst zeichnen sich demnach nicht nur darin aus, dass sie ein stetes *Neu*beginnen, sondern dass sie immer auch ein *totales* Unternehmen sind (ebd.): Ist die Philosophie in einer analogen Weise *Entziffern der Sinns bis zum Ende geführt,* kann sie nach Merleau-Ponty als einzig exakte Wissenschaft gelten, „weil nur sie allein alles auf sich nimmt [frz.: elle seule va jusqu'a bout de l'effort], um zu wissen, was die Natur und die Geschichte und die Welt und das Sein *ist*" (Vis; 146). Die Idee einer *universellen,* einer *vollkommen verwirklichten* Malerei sei nicht zuletzt genauso wenig denkbar wie die einer abgeschlossenen, zu Ende gedachten Philosophie: Auch deshalb versteht Merleau-Ponty jene neue Philosophie, die er ganz allgemein in die Nachbarschaft künstlerischer Denk- und Herstellungsprozesse rückt, als beständigen Neubeginn alles Fragens (OE; 60). Die Philosophie richte sich *am Rand des Seins* ein – „weder im Fürsich noch im Ansich, sondern an der Verbindungsstelle, dort, wo sich die mannigfaltigen *Eingänge* der Welt kreuzen" (Vis; 314).

V. Literaturverzeichnis

1. Primärliteratur: Schriften Merleau-Pontys

A. Publikationen zu Lebzeiten

- *Éloge de la philosophie et autres essais* [*EP*], Paris 1953
- *Les aventures de la dialectique* [*AD*], Paris 1955
(dt.: Die Abenteuer der Dialektik, übers. v. Alfred Schmidt/Herbert Schmitt, Frankfurt a. M. 1968)
- *L'œil et l'esprit* [*OE*], (erstmals in: Art de France, Nr. 1, Januar 1961; S. 187-208) Paris 1994
- *La structure du comportement* [*SC*], Paris 1942
(dt.: Die Struktur des Verhaltens [*SV*], eingeführt durch Bernhard Waldenfels [Phänomenologisch-psychologische Forschungen; 13] Berlin, N.Y. 1976)
- *Phénoménologie de la perception* [*PP*], Paris 1945
(dt.: Phänomenologie der Wahrnehmung [*PhW*], bearb. v. Rudolf Boehm [Phänomenologisch-psychologische Forschungen; 7] Berlin 1966/1974)
- *Sens et non-sens* [*SNS*], Genf [5]1948:
  * Le doute de Cézanne [*DC*], pp. 15-44
  * Le roman et la métaphysique [*RM*]; pp. 45-71
(dt.: Sinn und Nicht-Sinn, [Übergänge; 35] München 2000)
- *Signes* [*Signes*], Paris 1960:
  * Le langage indirect et les voix du silence [*Li*]; pp. 49-104
  * Sur la phénoménologie du langage [*PL*]; pp. 105-122
  * Le philosophe et ombre [*PO*]; pp. 2001-228
(dt.: Zeichen, kommentiert und mit einer Einleitung hrsg. v. Christian Bermes, Hamburg 2007)

B. Aus dem Nachlass

- *La nature* [*Nature*]. Notes. Cours du Collège de France. Suivi des Résumés de cours correspondants de Maurice Merleau-Ponty, établi et annoté par Dominique Séglard, Paris 1995
(dt.: Die Natur. Aufzeichnungen von Vorlesungen am Collège de France 1956-60, hrsg. v. Dominique Séglard, München 2000)
- *La prose du monde* [*PM*], texte établi et présenté par Claude Lefort, Paris 1969
(dt.: Die Prosa der Welt [*PW*], hrsg. v. Claude Lefort, [Übergänge; 3] München ²1993)
- *Le primat de la perception et ses conséquences philosophiques* [*Primat*], établie par Jacques Prunair, 1996
- *Le visible et l'invisible* [*Vis*], Paris 1964
(dt.: Das Sichtbare und das Unsichtbare [*SU*], gefolgt von Arbeitsnotizen, hrsg., mit Vorw. und Nachw. versehen v. Claude Lefort, [Übergänge; 13] München ²1994)
- *L'union de l'âme et du corps chez Malebranche, Biran et Bergson*, notes prises au cours de Maurice Merleau-Ponty à l'Ecole Normal Supérieure (1947-1948), recueillies et rédigées par Jean Deprun, (Bibliothèque d'histoire de la philosophie, Directeur: Henri Gouhier), Paris 1978
- *Merleau-Ponty à la Sorbonne*: résumé de cours, 1949-1952 [*RC1*], Dijon-Quetigny (Verdier) 1988:
　　　* La conscience et l'acquisition du langage [*Cal*]; pp. 9-87
　　　* Les sciences de l'homme et la phénoménologie [*SP*]; pp. 397-464
　　　* L'expérience d'autrui [*EA*]; pp. 539-570
(dt.: Keime der Vernunft: Vorlesungen an der Sorbonne 1949-1952, hrsg. und mit einem Vorw. vers. von Bernhard Waldenfels, [Übergänge; 28] München 1994)
- *Notes de cours au Collège de France 1958-1959 et 1960-1961* [*NC*], Préface de Claude Lefort, Texte établi par Stéphanie Ménasé, (Bibliothèque de Philosophie, Collection fondée par Jean-Paul Sartre et Maurice Merleau-Ponty) Paris 1996
- *Parcours*, 1935-51 [*P1*], établie par Jacques Prunair, Lonrai 1997
- *Parcours deux*, 1951-61 [*P2*], Lonrai 2001
- *Reading Notes and Comments on Aron Gurwitsch's* The Field of Consciousness, edited by Stéphanie Ménasé (in: Husserl Studies, Vol. 17, No. 3, Dordrecht 2001; S. 173-193)
- *Résumés de cours*, Collège de France 1952-1960 [*RC2*], Paris 1968
- *Un inédit de Maurice Merleau-Ponty* [*Inédit*], édité par Martial Gueroult (in: Revue de Métaphysique et de Moral, Paris 1962/n° 4. Bd. 67; S. 401-407)

C. Deutschsprachige Sammelbände

- *Das Auge und der Geist*. Philosophische Essays [*AG*], hrsg. v. Hans Werner Arndt, Hamburg 1984 (bzw. in der Neuauflage: *Das Auge und der Geist*. Philosophische Essays, neu bearbeitet, kommentiert und mit einer Einleitung hrsg. v. Christian Bermes, Hamburg 2003)
- *Vorlesungen I*. Schrift für die Kandidatur am Collège de France. Lob der Philosophie. Vorlesungszusammenfassungen [*VI*] (Collège de France 1952-1960). Die Humanwissenschaften und die Phänomenologie, bearb. v. Alexandre Métraux, (Phänomenologisch-psychologische Forschungen; 9) Berlin, N.Y. 1973

2. Sekundärliteratur

A. Monographien, Sammelbände und Dissertationen

Adorno, Theodor W.,
- Noten zur Literatur, Berlin/Frankfurt a. M. 1958
- Ästhetische Theorie, hrsg. v. Gretel Adorno u. Rolf Tiedemann, Frankfurt a. M. 1973

Adriani, Götz, Paul Cézanne, Gemälde, (Katalog zur Ausstellung ‚Cézanne-Gemälde', Kunsthalle Tübingen, 16. Januar bis 2. Mai 1993) Köln 1993

Aristoteles, Philosophische Schriften (6 Bände), Bd. 6: Physis – Über die Seele, hrsg. v. Hermann Bonitz, Eugen Rolfes, Horst Seidl u. Hans Günter Zekl, Hamburg 1995

Aschenberg, Heidi, Phänomenologische Philosophie und Sprache. Grundzüge der Sprachtheorien von Husserl, Pos und Merleau-Ponty, (Tübinger Beiträge zur Linguistik, Bd. 96; hrsg. v. Gunter Narr) Tübingen 1978

Barbaras, Renaud, De l'être du phénomène. Sur l'ontologie de Merleau-Ponty, Grenoble 1991

Barthes, Roland, Cy Twombly, Berlin 1983

Becks-Malorny, Ulrike, Cézanne 1839-1906. Wegbereiter der Moderne, Köln 2001

Bensch, Georg Dominik, Vom Kunstwerk zum ästhetischen Objekt. Ein phänomenologischer Beitrag zur Theorie ästhetischer Erfahrung, (Microf.) 1991

Bergson, Henri, Œuvres, (Presses universitaires de France) Paris 1970:
- Essai sur les données immédiates de la conscience; pp. 3-157
- Matière et mémoire; pp. 161-379
- La pensée et le mouvant; pp. 1251-1482

Bermes, Christian,
- Maurice Merleau-Ponty zur Einführung, Hamburg 1998
- *Wahrnehmung, Ausdruck und Simultanität*. Merleau-Pontys phänomenologische Untersuchungen von 1945 bis 1961 (Einleitung in: Ders. (Hrsg.), Maurice Merleau-Ponty. Das Auge und der Geist. Philosophische Essays (siehe Primärtexte), Hamburg 2003; S. XI-XLVIII)

Berthoz, Alain/Bernard Andrieu (Hrsg.), Le Corps en Acte, Paris 2010

Boehm, Gottfried
- Paul Cézanne. Montagne Sainte-Victoire. Eine Kunst-Monographie, Frankfurt a. M. 1988
- Was ist ein Bild, München ²1995
- Der stumme Logos (in: A. Métraux/B. Waldenfels, 1986; S. 289-304)

Boehm, Rudolf
- ΧΙΑΣΜΑ. Merleau-Ponty und Heidegger; in: Durchblicke. Martin Heidegger zum 80. Geburtstag, Frankfurt a. M. 1970, hrsg. v. Vittorio Klostermann; S. 369-393
- Husserls drei Thesen über die Lebenswelt (in: E. Ströker, 1979; S. 23-31)

Bonan, Ronald
- Premières leçons sur l'Esthétique de Merleau-Ponty, Paris 1997
- Merleau-Ponty, Paris 2011

Brentano, Franz, Psychologie vom empirischen Standpunkt, 2 Bde., Leipzig 1874

Bucher, Stefan, Zwischen Phänomenologie und Sprachwissenschaft: Zu Merleau-Pontys Theorie der Sprache, (Studium Sprachwissenschaft, Beiheft 18; hrsg. v. Helmut Gipper und Peter Schmitter) Münster (Diss. 1989) 1991

Carbone, Mauro, La visiblité de l'invisible. Merleau-Ponty entre Cézanne et Proust. Hildesheim 2011

Cassirer, Ernst, Philosophie der symbolischen Formen, 2 Bde., hrsg. v. Hermann Noack, Darmstadt 1997

Cézanne, Paul, (vgl. M. Doran bzw. J. Rewald)

Chadarevian, Soraya de, Zwischen den Diskursen. Maurice Merleau-Ponty und die Wissenschaften, (Epistemata. Würzburger Wissenschaftliche Schriften. Reihe Philosophie, Bd. LXXIII) Würzburg 1988

Claudel, Paul, L'œil écoute, Paris 1946

Descartes, René
- Die Leidenschaften der Seele. Les passions de l'âme (übersetzt und hrsg. von Klaus Hammacher), Hamburg ²1996
- Discours de la Méthode suivi de La Dioptrique, Les Météores et la Geométrie, Œuvres complètes, III. Discours de la Méthode et Essais (sous la direction de Jean-Marie Beyssade et Denis Kambouchner), Paris 2009

Didi-Hubermann, Georges, Die Erfindung der Hysterie. Die photographische Klinik von Jean-Martin Charcot, München 1997

Dillon, M.C.
- Merleau-Ponty's Ontology, (Studies in Phenomenology and Existential Philosophy) Bloomington/Indianapolis 1988
- (Hrsg.) Merleau-Ponty vivant, Albany 1991

Doran, Michael (Hrsg.), Conversation avec Cézanne, Paris 1978 (dt.: Gespräche mit Cézanne, Zürich 1982)

Dupond, Pascal, Dictionnaire Merleau-Ponty, Paris 2008

Edie, James M.
- Speaking and Meaning. The Phenomenology of Language, (Studies in phenomenology and existential philosophy) Bloomington, London 1976
- Merleau-Ponty's philosophy of language: structuralism and dialectics, (Current Continental Research 206) Washington, D.C. 1987
- (vgl. auch Zeitschriftenartikel)

Falter, Reinhard, Ludwig Klages. Lebensphilosophie als Zivilisationskritik, München 2003

Fichte, Johann Gottlieb, Grundlage der gesamten Wissenschaftslehre als Handschrift für seine Zuhörer [1794], (Einleitung und Register Wilhelm G. Jacobs) Hamburg ⁴1997

Fiedler, Konrad, Über den Ursprung der künstlerischen Tätigkeit [1887] in: Schriften zur Kunst: Text nach der Ausgabe München 1913/14; mit weiteren Texten aus Zeitschriften und dem Nachlaß, einer einleitenden Abhandlung und einer Bibliographie, 2 Bde. (hrsg. v. Gottfried Boehm) München ²1991 (S. 111-220)

Fink, Eugen, Die Spätphilosophie Husserls in der Freiburger Zeit (in: van Breda, H.L./Jacques Taminiaux (Hrsg.), Edmund Husserl, 1859-1959. Recueil commémoratif publié à l'occasion du centenaire de la naissance du philosophe, Den Haag 1959; S. 99-115)

Fóti, Véronique M., The Dimension of Color (in: G.A. Johnson, 1993; S. 293-308)

Fritz, Thomas, Eine Philosophie inkarnierter Vernunft. Studie zur Entfaltung von Merleau-Ponty, (Epistemata. Würzburger Wissenschaftliche Schriften. Reihe Philosophie, Bd. 268) Würzburg 2000

Gadamer, Hans-Georg, Gesammelte Werke, Tübingen
- Bd. 1: Hermeneutik I. Wahrheit und Methode, Grundzüge einer philosophischen Hermeneutik, Tübingen ⁶1990
- Bd. 8: Ästhetik und Poetik I., Tübingen 1993

Gehrig, Helmut (Hrsg.), Phänomenologie – lebendig oder tot? Zum 30. Todesjahr Edmund Husserls, (Veröffentlichungen der Katholischen Akademie der Erzdiözese Freiburg; 18) Karlsruhe 1969

Geraets, Théodore F., Vers une nouvelle philosophie transcendantale. La genèse de la philosophie Maurice Merleau-Ponty jusqu'à la Phénoménologie de la perception, Den Haag 1971

Gillan, Garth (Hrsg.), The horizons of the flesh. Critical perspectives on the thought of Merleau-Ponty, London, Amsterdam 1973

Gilmore, Jonathan, Between Philosophie and Art (in: Carman, Taylor, Mark B. N. Hansen (Hrsg.), The Cambridge Companion to Merleau-Ponty, Cambridge 2005; S. 291-317)

Giuliani, Regula (Hrsg.). Merleau-Ponty und die Kulturwissenschaften, München 2000

Giuliani-Tagmann, Regula, Sprache und Erfahrung in den Schriften von Maurice Merleau-Ponty, (Diss.) Bern, Frankfurt a. M. 1983

Good, Paul
- Du corps à la chair. Merleau-Ponty's Weg von der Phänomenologie zur ‚Metaphysik', (Diss.) Augsburg 1970
- Maurice Merleau-Ponty. Eine Einführung, Düsseldorf, Bonn 1998

Gould, Stephen Jay, The Mismeasure of Man. The definitive Refutation of the Argument of The Bell Curve. Revised and Expanded. With a new Introduction, New York, London ²1996

Grams, Lilianne, Sprache als leibliche Gebärde. Zur Sprachtheorie von Merleau-Ponty, (Diss.) Frankfurt a. M. 1978

Gregori, Ilina, Merleau-Pontys Phänomenologie der Sprache, Heidelberg 1977 (Studia Romanica, Heft 32; hrsg. v. Kurt Baldinger, Klaus Heitmann, Erich Köhler)

Großheim, Michael/Stefan Volke (Hrsg.), Gefühl, Geste, Gesicht. Zur Phänomenologie des Ausdrucks, Freiburg 2010

Günzel, Stephan, Maurice Merleau-Ponty. Werk und Wirkung. Eine Einführung, Wien 2007

Hegel, Georg Friedrich Wilhelm, Sämtliche Werke [SW], (Jubiläumsausgabe in zwanzig Bänden) Stuttgart
- Bd. 2: Phänomenologie des Geistes, 1927
- Bd. 4: Wissenschaft der Logik, Erster Teil, Die objektive Logik, 1928
- Bd. 6: Enzyklopädie der philosophischen Wissenschaften im Grundrisse und andere Schriften aus der Heidelberger Zeit, 1927
- Bd. 11: Vorlesungen über die Philosophie der Geschichte, 1928
- Bd. 12-14: Vorlesungen über die Ästhetik, I-III, 1927 bzw. 1928

Heidegger, Martin, Gesamtausgabe [GA], Frankfurt a. M.
I. Abteilung: Veröffentlichte Schriften 1910- 1976
- Bd. 2: Sein und Zeit [SZ], (hrsg. v. Friedrich-Wilhelm von Herrmann) 1977
- Bd. 9: Wegmarken, (hrsg. v. F.-W. v. Herrmann) 1976
- Bd. 10: Der Satz vom Grund, (hrsg. v. Petra Jaeger) 1997
- Bd. 12: Unterwegs zur Sprache, (hrsg. v. F.-W. v. Herrmann) 1985

II. Abteilung: Vorlesungen 1925-1944
- Bd. 20: Prolegomena zur Geschichte des Zeitbegriffs, (hrsg. v. P. Jaeger) 1979
- Bd. 40: Einführung in die Metaphysik. Freiburger Vorlesung Sommersemester 1935, (hrsg. v. P. Jaeger) 1983

Heidsieck, François, L'ontologie de Merleau-Ponty, Paris 1971

Herkert, Petra, Das Chiasma. Zur Problematik von Sprache, Bewusstsein und Unbewusstem bei Maurice Merleau-Ponty (Studien zur Anthropologie; 13), Würzburg 1987

Hoche, Hans-Ulrich, Handlung, Bewusstsein und Leib. Vorstudien zu einer noematischen Phänomenologie, Freiburg, München 1973

Hogemann, Friedrich, Das Problem der ‚perception' in der Phänomenologie Maurice Merleau-Pontys, (Diss.) Köln 1973

Huber, Lara, Malerei als Experiment der Philosophie. Die Rezeption Cézannes in der französischen Philosophie (in: Hoffmann, Thorsten (Hrsg.), Lehrer ohne Lehre. Zur Rezeption Paul Cézannes in Künsten, Wissenschaften und Kultur (1906-2006), Freiburg, Berlin, Wien 2008; S. 257-273)

Hügli, Anton/Lübcke, Poul (Hrsg.), Philosophie im 20. Jahrhundert. Bd.1. Phänomenologie, Hermeneutik, Existenzphilosophie und Kritische Theorie, Hamburg 1992

Husserl, Edmund, Gesammelte Werke, Husserliana [*Hua*], aufgrund des Nachlasses veröffentlicht vom Husserl-Archiv (Louvain), Den Haag
- Bd. I: *Cartesianische Meditationen und Pariser Verträge* [*CM*], (Text und Überarbeitung von Vorlesungen, gehalten an der Sorbonne, 1929; hrsg. v. S. Strasser) 1950
- Bd. III, 1: *Ideen zu einer reinen Phänomenologie und phänomenologischen Philosophie*. Erstes Buch: Allgemeine Einführung in die reine Phänomenologie [*Ideen I*], (hrsg. v. Karl Schuhmann) 1976
- Bd. III, 2: *Ideen zu einer reinen Phänomenologie und phänomenologischen Philosophie*. Erstes Buch: Allgemeine Einführung in die reine Phänomenologie. 2. Halbband. Ergänzende Texte (1912-1929), (hrsg. v. K. Schuhmann) 1976
- Bd. IV: *Ideen zu einer reinen Phänomenologie und phänomenologischen Philosophie*. Zweites Buch: Phänomenologische Untersuchungen zur Konstitution [*Ideen II*], (hrsg. v. Marly Biemel) 1952

- Bd. V: *Ideen zu einer reinen Phänomenologie und phänomenologischen Philosophie*. Drittes Buch: Die Phänomenologie und die Fundamente der Wissenschaften [*Ideen III*], (hrsg. v. Marly Biemel) 1952
- Bd. VI: *Die Krisis der europäischen Wissenschaften und die Transzendentale Phänomenologie*. Eine Einleitung in die phänomenologische Philosophie [*Krisis*], (hrsg. v. Walter Biemel) 1954
- Bd. IX: *Phänomenologische Psychologie*. Vorlesungen Sommersemester 1925, (hrsg. v. Walter Biemel) 1962
- Bd. XVII: *Formale und transzendentale Logik*. Versuch einer Kritik der logischen Vernunft (hrsg. v. Paul Janssen) 1974
- Bd. XVIII: *Logische Untersuchungen*. Prolegomena zur Reinen Logik [*LU*], (hrsg. v. Elmar Holenstein) 1975
- Bd. XIX, 1/2 (2 Teilbände): *Logische Untersuchungen*. Untersuchungen zur Phänomenologie und Theorie der Erkenntnis [*LU, 1/2*], (hrsg. v. Ursula Panzer) 1984
    weitere Publikationen:
- *Die Welt der lebendigen Gegenwart und die Konstitution der außerleiblichen Umwelt* (in: Philosophy and Phenomenological Research, Vol. 6, no 3, mars 1946)
- *Erfahrung und Urteil*. Untersuchungen zur Genealogie der Logik [*EU*], (hrsg. v. Ludwig Landgrebe) Hamburg (Reprint v. 1939) [7]1999

Johnson, Galen A.,
- (Hrsg.), The Merleau-Ponty Aesthetics Reader. Philosophy and Painting, Evanston/Illinois 1993
- Part 1: Introductions to Merleau-Ponty's Philosophy of Painting (in: Ders., 1993, S. 1-55)

Kaelin, Eugene F., An Existentialist Aesthetics. Theories of Sartre and Merleau-Ponty, Madison 1962

Kant, Immanuel, Kritik der reinen Vernunft [1781/1787], Bd. III u. IV. der Werkausgabe, hrsg. v. Wilhelm Weischedel, Frankfurt a. M. 1974

Kapust, Antje, Berührung ohne Berührung. Ethik und Ontologie bei Merleau-Ponty und Levinas, (Phänomenologische Untersuchungen, Bd. 13; hrsg. v. B. Waldenfels) München 1999

Kapust, Antje/Bernhard Waldenfels (Hrsg.), Kunst. Bild.Wahrnehmung.Blick. Merleau-Ponty zum Hundersten, München 2010

Kwant, Remy C.
- The Phenomenological Philosophy of M. Merleau-Ponty, (Duquesne Studies, Philosophical Series; 15) Pittsburgh 1963
- From Phenomenology to Metaphysics. An Inquiry into the last Period of M. Merleau-Ponty's Philosophical Life, (Duquesne Studies, Philosophical Series; 20) Pittsburgh 1966

Landgrebe, Ludwig, Phänomenologie und Geschichte, Gütersloh 1967

Langer, Monika M., Merleau-Ponty's Phenomenology of Perception. A Guide and Commentary, London u.a. 1989

Lanigan, Richard L.
- Phenomenology of Communication. Merleau-Ponty's Thematics in Communicology and Semiology, Pittsburgh (PA) 1988
- Speaking and semiology. Maurice Merleau-Ponty's phenomenological theory of existential communication, (Approaches to semiotics, ed. by Thomas Albert Seboek; 22) Berlin 1991

Lefeuvre, Michel, Merleau-Ponty au délà de la Phénoménologie. Du corps, de l'être et du langage, Paris 1976

Lefort, Claude, Sur une colonne absente. Écrits autour de Merleau-Ponty, (Les Essais CCIV) Paris 1978

Locke, John, An Essay concerning Human Understanding [1690], Oxford, New York 2008

Lyotard, Jean-François,
- Discours, Figure, Paris 1971
- Die Malerei. Anamnese des Sichtbaren (in: Ders.: Das Elend der Philosophie, hrsg. v. Peter Engelmann, Wien 2004; S. 85-100)

Madison, Gary Brent, La phénoménologie de Merleau-Ponty. Une recherche des limites de la conscience, (Publications de L'univeristé de Paris X Nanterre, Lettre et Sciences Humaines, Série A: Thèses et Travaux: n° 20) Paris 1973

Maier, Willi, Das Problem der Leiblichkeit bei Jean-Paul Sartre und Maurice Merleau-Ponty, (Diss.) Tübingen o. J.

Mallarmé, Stéphane, Poésies. Gedichte. Französisch/Deutsch. Übertragen von Hans Staub und Anne Roehling. Mit einem Nachwort von Yves Bonnefoy, Stuttgart 1992

Ménasé, Stéphane, Passivité et Création. Merleau-Ponty et l'art moderne, Paris 2003

Mercury, Jean-Yves, La Chair du Visible. Paul Cézanne et Maurice Merleau-Ponty, Paris 2005

Métraux, Alexandre/Bernhard Waldenfels (Hrsg.), Leibhaftige Vernunft. Spuren von Merleau-Pontys Denken, (Übergänge; 15) München 1986

Orth, Ernst Wolfgang, Edmund Husserls > Krisis der europäischen Wissenschaften und der transzendentalen Phänomenologie <, Darmstadt 1999

Paetzold, Heinz, Ästhetik der neueren Moderne. Sinnlichkeit und Reflexion in der konzeptionellen Kunst der Gegenwart, Stuttgart 1990

Petit, Jean-Luc, Corps propre, schéma corporel et les cartes somatotopiques (in: A. Berthoz/B. Andrieu, 2010; S. 41-58)

Pilz, Georg, Maurice Merleau-Ponty. Ontologie und Wissenschaftskritik, (Diss.) Bonn 1973

Philippe, M.-D., Une philosophie de l'être est-elle encore possible? Bd. 3-5 (Fascicule IV: Appendices 3 et 4: Néant et être), Saint-Céneré 1975

Rewald, John (Hrsg.), Paul Cézanne, Correspondance, Paris [1937] 1978 (Dt.: Paul Cézanne, Briefe, Zürich [1962] 1979)

Rey, Dominique, La perception du peintre et le probleme de l'être. Essai sur l'ésthétique et l'ontologie de Maurice Merleau-Ponty, (Diss.) Fribourg 1978

Ricœur, Paul
- Main Trends in Philosophy, N.Y., London 1978
- Jenseits von Husserl und Heidegger (in: A. Métraux/B. Waldenfels, 1986; S. 56-63)

Richir, Marc, Der Sinn der Phänomenologie in » Das Sichtbare und das Unsichtbare « (in: A. Métraux/B. Waldenfels, 1986; S. 86-109)

de Saint Aubert, Emmanuel
- Vers une ontologie indirecte. Sources et enjeux critiques de l'appel à l'ontologie chez Merleau-Ponty, Paris 2006
- Espace et schéma corporel dans la philosophie de la chair de Merleau-Ponty (in: A. Berthoz/B. Andrieu, 2010; S. 123-152)

Santos, José M., Die Lesbarkeit der Welt und die Handschrift des Auges. Zu Merleau-Pontys Phänomenologie des Sehens (in: Borsche, Tilman/Johann Kreuzer/Christian Strub (Hrsg.), Blick und Bild im Spannungsfeld von Sehen, Metaphern und Verstehen, München 1998; S. 63-94)

Sartre, Jean-Paul
- L'être et le néant, Paris 1943
- Qu'est-ce que la littérature? (in: Situations II, Paris 1948)
- Merleau-Ponty vivant (in: Situations IV, Portraits, Paris 1964; pp. 189-287)

de Saussure, Ferdinand, Cour de linguistique générale [Clg], Paris ³1967

von Schelling, Friedrich Wilhelm Joseph, Ausgewählte Schriften [AS] in 6 Bänden, Frankfurt a. M. ²1995
- System des transcendentalen Idealismus (1800), in: AS, Bd I 1794-1800
- Über den wahren Begriff der Naturphilosophie und die richtige Art, ihre Probleme aufzulösen (1801), in: AS, Bd II 1801-1807

Schmidt, James, Maurice Merleau-Ponty, Between Phenomenology and Structuralism, (Contemporary social theory, Theoretical Traditions in the Social Sciences, hrsg. v. Anthony Giddens) London u.a. 1985

Schmitz, Hermann
- System der Philosophie, Zweiter Band. Erster Teil: Der Leib, Bonn 1965
- System der Philosophie, Zweiter Band. Zweiter Teil: Der Leib im Spiegel der Kunst, Bonn 1966
- System der Philosophie, Dritter Band: Der Raum. Erster Teil. Der Leibliche Raum, Bonn 1967

Sepp, Hans Rainer/Lester Embree (Hrsg.), Handbook of Phaenomenological Aesthetics (Contributions to Phenomenology, in cooperation with The Center for Advanced Research in Phenomenology, Vol. 59, hrsg. v. Nicolas de Warren u. Dermot Moran), Dordrecht, Heidelberg, London, New York 2010

Sichère, Bernard, Merleau-Ponty ou le corps de la philosophie, Paris 1982

Speck, Josef (Hrsg.), Grundprobleme der großen Philosophen, Philosophie der Gegenwart, Göttingen
- Bd. II: Scheler, Königswald, Cassirer, Plessner, Merleau-Ponty, Gehlen, [3]1991
- Bd. V: Jaspers, Heidegger, Sartre, Camus, Wust, Marcel, 1982

Spiegelberg, Herbert, The phenomenological movement. A historical introduction, (Phaenomenologica, Bde. 5/6, Collection fondée par H. L. van Breda et publiée sous le patronage des Centres D'Archives-Husserl) Den Haag, Boston, London 1982

Stegmüller, Wolfgang, Hauptströmungen der Gegenwartsphilosophie. Eine kritische Einführung, Bd. 1, Stuttgart [6]1978

Ströker, Elisabeth (Hrsg.)
- Registerband. Husserls Werk. Zur Ausgabe der Gesammelten Schriften; Hamburg 1992
- Lebenswelt und Wissenschaft in der Philosophie Edmund Husserls, Frankfurt a. M. 1979
- Philosophische Untersuchungen zum Raum, Philosophische Abhandlungen Band XXV, Frankfurt a. M. (zweite, verbesserte Auflage) 1977

Taminiaux, Jacques
- Le regard et l'excédent (Phaenomenologica; 75) Den Haag 1977
- The thinker and the painter (in: M. C. Dillon, 1991; S. 195-212)

Tilliette, Xavier/A. Métraux
- M. Merleau-Ponty: Das Problem des Sinnes (in: J. Speck, 1991; S. 181-230)
- (vgl. auch Zeitschriftenartikel)

Tymieniecka, Anna-Teresa (Red.)
- Maurice Merleau-Ponty, Le psychique et le corporel, (Travaux de l'Institut Mondial des Hautes Ètudes Phénoménologiques) Breteuil-sur-Iton 1988
- (Hrsg.) Immersing in the concrete. Maurice Merleau-Ponty in the Japanese perspective, (Analecta Husserliana; 58) Dordrecht, Boston 1998

Valéry, Paul
- Tel quel. Choses tues - Moralités, Ébauches de pensées - Littérature, Cahier B 1910 - Rhumbs, Autres Rhumbs - Analecta - Suite, Paris 1941/1943
- Introduction à la méthode de Léonard de Vinci, Paris 1957

Valdinoci, Serge, Merleau-Ponty dans l'Invisible. L'Œil et l'Esprit au miroir du Visible et l'invisible, Paris 2003

de Waelhens, Alphonse,
- Une philosophie de l'ambiguïté. L'Existentialisme de M. Merleau-Ponty, Louvain 1951.
- Merleau-Ponty: Philosopher of Painting (in: G.A. Johnson, 1993; S. 174-191)

Wagner, Hans, Philosophie und Reflexion, München, Basel 1959

Waldenfels, Bernhard
- Phänomenologie in Frankreich, Frankfurt a. M. 1983
- In den Netzen der Lebenswelt, Frankfurt a. M. 1984
- Deutsch-französische Gedankengänge, Frankfurt a. M. 1995
- Das leibliche Selbst, Vorlesungen zur Phänomenologie des Leibes, Frankfurt a. M. 2000
- Maurice Merleau-Ponty (In: R. Giuliani, 2000; S. 15-27)
- (vgl. auch Zeitschriftenartikel)

Wiesing, Lambert
- Die Sichtbarkeit des Bildes. Geschichte und Perspektiven der formalen Ästhetik, Hamburg 1997 (Kap. V. Phänomenologische Reduktion und Bildliche Abstraktion: Maurice Merleau-Ponty; S. 209-235)
- Merleau-Pontys Phänomenologie des Bildes (in: R. Giuliani, 2000; S. 265-282)

Winkler, Thomas, Die Phänomenologie von Merleau-Ponty als ungeschriebene Kunstphilosophie, (Diss./Microf.) Hamburg 1994

Wittgenstein, Ludwig, Tractatus logico-philosophicus, Tagebücher 1914-1916, Philosophische Untersuchungen, Werkausgabe in acht Bänden, Frankfurt a. M. (Bd.1) [11]1997

Wokart, Norbert, Versuch einer neuen Grundlegung der Philosophie bei Merleau-Ponty. Eine systematisch kritische Erörterung, (Diss.) Tübingen 1975

B. Zeitschriftenartikel

Übersicht aller Fachzeitschriften

- *Analecta Husserliana*. The Yearbook of Phenomenological Research, Dordrecht, Boston, London (*AH*)
- *Archives de Philosophie*. Recherches et documentation. Revue trimestrielle publiée avec le concours du centre national de la recherche scientifique (*APh*)
- *Archivio di Filosofia*, Padova (*AF*)
- *Critique*. Revue générale des publications françaises étrangères. Revue mensuelle, Paris (*C*)
- *Husserl Studies*, Dordrecht (*HS*)
- *Journal of the British Society for Phenomenology*, Manchester (*JBSP*)
- *Kunstforum international*, Aktuelle Zeitschrift für alle Bereiche der Bildenden Kunst, Köln (*K*)
- *L'Arc*, Revue Trimestrielle, chemin de repentance Aix-en-Provence; directeur: Stéphane Cordier (*Arc*)
- *Lettre international*. Europas Kulturzeitung, Berlin (*L*)
- *Les Temps Modernes*. Revue Mensuelle, Paris (*TM*)
- *Magazine littéraire*, Paris (*Ml*)
- *Man and World*. An International Philosophical Review, Den Haag, Boston, London (*MW*)
- *Phänomenologische Forschungen*. Phenomenological Studies. Recherches Phénoménologique, Hamburg (*PhF*)
- *Revue de Métaphysique et de Morale*, revue publ. avec le concours du Centre National de la Recherche Scientifique, Paris (*RMM*)
- *Rivista di Estetica*, Turin (*RE*)
- *Zeitschrift für Ästhetik und allgemeine Kunstwissenschaft*, Bonn (*ZÄK*)

Benvenuto, Sergio, Der Blick des Blinden. Cézanne, der Kubismus und das Abenteuer der Moderne (L, II. Vj./Sommer 2001, Heft 53; S. 96-102)

van den Bossche, Marc, Towards an aesthetics of nature: Merleau-Ponty's embodied ontology (AH, Vol. LXVII, 2000; S. 339-356)

Bowles, Brian E., Bringing truth into being: Merleau-Ponty and the task of Philosophy (AH, Vol. LXVIII, 2000; S. 387-397)

van Breda, H.L., Maurice Merleau-Ponty et les Archives-Husserl à Louvain (RMM, n° 4, 1962; S. 410-430)

Castoriadis, C., Le dicible et l'indicible (Arc, n° 46, 1971, Merleau-Ponty; S. 67-79)

Edie, James M., Merleau-Ponty: The triumph of dialectics over structuralism (MW, Vol. 17/1984; S. 299-312)

Ewald, François, Sartre, Merleau-Ponty: Les lettres d'une rupture (Ml, n° 320/April 1994, L'existentialisme; S. 69-86)

Gay, William C., Merleau-Ponty on language and social science: the dialectic of phenomenology and structuralism (MW, Vol. 12/1979; S. 322-338)

Gerber, Rudolph J., The dialectic of consciousness and world (MW, Vol. 2, 1/1969; S. 83-107)

Green, André, Du comportement à la chair: itinéraire de Merleau-Ponty (C, Tome XX – n° 211, Décembre 1964; S. 1017-1046)

Greisch, Jean, Les limites de la chair (AF, Anno LXVII – 1999, n. 1-3; S. 57-82)

Grene, Marjorie, The Aesthetic Dialogue of Sartre and Merleau-Ponty (JBSP, 1. Jg, 1970; S. 59-72)

Ihara, Kenichiro, On Merleau-Ponty's turn (AH, Vol. LVIII, 1998; S. 85-96)

Kaganoi, Shuichi, Merleau-Ponty and Saussure: on the turning point of Merleau-Ponty's thinking (AH, Vol. LVIII, 1998; S. 151-172)

Kakuni, Takashi, "Ineinander" and vortex: on Merleau-Ponty's interpretation of Husserl (AH, Vol. LVIII, 1998; S. 17-28)

Kaufmann, Pierre, De la vision picturale au desir de peindre (C, Tome XX – n° 211, Décembre 1964; S. 1047-1064)

Levine, Stephen K., Merleau-Ponty's Philosophy of Art (MW, Vol. 2, no 3, August 1969; S. 438-452)

Nagataki, Shôji, Husserl and Merleau-Ponty: the conception of the world (AH, Vol. LVIII, 1998; S. 29-45)

Peillon, Vincent, Merleau-Ponty en mouvement (Ml, n° 320, April 1994, L'existentialisme; S. 65-66)

Pingaud, Bernard, Merleau-Ponty, Sartre et la littérature (Arc, n° 46, 1971, Merleau-Ponty; S. 80-87)

Pontalis, J.-B.
- Présence, entre les signes, absence (Arc, n° 46, 1971, Merleau-Ponty; S. 56-66)
- Note sur le problème de l'inconscient chez Merleau-Ponty (TM, n° 184-185, Numéro special Maurice Merleau-Ponty; S. 287-303)

Rötzer, Florian, Kunst und Philosophie. Aspekte einer komplizenhaften Auseinandersetzung (K, Bd. 100, April/Mai 1989, Einleitung; S. 85-133)

Sato, Marito, The incarnation of consciousness and the carnalization of the world in Merleau-Ponty's Philosophy (AH, Vol. LVIII, 1998; S. 3-15)

Sivak, J., Être-dans-le-monde chez Husserl (AH, Vol. LXVIII, 2000; S. 415-432)

Stähler, Tanja, Der Raum des Kunstwerks bei Heidegger und Merleau-Ponty (PhF, Heft 1-2, 2001; S. 127-142)

Tilliette, Xavier
- Maurice Merleau-Ponty ou la mesure de l'homme (APh, juillet-décembre 1961, Tome XXIV, Cahier III-IV; S. 399-413)
- L'esthétique de Merleau-Ponty (RE, 14. Jg., 1969; S. 102-119)

Toadvine, Ted, Phenomenological method in Merleau-Ponty's critique of Gurwitsch (HS, Vol. 17, No. 3, 2001; S. 195-205)

Tréguier, Jean-Marie, Merleau-Ponty et le < bergsonisme > (RMM, n° 3, 1997; S. 405-430)

Vuillemin, Jules, La méthode indirecte de Maurice Merleau-Ponty (C, Tome XX – n° 211, Décembre 1964; S. 1007-1016)

Waldenfels, Bernhard, Das Rätsel der Sichtbarkeit; (K, Bd. 100, April/Mai 1989; S. 331-341)

de Waelhens, Alphonse, Merleau-Ponty philosophie de la peinture, (RMM, n° 4, 1962; S. 431-449)

VI. Anhang

Personen- und Stichwortregister

Adorno, Theodor W. 13, 16, 159
Aristoteles 16
Ästhetik 13, 14, 15, 16, 17, 24, 27,
  70, 71, 88, 96, 132
Ausdruck 26, 50, 53, 54, 56, 57,
  59, 61, 62, 63, 65, 66, 67, 68, 72,
  76, 89, 98, 99, 102, 109, 111,
  115, 121, 122, 139, 144, 149,
  150, 157
  Ausdrucksform 14, 69, 93,
    101, 106, 108, 133, 136
  Ausdruckshandlung 47, 100
  Ausdruckskraft 26, 92
  Ausdrucksmittel 51, 52, 71, 72,
    107
  Ausdrucksraum 45, 62
  Ausdruckstätigkeit 99, 101,
    102, 103
  Ausdrucksvorgang 53, 66, 67,
    101
  Ausdruckswelt 13, 19, 21, 65
  Ausgedrücktes 26, 54, 65, 66,
    102, 109
  künstlerischer Ausdruck 28,
    66, 68, 100, 106
  schöpferischer Ausdruck 68,
    99, 101, 102
Balzac, Honoré de 77, 87
Barthes, Roland 17, 91
Beauvoir, Simone de 58, 100, 136
Bedeutung 16, 26, 27, 28, 38, 42,
  46, 51, 55, 56, 58, 61, 62, 65, 66,
  67, 68, 70, 73, 80, 101, 102, 104,
  150
Benjamin, Walter 13, 159
Bernard, Emile 12, 28, 42, 91
Bewusstsein 35, 37, 39, 45, 48, 73,
  74, 75, 79, 85, 86, 100, 112, 124,
  149

  körperliches Bewusstsein 40,
    42
  reflexives Bewusstsein 36
  reines Bewusstsein 40, 85, 124
Bild 12, 18, 68, 74, 88, 90, 96, 132,
  161
  Abbildung 71
  Bildhaftes 18
  Bildraum 92
  Bildwissenschaft 18, 68
Boehm, Gottfried 18, 25, 161
Boehm, Rudolf 27, 76, 78, 80, 81
Brentano, Franz 36
Cassirer, Ernst 15, 16, 43
Cézanne, Paul 12, 17, 18, 19, 20,
  25, 26, 53, 77, 87, 88, 89, 90, 91,
  92, 93, 94, 96, 97, 99, 104, 109,
  134, 135, 137, 138, 139, 144,
  145, 152, 156
Chair 20, 38, 41, 48, 85, 117, 118,
  119
  chair du corps 118
  chair du monde 22, 118
  en chair 38, 118
Chiasma 41, 62, 116, 117, 118,
  119, 121, 137, 142, 154
Claudel, Paul 12, 136
Denken 14, 17, 21, 23, 31, 37, 56,
  58, 65, 85, 94, 100, 107, 113,
  117, 122, 126, 136, 142, 143,
  144, 146, 149, 151, 152, 153,
  154, 156, 158
  Denken im Überflug 23, 141,
    142
  künstlerisches Denken 11, 144,
    145, 148, 151, 153, 154
  sprechendes Denken (pensée
    parlante) 100
  strukturales Denken 108

wildes Denken 148
Descartes, René 25, 29, 30, 31, 32, 33, 39, 147, 153
Dubuffet, Jean 12, 112
Eidetik 51, 52, 61, 76
Empfindung 16, 41, 43, 44, 46, 89, 90, 96, 109, 146, 156
Empfindbarkeit 43, 45
Empfindungsvermögen 115
sinnliche Empfindung 16, 65
Erfahrung 11, 43, 45, 46, 67, 75, 77, 80, 84, 86, 100, 112, 115, 133, 138, 139, 140, 149, 150
Erfahrungshorizont 48
Erfahrungsraum 101
Erfahrungssystem 40, 50, 117
Erfahrungswelt 13, 15, 19, 151
Fremderfahrung 52
Ich-Erfahrung 75
intersubjektive Erfahrung 44
Kontinuitätserfahrung 75
stumme Erfahrung 18, 142, 148
Fichte, Johann Gottlieb 33, 34, 35
Fiedler, Konrad 5, 11, 18, 73, 158, 159
Fink, Eugen 81
Fotografie 12, 63, 90
Gadamer, Hans-Georg 42, 98
Gasquet, Joachim 12, 91, 94, 109, 144
Geist 24, 32, 34, 39, 41, 66, 83, 113, 117, 119, 136, 137, 141, 142
absoluter Geist 81, 112
Geistiges 18, 39, 161
inkarnierter Geist 39, 50
wahrnehmender Geist 50, 51
Gelb, Adhémar 15, 64
Gestaltpsychologie 15, 64
Goldstein, Kurt 15, 64
Goodman, Nelson 68
Hegel, G. W. F. 33, 35, 36, 70, 107, 116

Heidegger, Martin 19, 22, 26, 41, 46, 111, 112, 113, 121, 122, 123, 124, 125, 126, 129, 155
Hermeneutik 42, 84
Husserl, Edmund 18, 19, 20, 22, 36, 38, 40, 43, 44, 48, 49, 50, 51, 57, 68, 73, 76, 77, 78, 79, 80, 82, 83, 84, 86, 87, 110, 111, 112, 114, 115, 118, 120, 123, 124, 125, 126, 128, 129, 135, 150, 152
Ineinander 62, 146, 155
Kant, Immanuel 33, 34, 79
Kiefer, Anselm 161
Klages, Ludwig 63, 64, 65
Klee, Paul 12, 24, 98
Köhler, Wolfgang 15, 64
Kommunikation 21, 39, 45, 50, 51, 52, 53, 62, 94, 102, 104
Kunst 11, 12, 18, 21, 22, 29, 71, 73, 87, 91, 96, 104, 106, 107, 109, 130, 132, 133, 148
abstrakte Kunst 17, 132
authentische Kunst 30, 91, 92, 104
konzeptuelle Kunst 11, 161
Künstler 11, 12, 13, 17, 22, 25, 43, 54, 71, 73, 77, 90, 93, 94, 95, 96, 106, 131, 133, 134, 136, 138, 148, 149, 154, 157, 158, 159
Kunstbetrachter 96, 134, 140
Kunstform 11, 14, 97, 99, 101, 133, 136
Kunstwerk 11, 26, 66, 67, 72, 73, 75, 82, 95, 144, 159, 160
moderne Kunst 17, 92, 107
Lebenswelt 19, 27, 48, 49, 62, 79, 81, 111, 126, 128, 129
Leib 15, 20, 21, 26, 30, 37, 38, 40, 41, 42, 44, 45, 47, 62, 64, 65, 67, 84, 134, 138, 152
Eigenleib 28, 39, 40, 41, 42, 46, 48, 62, 65, 95, 119
Leiblichkeit 23, 30, 84, 152

Leibphilosophie 20, 21, 26, 40,
  50, 117, 124, 133, 138
Leibniz, Gottfried Wilhelm 34
Literatur 12, 22, 27, 61, 67, 68, 93,
  97, 99, 115, 135
Locke, John 33, 34
Lyotard, François 19, 156
Malerei 11, 18, 22, 25, 30, 31, 56,
  68, 92, 93, 94, 96, 97, 99, 101,
  102, 107, 121, 132, 133, 137,
  148, 150, 157, 160, 162
Mallarmé, Stéphane 61, 72
Malraux, André 28, 29, 50, 99,
  102, 120
Matisse, Henri 12, 95, 159
Musik 22, 28, 68, 94, 96, 140
Nancy, Jean-Luc 106
Ontologie 13, 22, 46, 110, 111,
  113, 114, 121, 125, 126, 127,
  128, 129, 133, 147
  Fundamentalontologie 19, 22,
    127
  indirekte Ontologie 110, 111,
    125
  Intra- bzw. Innen-ontologie
    22, 110, 113, 146
Phänomenologie 13, 16, 19, 22,
  24, 25, 36, 37, 38, 39, 40, 49, 52,
  57, 65, 78, 79, 82, 83, 84, 85, 86,
  87, 110, 111, 126, 127, 129, 132,
  141, 156
Piaget, Jean 63, 103
Picasso, Pablo 159
Poesie 28, 62, 66, 70, 71, 93, 97,
  107
Pollock, Jackson 95, 160
Prosa 62, 66, 70, 107, 109, 135
Proust, Marcel 12, 20, 23, 27, 87,
  121, 135, 136
Reflexion 23, 32, 82, 94, 96, 112,
  142, 143, 146, 147, 150, 151,
  152
  natürliche Reflexion 78
  noematische Reflexion 46, 148
  Quasi-Reflexion 44
  surréflexion 23, 37, 122, 154

transzendentale Reflexion 34,
  37
Richter, Gerhard 95, 160
Rodin, Auguste 12
Sartre, Jean-Paul 15, 28, 38, 41,
  46, 48, 55, 98, 113, 122, 123,
  125, 148
Saussure, Ferdinand de 19, 50, 54,
  55, 56, 58, 59, 60, 61, 76, 102,
  112, 120
Schelling, F. W. J. von 33, 35
Schilder, Paul 42, 64, 146
Schmitz, Hermann 42, 43
Schütz, Alfred 76
Sehen 14, 17, 23, 24, 29, 31, 40,
  93, 95, 115, 117, 120, 139, 143,
  144, 145, 150, 151, 152, 153,
  154, 156, 158
  Gesehenwerden 17, 24
  leibhaftes Sehen 30
  transzendentales Sehen 152
  unmittelbares Sehen 84, 157
  voraussetzungsloses Sehen 93
Sein 20, 39, 44, 46, 49, 57, 73, 111,
  112, 115, 116, 119, 121, 124,
  128, 155, 157, 158, 162
  Dasein 113, 124
  stummes Sein 154
  transzendentales Sein 78
  wildes Sein 112, 140
  Zur-Wahrheit-Sein 38
  Zur-Welt-Sein 38, 46, 81, 124,
    138
Sepp, Hans Rainer 16
Sichtbares 17, 22, 25, 41, 70, 102,
  114, 115, 116, 133, 139, 143,
  152
  Sichtbarkeit 13, 17, 25, 125
  Sichtbarmachen 17, 24, 25, 37,
    99, 139, 142, 150
Sinn 51, 56, 57, 64, 65, 66, 72, 75,
  80, 87, 95, 100, 104, 106, 114,
  129, 142, 144, 148, 156, 157,
  162
  Sinngenese 61, 72, 75
  Sinnstiftung 65, 76

Sinnverschiebung 61
Sinnliches 115, 118, 119, 149
  sinnliche Reize 117
  sinnliches Vorstellen 156
Sinnlichkeit 34, 115
Sprache 21, 28, 37, 47, 50, 51, 52,
  53, 55, 56, 57, 58, 65, 68, 72, 75,
  76, 77, 94, 96, 99, 100, 101, 103,
  105, 143, 147, 150, 151, 157,
  160
  Alltagssprache 97, 98, 102, 105
  authentische Sprache 54, 68
  empirische Sprache 54, 58, 66,
    67, 97
  langage parlant 101
  langage parlé 101
  lebendige Sprache 76, 102, 106
  Sprache zweiter Potenz 28, 66
  Sprachvollzug 50, 59
  Sprechen 21, 45, 53, 55, 56, 58,
    67, 68, 77, 97
  Sprechen (parole pensante)
    100
  Sprechen (parole vivante) 52,
    58
  stumme Sprache 133
Sprachphilosophie 21, 50, 55, 58,
  59, 60, 61, 66, 71
Ströker, Elisabeth 27, 81
Tàpies, Antoni 25
Tätigkeit 17, 31, 35, 159, 161
  künstlerische Tätigkeit 11, 94,
    159
  Tätigkeit des Bildes 11, 18,
    158, 160
Twombly, Cy 91, 140
Unsichtbares 17, 22, 24, 25, 37,
  70, 114, 115, 116, 150
  Nicht-Sichtbares 114
Valéry, Paul 5, 12, 16, 17, 41, 87,
  95, 116, 135, 136, 137, 151
Verstehen 42, 45, 52, 56, 58, 133,
  143, 156
Verweltlichung 81
Wahrnehmung 16, 23, 24, 29, 30,
  31, 41, 43, 44, 46, 48, 51, 63, 67,

82, 84, 89, 106, 107, 115, 133,
  143, 149, 152, 154
  innere Wahrnehmung 36
  passive Wahrnehmung 48
  primordiale Wahrnehmung 24,
    90
Wahrnehmungsakt 30, 33, 40,
  152
Wahrnehmungssinn 103
Wahrnehmungswelt 23, 83,
  121, 124, 141, 149, 150, 151
Waldenfels, Bernhard 17, 19, 20,
  26, 41, 57, 64, 70, 108, 111, 112,
  118, 120, 123, 129, 156, 158,
  173
Welt 11, 28, 29, 31, 34, 37, 39, 40,
  41, 42, 43, 46, 66, 70, 71, 72, 78,
  79, 85, 87, 95, 105, 107, 108,
  109, 111, 112, 117, 118, 124,
  129, 130, 133, 138, 139, 141,
  142, 144, 147, 149, 150, 156,
  157, 162
  allgemeine Symbolik der Welt
    15, 42
  natürliche Welt 48
  primordiale Welt 24, 83, 90,
    139, 142, 143, 151
  sprechende Welt 150
  stumme bzw. schweigende
    Welt 21, 24, 28, 77, 98, 150,
    155
  unmittelbares Weltverhalten
    46
  vormenschliche Welt 77, 90
  vorsprachliche Welt 80
Welterfahrung 85, 120, 136,
  150
Welterleben 38, 81
Weltinnensicht 113
Weltkonstitution 52, 124
Weltverhältnis 11, 13, 14, 18,
  28, 38, 41, 47, 71, 117, 130,
  137, 138, 141, 145, 146, 148,
  156, 161
Witt, Sol de 161
Wittgenstein, Ludwig 129

Zeichen 27, 28, 31, 54, 56, 57, 66,
    68, 102, 104, 144, 153

Vorzeichen 16

Orbis Phaenomenologicus
Perspektiven - Quellen - Studien

Herausgegeben von
Kah Kyung Cho (Buffalo), Yoshihiro Nitta (Tokyo) und Hans Rainer Sepp (Prag)

Die Reihe präsentiert Denkansätze und Erträge der Phänomenologie und bestimmt ihre Positionen im Kontext anderer philosophischer Strömungen. Sie diskutiert Aporien des phänomenologischen Denkens und fördert die weiterführende phänomenologische Sachforschung. Die **Perspektiven** widmen sich phänomenologischen Sachthemen, behandeln das Werk wichtiger Autoren und zeichnen ein lebendiges Bild bedeutender Forschungszentren der Phänomenologie. Die **Quellen** versammeln Primärtexte und erschließen dokumentarisches Material zur internationalen Phänomenologischen Bewegung. Die **Studien** legen aktuelle Forschungsergebnisse vor.

ABTEILUNG PERSPEKTIVEN. NEUE FOLGE

Beate Beckmann / Hanna-Barbara Gerl-Falkovitz (Hrsg.)
Edith Stein
Perspektiven, Neue Folge 1, 318 Seiten. ISBN 3-8260-2476-1

Helga Blaschek-Hahn / Hans Rainer Sepp (Hrsg.)
Heinrich Rombach. Strukturontologie – Bildphilosophie – Hermetik
Perspektiven, Neue Folge 2, 264 Seiten. ISBN 978-3-8260-4055-9

Rolf Kühn / Michael Staudigl (Hrsg.)
Epoché und Reduktion
Perspektiven, Neue Folge 3, 309 Seiten. ISBN 3-8260-2589-X

Dean Komel (Hrsg.)
Kunst und Sein
Perspektiven, Neue Folge 4, 250 Seiten. ISBN 3-8260-2852-X

Harun Maye / Hans Rainer Sepp (Hrsg.)
Phänomenologie und Gewalt
Perspektiven, Neue Folge 6, 284 Seiten. ISBN 3-8260-2850-3

Karl-Heinz Lembeck (Hrsg.)
Studien zur Geschichtenphänomenologie Wilhelm Schapps
Perspektiven, Neue Folge 7, 139 Seiten. ISBN 3-8260-2861-9

Jaromir Brejdak / Reinhold Esterbauer / Sonja Rinofner-Kreidl / Hans Rainer Sepp (Hrsg.)
Phänomenologie und Systemtheorie
Perspektiven, Neue Folge 8, 172 Seiten. ISBN 3-8260-3143-1

Silvia Stoller / Veronica Vasterling / Linda Fisher (Hrsg.)
Feministische Phänomenologie und Hermeneutik
Perspektiven, Neue Folge 9, 306 Seiten. ISBN 3-8260-3032-X

Javier San Martín (Hrsg.)
Phänomenologie in Spanien
Perspektiven, Neue Folge 10, 340 Seiten. ISBN 3-8260-3132-6

Julia Jonas / Karl-Heinz Lembeck (Hrsg.)
Mensch – Leben – Technik
Perspektiven, Neue Folge 11, 388 Seiten. ISBN 3-8260-2902-X

Anselm Böhmer (Hrsg.)
Eugen Fink
Perspektiven, Neue Folge 12, 356 Seiten. ISBN 3-8260-3216-0

Hans Rainer Sepp / Ichiro Yamaguchi (Hrsg.)
Leben als Phänomen
Perspektiven, Neue Folge 13, 332 Seiten. ISBN 3-8260-3213-6

Kwok-Ying Lau / Chan-Fai Cheung / Tze-Wan Kwan (Eds.)
Identity and Alterity: Phenomenology and Cultural Traditions
Perspektiven, Neue Folge 14, 392 Seiten. ISBN 978-3-8260-3301-8

Cathrin Nielsen / Michael Steinmann / Frank Töpfer (Hrsg.)
Das Leib-Seele-Problem und die Phänomenologie
Perspektiven, Neue Folge 15, 332 Seiten. ISBN 978-3-8260-3708-5

Dietrich Gottstein / Hans Rainer Sepp (Hrsg.)
Polis und Kosmos
Perspektiven, Neue Folge 16, 356 Seiten. ISBN 978-3-8260-3498-8

Giovanni Leghissa / Michael Staudigl (Hrsg.)
Lebenswelt und Politik
Perspektiven, Neue Folge 17, 294 Seiten. ISBN 978-3-8260-3586-9

Ludger Hagedorn / Michael Staudigl (Hrsg.)
Über Zivilisation und Differenz
Perspektiven, Neue Folge 18, 312 Seiten. ISBN 978-3-8260-3585-2

Matthias Flatscher / Sophie Loidolt (Hrsg.)
Das Fremde im Selbst – Das Andere im Selben
Perspektiven, Neue Folge 19, 320 Seiten. ISBN 978-3-8260-4312-3

Anselm Böhmer / Annette Hilt (Hrsg.)
Das Elementale
Perspektiven, Neue Folge 20, 180 Seiten. ISBN 978-3-8260-3631-6

Dimitri Ginev (Hrsg.)
Aspekte der phänomenologischen Theorie der Wissenschaft
Perspektiven, Neue Folge 21, 228 Seiten. ISBN 978-3-8260-3721-4

Hans Rainer Sepp / Armin Wildermuth (Hrsg.)
Konzepte des Phänomenalen
Perspektiven, Neue Folge 22, 232 Seiten. ISBN 978-3-8260-3900-3

Yoshihiro Nitta / Toru Tani (Hrsg.)
Aufnahme und Antwort
Perspektiven, Neue Folge 23, 332 Seiten. ISBN 978-3-8260-3895-2

Pol Vandevelde (Hrsg.)
Phenomenology and Literature
Perspektiven, Neue Folge 24, 284 Seiten. ISBN 978-3-8260-4284-3

Jung-Sun Han Heuer / Seongha Hong (Hrsg.)
Grenzgänge
Perspektiven, Neue Folge 25, 308 Seiten. ISBN 978-3-8260-4374-1

Adriano Fabris / Annamaria Lossi / Ugo Perone (Hrsg.)
Bild als Prozess
Perspektiven, Neue Folge 26, 248 Seiten. ISBN 978-3-8260-4537-0

Michael Staudigl (Hrsg.)
Gelebter Leib – verkörpertes Leben
Perspektiven, Neue Folge 27, 288 Seiten. ISBN 978-3-8260-4751-0

Christian Sternad / Günther Pöltner (Hrsg.)
Phänomenologie und Philosophische Anthropologie
Perspektiven, Neue Folge 28, 188 Seiten. ISBN 978-3-8260-4729-9

ABTEILUNG QUELLEN. NEUE FOLGE

Ludger Hagedorn (Hrsg.)
Jan Patočka – Andere Wege in die Moderne
Quellen. Neue Folge 1,1, 484 Seiten. ISBN 3-8260-2846-5

Ludger Hagedorn / Hans Rainer Sepp (Hrsg.)
Andere Wege in die Moderne
Quellen. Neue Folge 1,2, 228 Seiten. ISBN 3-8260-2847-3

Karel Novotný (Hrsg.)
Ludwig Landgrebe: Der Begriff des Erlebens
Quellen. Neue Folge 2, 224 Seiten. ISBN 978-3-8260-3890-7

Czesław Głombik
Husserl und die Polen
Quellen. Neue Folge 3, 224 Seiten. ISBN·978-3-8260-3992-8

Helga Blaschek-Hahn / Věra Schifferová (Hrsg.)
Jan Patočka – Klaus Schaller – Dmitrij Tschižewskij. s
Philosophische Korrespondenz 1936-1977
Quellen. Neue Folge 5, 188 Seiten. ISBN 978-3-8260-4317-8

ABTEILUNG STUDIEN

Beate Beckmann
Phänomenologie des religiösen Erlebnisses
Studien 1, 332 Seiten. ISBN 3-8260-2504-0

Guy van Kerckhoven
Mundanisierung und Individuation bei Edmund Husserl und Eugen Fink
Studien 2, 510 Seiten. ISBN 3-8260-2551-2

Cathrin Nielsen
Die entzogene Mitte
Studien 3, 198 Seiten. ISBN 3-8260-2593-8

Michael Staudigl
Grenzen der Intentionalität
Studien 4, 207 Seiten. ISBN 3-8260-2590-3

Alexandra Pfeiffer
Hedwig Conrad-Martius
Studien 5, 232 Seiten. ISBN 3-8260-2762-0

Takako Shikaya
Logos und Zeit
Studien 6, 154 Seiten. ISBN 3-8260-2661-7

Pavel Kouba
Sinn der Endlichkeit
Studien 7, 240 Seiten. ISBN 3-8260-3121-0

Filip Karfík
Unendlichwerden durch die Endlichkeit
Studien 8, 216 Seiten. ISBN 978-3-8260-2866-3

Sandra Lehmann
Der Horizont der Freiheit
Studien 9, 114 Seiten. ISBN 3-8260-2961-5

Dean Komel
Tradition und Vermittlung
Studien 10, 138 Seiten. ISBN 3-8260-2973-9

Rolf Kühn
Innere Gewissheit und lebendiges Selbst
Studien 11, 132 Seiten. ISBN 3-8260-2960-7

Madalina Diaconu
Tasten, Riechen, Schmecken
Studien 12, 500 Seiten. ISBN 3-8260-3068-0

Urbano Ferrer
Welt und Praxis
Studien 13, 196 Seiten. ISBN 3-8260-3131-8

Daniel Tyradellis
Untiefen
Studien 14, 196 Seiten. ISBN 3-8260-3276-4

Heribert Boeder
Die Installationen der Submoderne
Studien 15, 449 Seiten. ISBN 3-8260-3356-6

Pierfrancesco Stagi
Der faktische Gott
Studien 16, 324 Seiten. ISBN 978-3-8260-3446-6

Dimitri Ginev
Transformationen der Hermeneutik
Studien 17, 144 Seiten. ISBN 978-3-8260-3959-1

Mette Lebech
On the Problem of Human Dignity
Studien 18, 336 Seiten. ISBN 978-3-8260-3815-0

Dean Komel
Intermundus
Studien 19, 112 Seiten. ISBN 978-3-8260-4015-3

Radomír Rozbroj
Gespräch
Studien 20, 320 Seiten. ISBN 978-3-8260-3794-8

Edmundo Johnson
Der Weg zum Leib
Studien 21, 208 Seiten. ISBN 978-3-8260-4126-6

Liangkang Ni
Zur Sache des Bewusstseins
Studien 22, 360 Seiten. ISBN 978-3-8260-4331-4

Günter Fröhlich
Form und Wert
Studien 23, 420 Seiten. ISBN 978-3-8260-4563-9

Alexander Schnell
Hinaus
Studien 24, 160 Seiten. ISBN 978-3-8260-4532-5

Petr Kouba
Geistige Störung als Phänomen
Studien 25, 280 Seiten. ISBN 978-3-8260-4556-1

Karel Novotný
Neue Konzepte der Phänomenalität
Studien 26, 200 Seiten. ISBN 978-3-8260-4555-4

Luis Niel
Absoluter Fluss – Urprozess – Urzeitigung
Studien 27, 304 Seiten. ISBN 978-3-8260-4678-0

Lara Huber
Der Philosoph und der Künstler
Studien 28, 190 Seiten. ISBN 978-3-8260-4901-9

Guido Cusinato
Person und Selbsttranszendenz
Studien 29, 200 Seiten. ISBN 978-3-8260-4945-3